あとらす

ATLAS

No. 41

2020

［投稿による総合文芸誌］

あとらす41号目次

ヤンウィレムのこと――禅からミステリー作家への道■ハンス・ブリンクマン／溝口広美（訳） 5

英捕虜、台湾人・張さん、朝鮮人少年工■熊谷文雄 11

三人の「後」付き天皇の奮闘■恩田統夫 16

竹林の隠者「富士正晴」を訪ねて（前編）■岩井希文 35

『デイヴィッド・コパフィールド』と親愛なるペゴティ■川本卓史 50

マルセー・ルドゥレダ著『ダイヤモンド広場』を読んで■岡田多喜男 71

ダ・ヴィンチとフィレンツェ――フィレンツェへの旅（その二）■大河内健次 78

書かなかったラヴ・レター■山根タカ子 86

一本道■浅川泰一 92

［俳句］花に生く■細木郁代 100

〔短歌〕白神山地■船本マチ　102
トロッコ事件■隠岐都万　104
寮　歌■添田孜　127
寮歌の歴史と将来――旧制高校と寮歌■正保富三　131
シャルロット・コルデーを焦点に■秋間実　138
ことばの雑記帳・第十三■秋間実　140
山崎正和、その哲学の形成
『劇的なる精神』と『リズムの哲学ノート』を中心として（上）■村井睦男　153
自分で判断し対話し合うこと――球技の試合に擬えて■三宅中子　175
執筆者別　総目次（No.31〜No.40）
〔コラム〕茅野太郎／斉田睦子

表紙イラスト＆デザイン◉猫車配送所

ヤンウィレムのこと

禅からミステリー作家への道

ハンス・ブリンクマン
溝口広美訳

夕食に招待した客人は、遅れてやって来た。外は大雨で、晴れた日中でさえ、探し当てることが難しい一画に建っている我が家を訪れたのは、父の友人で、ロッテルダムの大学講師ウィレム・Z・ミュルダー。もともとオランダ貿易船の船長で、オランダと極東地域を定期運行するチャーター貨物船のブリッジで船長として任務を果たしながら、中国学と日本学を勉強したと父から聞いていた。ミュルダーは早期退職をして、学者となり、執筆中の十七世紀のオランダと平戸の航海の歴史の資料収集のため、日本に滞在していた。

夕食に先立ち、友人を連れて来てもいいかと、彼から電話がかかってきたので、「どうぞ」と答えた。京都で禅を修行中の若者だという。名前をヤンウィレム・ヴァン・デ・ウェテリンクといい、ミュルダーとともに、神戸のオランダ総領事館に宿泊していた。ちなみに、オランダ総領事のW・H・デ・ロース氏は、それより数ヶ月前の一九五九年二月二十七日に、吉田豊子と私の結婚式を執り行ってくれた。

ミュルダーに、六時半頃に来るようにと伝え、神戸から電車で三十分ほどの西宮市の仁川という場所にある我が家の道順を告げた。

結局、二人はずぶ濡れ姿で、一時間遅れて到着した。激しい雨の降るなか、我が家を見つけることができず、駅の近くの喫茶店で私の救援を待った。自宅付近を流れる仁川は河川敷まで水位が上がり、滝のように轟音をたてていた（二日前には、この河川敷で日光浴をしたばかりだった）。身体を乾かすと、二人は、妻が用意した木綿の浴衣に着替え、ゆったりとした籐椅子に腰掛けた。それからわたしたちは明け方ま

ヤンウィレム・ヴァン・デ・ウェテリンク（1931－2008）

で、腰を上げることがなかった。次々と出される小鉢料理をつまみながら呑み、語り、やがて元船長は若い友人にもっと話をするよう促した。

一九五〇年に学校を卒業し、十九歳になると、ロッテルダムで栄えていた貿易商の父親が、彼のために、オランダの会社のケープタウン支店の職を見つけてくれた。ヤンウィレムは、そこで、芸術家たちのサークルに加わり、転勤を拒否したため解雇されたものの、職を転々としながら、ボードレール、ランボー、ポール・ヴェルレーヌなどを愛読し、ビート族気取りの生活をケープタウンで続けた。六年が経ち、彼はイギリスへ旅立った。ロンドンで哲学を学ぶうち、禅についての本を読み、日本へ来ることを決めた。高校時代と南アフリカで合法麻薬を吸った時に味わった「ハイな気分」と似たような気分を、禅の瞑想で体験できるのではないかと、ヤンウィレムは期待していたという。

かれこれ一年以上、外国人修行僧たちとともに、京都の大徳寺で座禅修行に励んでおり、ルース・フラー・佐々木とも知り合った。彼女は、一九三〇年代初頭から禅を学び、アメリカでの禅宗発展にたずさわった曹渓庵こと佐々木指月の妻であり、一九五八年に、アメリカ人として初めて臨済宗の尼僧となったことで有名だった。ヤンウィレムは、毎日、長い時間座禅を組んで、真面目に努めていた。彼の瞳の輝きから、会話から、手の動きからさえ、そのことが感じられた。ところが、日本に来た目的が達成できないらしい。彼は「智慧と直感が生みだされる状態」を体得することができないと述べた。

話は尽きなかった。妻はビールやお茶のおつまみなどを、折を見て運んでくれた。昇る太陽の眩しさに、時計を見て驚いた。私たちは、急に疲労を感じはじめた。ミュルダーは神戸に戻るため始発の電車に乗ると言ったが、妻と私は、空いたベッドがあるので、休むように訴えると、二人はうなずき、全員が横になった。

数時間後、妻と私が目をさますと、「せっかくお休みですので起こしませんが、もう出かけます」と書かれたミュルダーの置き手紙が残されていた。ヤンウィレムの部屋を覗いてみると、彼はぐっすり眠っていた。青春期の健全な肉体が横たわっている。彼の勇気と自由が羨ましかった。それに比べ、銀行勤めの私の生活の、なんと平凡なことよ。彼が起きると、三人で静かに遅い朝食をとった。寺の戒律にこの先どれほど耐えられるのかわからないと、彼は言った。今後も我が家へ遊びに来ること、そして、京都を訪ねてほしいことを述べ、彼は立ち去った。

それから二週間後、ヤンウィレムから電話がかかってきた。八月十二日にオランダに戻り、そこで四ヶ月間を過ごすという。彼はもはや禅を信じていない、と私は感じた。彼が日本に戻って来ることがなくとも驚かない、とも思った。

ところが、彼は予定通りに出発をしなかった。十七世紀のオランダと平戸の航海の歴史資料収集を終えたミュルダーが去ってからは、私が彼の相談役となっていた。彼は私のオフィスを訪れ、いったん寺を離れたら、老師は自分を受け入れてはくれないだろうから出発しなかったと話した。とにかく予定を変更し、一週間以内に京都に戻るという。修行から離れたくてオランダに戻る計画を立てたのだと、私に打ち明けた。自分が正しいことを行なっているのかどうかを考える時間が必要だったわけだが、老師に受け入れてもらえなくなることを知り、修行に戻ろうと決めたようだ。ヤンウィレムは、大徳寺へ戻る前に、私たちとともに愉快な一夜を過ごした。ちょっとした冗談さえ、腹を抱えて笑いあった。

二日後の九月十七日のことだった。ヤンウィレムは、再び私の前に現れた。寺から追放されたという。彼は、禅を学ぶ外国人学生組合のもとで修行をしていた。その組合の委員会が、彼の帰りを待っていた。彼らはヤンウィレムを見つけると、何も言わず老師の所へ連れて行き、そこで老師から「あなたは志が定まらず、しばしば欠席するため、もう金輪際あなたを教えることはできません」と告げられた。十年ちかく禅を修行しているウォルターというヤンウィレムの修行仲間は、この時点で、二人が共同で居住していた部屋に、ヤンウィレムが出入りすることを禁じた。相手に問うことも論じることもできぬまま、ヤンウィレムは京都を後にした。ルース・佐々木とウォルターに別れを告げた時、ふたりの目には涙があふれていたという。

迷える修行僧に対する禅寺のありきたりな対応だと、私はヤンウィレムに言った。破門は必ずしも最終的なものではない。寺としては、ヤンウィレムが、五回、十回、三十回と閉ざされた門を叩くことを待っているのだとも言ってやった。しかし、彼はこれ以上座禅修行に耐えられない、「この十五ヶ月間、悟りに至らなかった」と私に述べた。日本を即刻立ち去るという彼の決意は固かった。

考え直すようにと私は説得したが、それは余計なお世話だったのかもしれない。あと二、三ヶ月ほど日本で暮らせば、今までの経験を違う見方で捉え直すことができるだろうから、語学を教えたり、書きたいと思っている本を執筆したり、日本の秘境にでも旅行したらどうかと提案したが、彼はもう心を決めていた。なんの支援も助言もいらないと言い、我が家にしばらく滞在することも断った。

一週間後、ヤンウィレムが電話で、手紙のお礼を述べてきた。自分のお節介を謝罪する手紙を、私は送ったのだった。彼は、結局、大徳寺へ戻ったこと、そこで大変好意的に迎えられたことを話してくれた。「あなたの言う通り、最初から破門するつもりはなかったようです。ただ、禅の教えというものが、いかに厳格であるかを私に知らしめたかったのです」

しかし、それでも、ヤンウィレムの決意は変わらなかった。定期船の三等で、彼は十月十一日に、日本を去った。数人の友人と、妻と、それから禅宗の代表者と名乗る男性と一緒に、私は彼を見送った。

禅がヤンウィレムを去ったのか、それとも、ヤンウィレムが禅を去ったのか。

それとも、禅はとどまったのか。ヤンウィレムは、存在の本質と人生における真実を探し求め続けた。悟りには至らなかったが、禅寺での経験は、彼の人生に多くの影響を与えた。一九五〇年代後半の日本で禅を修行した時の回想記〝The Empty Mirror〟（邦訳はされていない）を一九七一年に出版すると、広く読まれ、これを機にヤンウィレムはフィクションとノンフィクション作家の道へと進むのだった。

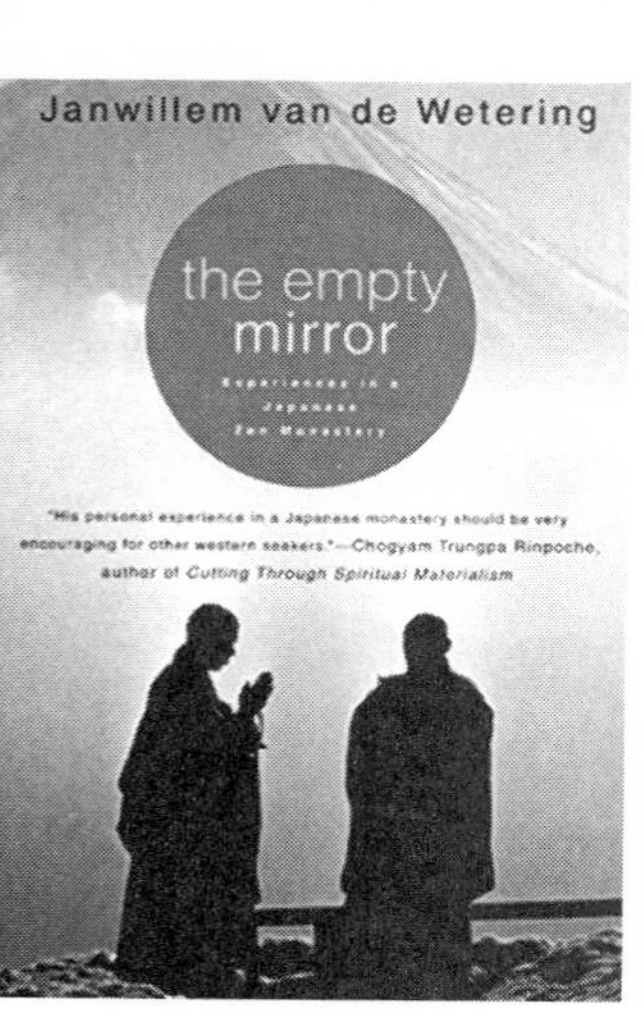

〝The Empty Mirror〟の表紙

日本を去った後、南米コロンビアへ行き、十七歳になる、オランダとコロンビアの合弁繊維会社社長令嬢と結婚し、国際部門の取引を任されたが、五年が過ぎると、二人はオランダへ引っ越した。ところが、そこで、驚くべき現実が待ち受けていた。

徴兵義務だった。しかし、平和主義者の彼は、兵役につくかわりに、補助警察官としてパートタイムで、兵役期間の二倍の期間を勤務することを選んだ。これが思いがけない幸運をもたらした。夜は、アムステルダム市内をパトロールし、昼は、彼が見聞きした暗黒街の世界を題材に小説を書き始めたのだ。後に、世界的に有名となる「フライプストラ警部補とデ・ヒール巡査部長」シリーズの始まりだ。仏教や一風変わった哲学と、アムステルダムの路上で起こる犯罪を、上手に混ぜ合わせ、手に汗握るミステリー小説が出来上がった。アムステルダム市警殺人課に属する二人の警察官が活躍するシリーズ最初の作品は『アムステルダムの異邦人』と題され、映画化もされた。日本でも同題で創元推理文庫から出版され、同シリーズの他の作品も邦訳出版された。ヤンウィレムは補助警察官の仕事を楽しみ、結局、命じられた勤務年数の二倍の期間を勤め上げ、最後には警部にまで出世した。

それは一九七〇年代初めの頃のことで、私が彼とアムステルダムで再会した時期でもあった。私たちの共通の友人で、ドキュメンタリー映像作家のエイスブラント・ロッへの自宅に集まることになっていた。ヤンウィレムはハーレーダビッドソンのエンジンをふかせて登場した。私たちは舗道に出て彼を出迎えた。逞しい体つきの、口髭を生やしたヤンウィレムが、はらりとハーレーを降り、ヘルメットを外した時、彼の革ジャンがキュッキュと音をきしませた。二十年前に京都で禅を修行していた時の面影は、そこにはまったく残っていなかった。疑いや不安とは無縁の、陽気な警官が、彼の本来の姿のように見えた。

ところが、やはり、これもヤンウィレムの一面でしかなかったのだろう。四十四歳になった一九七五年の年に、彼は妻とともにアメリカのメイン州にある禅コミュニティーに加わる

『アムステルダムの異邦人』の表紙

制服姿のヤンウィレム

ため、オランダから移住し、それからさらに八年間旅行をし、最終的に一九九〇年に、メイン州に戻った。そして、執筆活動を再開し、「フライプストラ警部補とデ・ヒール巡査部長」シリーズのみならず、児童書、仏教についてのエッセイ、ドイツのラジオ劇シリーズなどを書き上げた。

ヤンウィレムと禅の関係は、完全に終わりを告げたわけではなかったようだ。

一九九九年に出版された英語で書かれた〝Afterzen〟（これも邦訳はされていない）は、わかりにくい禅について自分なりの考えをまとめた彼の最後の著書である。本書は、インド人の禅導師（グル）の体験談から始まる。禅の専売特許ともいえる非論理的問答、すなわち公案は、過大評価されており、ヤンウィレムもこの点については同感のようだ。自分が抱いた禅に対する幻滅は、かつて禅を修行した多くの人たちも抱いていると述べている。それでは、なぜ、六十八になった彼が、再び、昔の謎めいたものの元へ戻らなくてはと感じたのか。まだ、禅にとりつかれているというのか。

もし答えがあるとしたら、それは、ヤンウィレム自身の複雑な人間性に見出せるのかもしれない。いろいろな側面をもった人間だったのだろう。そして、それぞれが、彼にとっては重要で、冒険的な探求の人生を進むうちに、それらのほぼ全てが花開いたわけだ。哲学を探求する者のように、彼は、はっきりとした答えというものを見出すことができなかった。一九五九年に、日本を、禅を去りたいという気持ちと、とどまりたいという気持ちに引き裂かれた彼の矛盾は、その後の彼の人生から消え去ることはなかった。公案に対し直感的に正しい答えを見出せなかった苛立ちこそが、実は、彼の創作のインスピレーションとなり、「答えられない」ことこそが、「答え」そのものより、はるかに豊かな想像力の源となったと言えよう。彼が望んでいた「直接的な眼識」に達するかわりに、間接的ではあっても、常に躍動する彼の心を掴んでやまなかった多くの世界の一コマ一コマを読者に見せ、感動を与える道を、彼は見つけたのだった。

私も、かつては瞑想を行い、禅を修行しようとした。だからこそ、悟りに到達したいというヤンウィレムの気持ちはよくわかった。彼と私が異なるのは、彼の場合、探求をやめることなく生き続けたことだ。私は、禅に頼らず、人生の充実感を満たす道を見出した。私が他所の世界を見渡している間も、ヤンウィレムは「無の鏡（The Empty Mirror）」を眺め続けたのだった。幸福、あるいは精神の成就を約束する処方箋など、ない。それは、自分自身で見つけるしかないのである。

ハンス・ブリンクマン氏は「ハブリ」サイトを公開しておりますのでご覧ください。https://habri.jp

英捕虜、台湾人·張さん、朝鮮人少年工

「わが徴用」記

熊谷文雄

「わが徴用」、もちろん私が「徴用」するわけではなく、私は「被徴用者」であり、そこでの見聞である。

「徴用」とは「国家権力により国民を強制的に動員し、一定の業務に従事させること」と辞書にある。

日中戦争長期化、さらに太平洋戦争が始まり、多くの成人男子が戦地に赴き、国内の働き手が減り、特に軍需工場での人手不足は、戦争の遂行に支障をきたす事態になる。

労働力不足を補うために、職に就いていない成人、不要不急な職に就いている成人の徴用が行われたが、それでは足りず、学生、学徒など未成年に拡大された。

全国各地の中学（旧制）以上の在学者は、授業を放棄して「勤労報国隊」の腕章を腕に巻き、防空壕を掘ったり、農作業の手伝いをしたり、さらに軍需工場で働くことになった。これは徴用とは言わず、「学徒勤労動員」と言われた。

徴用は植民地である朝鮮、台湾にも広がり、日本本土への強制連行も行われ、戦後にそれらは国際問題となって現在もくすぶっている。

勉強好きの生徒、学生にとって、勉学を放棄することは残念なことであるが、私のような怠け者にとっては、授業も試験もなく、復習、予習の勉強から解放され、さらに社会での仕事への好奇心もあり、とにかくお国のために働くという愛国心が基本であり、さほど抵抗もなく命令に従った。

今と違って、当時は、政府とか、上に対する「批判」とか「反対」などは考えられず、上からの命令は天皇の命令であり、天皇はほとんど神で、兵士が戦場で死ぬときの最後の言葉は「天皇陛下万歳」とも言われていた。しかし、それはウソ、「お母さん！」と言って死ぬ、としたり顔で言う者もいた。

愛国教育が徹底し、個人と国は一体で、愛国心にあふれ、祖国のために殉ずるという気持ちが強く、特に若い人たちの愛国心は純粋だったと思われる。

「少年挽歌」と題して、森美樹さんが「あとらす」第40号まで四回にわたって少年時代の思い出を掲載、昭和十年代の東京の小学校での光景が再現されて、同年代の人たちから、懐かしい、記憶が正確だ、など共感を呼んだ。

その十五年前にさかのぼる。「あとらす」第8号から添田

孜さんの「昭和の子だよ」が五回連載され、こちらも、東京の小学校、旧制中学、高校、大学などの思い出が語られ、昭和ひと桁生まれの郷愁を誘った。

私も添田さん、森さんと同年代で、昭和十年代の小学校、旧制中学校を経験している。今回、戦争中の徴用＝「勤労動員」にしぼって記憶をたどった。

太平洋戦争の最中、名古屋市の旧制中学三年生だった私は、前述のように「勤労報国隊」として農作業、土木作業などの使役に従事し、それは一、二日ほどの短期だったが、昭和十九年に入って、運送会社で一ヶ月ほど働き、その後、化学工場で終戦まで働くことになる。未熟な中学生、言われるままに働いたのだが、いくらかでも戦力になったのか。

英軍捕虜

昭和十九年の春、私たち中学生の勤労報国隊は、名古屋市南部の東海道線、熱田駅に隣接する日本通運株式会社の営業所に配置され、運搬作業に動員された。

当時の日本通運は軍事物資の輸送増強を目的に、各地の運送会社が合併した国策会社といわれ、国鉄の主な駅に付随して営業所があった。今と違って自動車は少なく、手押しの大八車に炭俵（すみだわら）などを積んで、何人かで押して運んだ記憶がある。

そこで働いている時に、英軍捕虜の行進をしばしば見た。熱田駅の近くには日本車両株式会社の本社工場があり、そこで英軍の捕虜は徴用されて働いていて、夕方近くに仕事を終えて、収容所へ帰る。百人以上いただろうか、隊列を組んで黙々と駅に向かって行進する。

捕虜の隊列を見ようと、道の両側には物見高い見物人が大勢いる。私はそれまで西洋人、白人を見ることが少なかったので、珍しい光景だった。

捕虜たちは皆カーキ色の軍服を着て、沈痛な顔をして歩いている。異国へ連れて来られ、自由を奪われ、働かされ、見世物にされ、当然ながら表情は暗い。

ある時、見物人の中から、五、六歳の子供が竹の棒を持って捕虜の隊列に近づき、棒でなぐりかかった。親が「あいつらは敵だぞ」とか言ってけしかけたらしい。なぐりかけられた捕虜は驚いたが、竹の棒をよけながら、微笑を浮かべて、その男の子の頭をなでた。初めて見る捕虜の笑顔である。

太平洋戦争の初期、昭和十七年二月、日本軍はシンガポールを攻撃、英軍はあっさりと白旗を掲げ、捕虜は8万人と言われ、米兵などの捕虜と共に、各地の捕虜収容所に分散収容され、名古屋にも収容所があったようだ。

たまたま同じ熱田駅近くで、外国製の青い乗用車を見た。前のバンパーに日の丸の旗を掲げ、車内には二人の日本陸軍の軍人が乗っていた。運転する兵士と高級将校である。シンガポールの占領で、多くの外車を日本軍が鹵獲した、と報じられていたから、なるほどと思った。

　昭和二十年八月、敗戦、米軍は直ちに各地の捕虜収容所に救援物資を飛行機から落下傘で投下したが、名古屋ではその落下傘の荷物の下敷きになって捕虜が死んだ。彼は解放目前に命を落とした。

　それから戦後十数年、英・米合作映画「戦場にかける橋」を観た。映画に出てくる英軍捕虜たちは、熱田駅で見た英軍捕虜と制服も顔つきも同じだった。

台湾人研究者・張文孝さん

　日本通運熱田駅営業所での仕事の一つに、名古屋港の東部にある昭和曹達（ソーダ）という会社の工場へ出向いて、原料の岩塩を艀船（はしけぶね）から天秤棒で工場内へ運ぶ仕事があった。

　荷物運搬のプロ労務者「沖仲仕（おきなかし）」と一緒に岩塩を運ぶのだが、「沖仲仕」が運ぶ一人あたりの量はわれわれの四倍だった。

　日本通運で一ヶ月ほど働いて、次の職場は偶然にも、その昭和曹達だった。ここで翌年の終戦まで長期に働くことになる。昭和曹達という会社は現在の東亜合成化学という大きな会社の前身の一つで、当時の主な製品は苛性ソーダ、塩素ガスなどで、苛性ソーダはアルミニウムの製造に必要だと聞いた。

　さらに新技術の塩化ゴムを製造していた。塩化ゴムは戦闘機の燃料タンクを覆っていて、敵の弾丸がタンクを貫いても、燃料が漏れないとのことだったが、これは今で言うプラスチック製品の始まりだと聞いた。付近は、アルミニウムで戦闘機を製造する三菱の巨大な航空機工場などがあった。

　中学生の私のクラス、五十人は工場内のいろいろな部署に配属された。事務所、製造現場、研究室などで、肉体労働が多い部署もあれば、机の上での事務手伝いをする者もいる。

　私はA君、T君と共に製造現場に付属する研究室に配属されたが、そこは製品の分析とか実験をする部署で、高尚な仕事だと、うらやましがられた。

　その研究室の責任者は台湾出身の張文孝さんで、年齢は三十歳前後で独身のようだった。

　名古屋の薬学専門学校を出た人で、製品の分析をしたり、文献を調べたりしていたが、私ら三人が来たことで、日常的な分析や簡単な実験は私らに任せて、自分は英語の文献を翻訳し、字の上手なA君に清書をさせていた。

　私は、「鬼畜米英」と戦争をしているのに、張さんは毎日英語の文献を読んでいる、不思議な人だなと思った。

　張さんは台湾人のせいか、そういう性格なのか、生意気だと言われ、上司の課長を無視しているように思えた。しかし、工場の技術トップの技師長からは可愛がられていて、時々、技師長が張さんの所へ来て話し込んでいた。

張さんのものの考え方は、普通の日本人とは違う。

「君ら、お国のためか知らんが、勉強もせずに、こんな所で働いているのは将来後悔するぞ」

などと言って、私たちの愛国心に水を差した。

「君たち、英語を勉強しろよ。新しい技術や知識はやはり英米が進んでいる。英語の文献を読まないと新しい技術は得られないよ」と張さんは言う。

当時は、英語は敵性語であり、たとえば、野球の「ストライク」は「良し」、「ラグビー」は「闘球」など、なるべく日本語を使えという指導があった。さらに「漢語」でなく「大和言葉」を使え、と言う国粋主義者もいた。「日本的」は「日本らしい」、「勿論」は「言うまでもなく」である。


八月十五日、正午、工場の事務所前の広場に集まって、ラジオから流れる天皇陛下の玉音放送を聴いた。聴き取りにくかったが、日本は負けたらしい。

工場のある社員が「戦争に負けたのは張文孝みたいな非国民がいたからだ、あいつをなぐる」と息巻いていて、どうなることかと心配していたが、私たちはすぐ学校に戻ることになり、工場を離れた。張さんがどうなったかは知らない。

その後、張さんは祖国で働くために台湾に帰国したと聞いた。台湾での張さんの動きを知ることはできなかったが、何年か後に、「台北二・二八事件」で張さん殺害された、という噂があり、真偽のほどは分からないが、張文孝さんならあり得ると思った。

当時の台湾は、中国共産党に追われて、中国本土から台湾に逃げてきた蔣介石の国民党とその軍隊が支配していたが、賄賂、強姦、強盗などが横行し、日本の軍隊の方がよかったとさえ言われた。

1947年（昭和二十二年）二月二十八日、台北でのある事件で、台湾人の国民党政府への怒りが爆発し、台湾全土に暴動が広がった。国民党政府は武力でこれを弾圧し、三万人近くの台湾人が殺害されたという。この事件は「非情都市」（1989年）という台湾の映画でも描かれている。

張文孝さんのことだから、国民党のやり方には我慢ができなかっただろう。国民党に逆らい、犠牲になったと思われる。

その後、何十年を経て「二・二八事件」は民主化を求めた事件として再評価され、台北に記念公園や記念館ができた。

私は台湾旅行の機会に、「二・二八記念館」を訪れた。事件のいろいろな資料の展示があり、事件の犠牲者の顔写真が並べられている。

私は張さんの写真を探したがなかった。写真は犠牲者全員ではないが、もしかして、張さんは生き延びているのではないか、それなら、高齢の張さんに会いたいと思った。

朝鮮の少年工

昭和二十年、米軍の日本本土の空襲は連日のように続き、私たちが働く化学工場の川向こうの三菱の航空機工場には、爆弾が雨あられのように落とされたが、私たちの工場には爆弾は二発落ちて、死傷者が出たが損害は軽微だった。

本土決戦が叫ばれ、神風特攻機が鹿児島から発進し、米軍の沖縄上陸が迫った。

春になって、尋常小学校を卒業した朝鮮人の少年が海を渡って私たちの工場にやってきた。就職して来たのか、徴用されて来たのか、あるいは強制連行なのか、分からないが、人数は二十人くらいだったように思う。

彼等は支給されたドンゴロスのお粗末な作業服を着て、皆緊張した面持ちで、おどおどしていた。

彼等は私たちより三歳下で、同じ日本人なら、声をかけるところだが、親元から離れて海を渡って来た異国の少年のけわしい表情に、声をかける気はしなかったが、可哀想だと思った。

私たちの工場は爆撃の被害は軽微だったが、昭和十九年十二月の東南海地震（震源地・熊野灘、死者千二百人以上）が起きて、中部地方の軍需工場は、どこも少なからぬ被害を受け、操業度が落ちているようで、朝鮮人の少年工はどんな仕事をしているのか、よく分からなかった。

工場には小学校を出て入社している日本人の少年工がいて、その中のボスが朝鮮人少年工に対して何かと因縁をつけていじめていた。終業後の工場の風呂で、身体が触れたとかで、朝鮮人少年工がボスになぐられたとも聞いた。朝鮮の少年工は一人でいると、いじめに遭いやすいので、いつも仲間と組んで緊張して歩いていた。

八月十五日、戦争は終わり、われわれ勤労動員の中学生は、すぐに工場を引き揚げて、学校に戻った。この工場で十カ月以上働いて愛着があるから名残惜しい気がしたが、工場側から何の挨拶もなく、冷たい別れである。

その日の夜、各家の電灯が戸外に漏れている。

昨日までは夜間爆撃の目標にならないように町並みは真っ暗だったが、電灯の明かりが平和の到来を実感した。

朝鮮人の少年工はどうしているのだろうか。また船に乗って朝鮮へ帰るのだろうか。それとも、このまま日本で働くのだろうか。いやそれはないだろう。彼らはホームシックにかかっていたのだ。気になったが、もう工場へ行くこともなかった。

三人の「後」付き天皇の奮闘

恩田統夫

（はじめに）

歴史は勝者によって書かれる。勝者とは時の権力者である。日本史での勝者は江戸時代までは天皇か将軍であった。日本史の主人公は天皇と将軍の二人といえよう。この二人を除いては、日本史は語れない。古代国家誕生から明治維新まで凡そ一四〇〇年、この期間は、最初は天皇中心の朝廷時代、中間の転換期、最後は将軍中心の武家時代と三つに時代区分できる。歴史が好きだった私は歴史書で多くの興味深い主人公達と巡り合った。最も魅かれたのは平安末から室町初めに至る動乱の三〇〇年余、新興勢力「武家」と伝統勢力「朝廷」とが激突する転換期の主人公である。武家サイドには清盛、頼朝、義時、尊氏等強かな棟梁が出現、朝廷がこれに如何に対応するか。とりわけ強い興味を覚えたのは、命知らずの東国武士に強烈な個性をもって相対した三人の天皇、奇しくもいずれも「後」の付いた後白河、後鳥羽、後醍醐の三人である。三人は史上初の武家政権「鎌倉幕府」の草創期、勃興期、衰退期という夫々異なる局面で対峙した。何れも知略と武力の限りを尽くし真っ向勝負に出たが、武士の世への歴史の流れを押し止めることはできなかった。権力は「文雅の京」の天皇から「尚武の東国」の将軍に移行する。三人の「後」付き天皇の奮闘振りを概観しつつ、その歴史的意義につき考察したい。

一、後白河の奮闘（一一二七〜九二）

第七七代天皇。鳥羽の第四皇子。母は美人で噂の待賢門院藤原璋子。若い時は皇位継承には無縁で気楽に過ごし、和歌は不得手ながら今様三昧で遊びに明け暮れていた。「文にも非ず武にも非ず」「愚昧」「器量なし」「和漢に比類少なき暗主」と酷評されていた。それが故、異母弟近衛の急死を受け、思いもかけない皇太子を経ない二九才での即位となった。これは後白河の器量に疑問をもっていた治天の君、鳥羽の意向を忖度した乳父藤原信西考案の奇策だった。三年後に後白河の第一皇子（二条）に譲位させることを前提とした中継ぎ役としての即位だった。院政下では「幼帝に譲位し、自らは上皇として父権を根拠に政務を仕切る」のが常道。前任天皇の即位年齢は堀河八歳、鳥羽五歳、崇徳四歳、近衛三歳と幼少で、後白河の年齢が際立って高く、尋常ではないことが分る。

時は、摂関政治の終焉、院政の定着化、新興武士勢力の台頭など律令国家が中世国家に移行する大きな転換期に当った。荘園制も大きく変質しつつある中、その利害関係者である天皇家、摂関家、源平の武士団、南都北嶺の寺社などの様々な勢力が夫々複雑に絡み合い離合集散を繰り返す動乱の世がすぐそこに迫っていた。

後白河は即位直後の一一五六年、鳥羽崩御を機に発生した「保元の乱」では同母兄上皇崇徳と武力衝突、信西の采配よく勝利し、崇徳を讃岐に配流した。譲位後の一一五九年、後継二条を擁する親政派との間で「平治の乱」が勃発、後白河を育て皇位に押し上げた後見役信西は親政派の主敵となり自害した。

後白河も親政派に与した義朝による幽閉の憂き目に合うも最後は清盛の支援で勝利した。源氏は惨敗、棟梁義朝は斬殺され、初陣十三歳の嫡男頼朝は清盛の継母池禅尼の嘆願で何とか死は免れ伊豆に配流された。この二つの乱は武士の世の到来を告げ、朝廷勢力の支柱、摂家藤原北家は政治の中枢から外れ弱体化し後に五摂家に分立することとなる（近衛・九条・鷹司・一条・二条）。清盛は唯一の武力保持者として存在感を高め、後白河は後見役を失ったが二条の夭折後自立し治天の君として院政を開始する。二人はともに権勢欲が強く横紙破りという性格で相互に接近、利用し合う。清盛は院の権威を傘に一門の栄達を図り太政大臣に登り詰め、後白河は平家の力を背に専制君主化する。一〇年余り続くこの協力関係も位人臣を極めた平家の専横が目に余るようになり、後白河は次第に警戒心を強め、やがて清盛と後白河は激しく対立する局面を迎える。

当時、荘園の整理（＝公領化）が進み在地領主は朝廷に対する不満が鬱積、自衛のため武装化し武士団を結成、各地で武力蜂起が頻発していた。西国を地盤とする平家は基本的に朝廷を擁護する側に立ち、東国に拠点を構える源氏は在地領主の側に立った。

源平が雌雄をかけた決戦「治承・寿永の乱」は全国的規模での内乱に拡大する。一一八〇年後白河の第二皇子以仁王の平家討滅の令旨が諸国源氏に発せられた。四か月後雌伏二〇年三三歳に成長した頼朝は伊豆で挙兵、関東八か国を味方につけ、富士川の戦いで平家を破り、平家を京都から追放した義仲を討伐、平家との壇ノ浦最終決戦で大功のあった義経を奥州で追討、義経を匿った奥州藤原氏を自ら出陣殲滅し（一一八九）、三〇年に及んだ動乱を終息させた。終始東国に留まった源氏の棟梁頼朝は、遂に、武家の頂点に立った。

この動乱の中、朝廷側の主人公後白河は手勢もなく官位の空手形や追討の院宣を乱発し、手練手管・権謀術数を駆使し、立ちはだかった清盛、義朝、宗盛、義仲、義経、時政、秀衡、頼朝等強者武者の間を右往左往しつつも、彼等を手玉にとり奔放自在、義朝、清盛、義仲らによる焼討・幽閉・院政停止などの憂き目に合うもしぶとく都度復権、何とかこの動乱を朝廷最高の権力者として泳ぎ切る。結果として、「文にも非ず、武にも非ず」の器量がかえって激動期の天皇として思わぬ強靭さを発揮させ、戦乱の時代を乗り切る力となったのであろう。

一一九〇年冬、最後まで生き残った公武の主人公、後白河と頼朝とが初めて京で顔を合わせる。千余騎の大軍勢を率い颯爽と上洛した四三歳頼朝を、六三歳後白河は密かに河原からじっと観察、二日後の対面の秘策を練る。当日、先ずは、頼朝が鎌倉より持参の金八〇〇両、鷲二櫃、馬一〇〇疋を進上、後白河は右近衛大将・権大納言の官位授与で応じ、八日間に及んだ一対一の会談が始まった。

頼朝の一貫した「院をお守りする」という臣下としての対応に後白河は胸をなで下ろし、両者の緊張関係は解消、「西は朝廷、東は幕府」の公武による二頭政治の枠組みが再確認された。頼朝は数日後先に賜った二つの叙位任官を辞退し京を離れ、晴れて官軍として鎌倉に帰る。

二年後、不死身の後白河もついに病に倒れ院御所で大勢の近臣に見守られる中微笑みを浮かべながら穏やかに崩御（六五歳）。頼朝が切望していた征夷大将軍は後白河存命中ついに宣下されず、没後四か月でやっと実現した。

後白河は天皇在位三年ながら、後継天皇の早世もあり天皇五代（二条、六条、高倉、安徳、後鳥羽）の治天の君として三四年間朝廷に君臨した。その政治は儀礼・慣行も無視した自由奔放な場当たり的なもので、何の理念もなく、御身第一、私腹を肥やし贅沢することだけを考える専制君主であった。歴史家は「今一つ分からない」「暗闇天皇」という評価ながら、死後約三〇年間続く二頭政治という公武の協調関係を構築したことだけは彼の功績として高く評価する。頼朝からは「日本国第一の大天狗」と評されたが、結果としては頼朝に主導権を握られ、幕府草創を阻止できず、朝廷政治の衰退を招いた。晩年は自ら非業の死に追いやった同母兄崇徳・孫安徳両天皇の怨霊に悩まされた。興福寺等南都の寺社には荘園の没収等厳しく対応したが、自らの極楽往生を願い、仏法に深く帰依、頻繁に熊野・比叡・高野詣を繰り返し、贅を尽くした造寺・造仏に尽力した。

千体の千手観世音像を奉安する蓮華王院（三十三間堂）は後白河が絶頂期の清盛に建立させたもので両者の蜜月関係を物語る。頼朝とは平家焼討にあった東大寺大仏殿の再建に共にパトロンとして協力した。後白河は大仏開眼供養に、正倉院より態々天平開眼の筆を取り寄せ、柱をよじ登って自らの手で開眼を行った。

後白河没後二度目の上洛時頼朝は東大寺大仏殿再建落慶供養式典に政子・頼家を伴い参列した。若い時より天性の音楽的才能に恵まれ今様狂いだった後白河は今様歌詞集「梁塵秘抄口伝集」「梁塵秘抄」の二つを勅撰している。当時の庶民の日常生活を知る貴重な資料となっている。

二、後鳥羽の奮闘（一一八〇〜一二三九）

第八二代天皇。高倉の第四皇子。異母兄安徳が京を追われ平家一族と神器を持参西国に逃亡したため、天皇不在の長期化を恐れた治天の君後白河は安徳の異母弟後鳥羽に「神器なき」践祚(せんそ)を強行させ、三歳で即位。同母兄守貞親王が安徳と共に平家西国逃亡に同伴させられたための緊急措置ながら、天皇が二人存在する異常な事態となった。

神鏡・剣爾を欠く践祚だったため、伝統重視の朝廷内では皇位の象徴を欠き、正統性に疑義があるのではという見方をされ、傍系後鳥羽は終生このコンプレックスを抱えることとなる。学問や文芸、弓や馬術にも傑出した文武両道に優れた稀代のエリートだった。後白河・頼朝等の実力者亡き後、院政を開始、二三歳から自らの血統の後継天皇三代（土御門、順徳、仲恭）に亘る一九年間治天の君として君臨した。「あるべき姿は朝廷主導政治」という明確な理念と実行力とを備えていた。多数の院領荘園を継承し豊かな経済力をバックに、直轄軍である西面の武士を新設、兵力を増強する一方、和歌所も設置、文武両道の振興を図り、寺社にも厳しく対応し、公・武・寺の三権門の上に君臨した。

京風の三代将軍実朝は元々名付け親であった上、母の姪を実朝の正室とする姻戚関係を結び、実朝の和歌の師として藤原定家を紹介する等味方に取り込むことに成功、公武の一段の蜜月関係を構築、幕府内部への影響力も拡大していた。実子のいない三代将軍実朝の後継者に後鳥羽の皇子を迎えたいという幕府のたっての要望にも上洛し嘆願した北条政子に後鳥羽は内々の応諾の意思を間接的ながら伝えていた。このまま いけば親王将軍が誕生して朝幕の協調路線が続くものと誰もが思っていた。

ところが、二代将軍頼家の次男公暁による三代将軍実朝暗殺という想定外のできごとが勃発する。すると、後鳥羽は突如独断で方針を変更し、幕府の「親王将軍構想」を正式に拒絶した上、寵妾所領の荘園の地頭廃止という幕府が受け入れ難い新たな要求までも突き付ける。

これに応じない時の幕府の最高権力者執権北条義時に対し、「追討の院宣」を発し、戦いを仕掛けた。史上初の朝幕間の武力衝突、「承久の乱」の勃発である（一二二一）。幕府の対応は迅速だった。院宣宣下から七日後義時は嫡子泰時に京都出撃を命じた。

鎌倉出立時僅か一八騎だった鎌倉軍は途中東国御家人に動員をかけると瀬田川・宇治川での最終決戦を前に一九万騎に膨れ上がっていた。一方、朝廷軍は北面及び西面の武士を動員するも実戦経験乏しく、後鳥羽は自ら武装し比叡山に上り僧兵の支援を求めるも断られ、頼みの西国御家人の応援も空しく、二万騎弱の朝廷軍は惨敗した。

鎌倉軍の入京に際し、後鳥羽は「乱は叡慮にあらず謀臣の企て」と責任転嫁し、義時追討の院宣を取り消し、完全降伏と武装放棄の意を伝えた。しかし、最早時期遅し、鎌倉側の受け入れるところとはならず、僅か二か月で京は占領され、後鳥羽は捕縛された。独断専行の後鳥羽に対し、強固な結束力を誇った鎌倉チームが勝利したということなのであろう。

幕府の戦後処理は武士の論理を貫く厳しいものだった。泰時は京に常駐し、六波羅探題となり朝廷を管理下に置き、膨大な院領荘園を没収、後鳥羽を支援した公家・御家人首謀者を断罪、三上皇（後鳥羽・土御門・順徳）を配流、天皇（仲恭）を廃位した。天皇廃位は史上初の出来事だった。そして、後鳥羽の同母兄守貞親王を上皇（後高倉院）に据え、その末子一〇歳の後堀河を践祚させた。後鳥羽の血統は皇統から完全に排除され、以降幕府は天皇及び治天の君決定権も完全に掌握する。

後鳥羽は流刑先隠岐で好きな和歌活動と仏道修行に明け暮れた。敗残の身で一緒に過ごすはごく少数の近臣・女房だけ、さびしい生活に帰京の思いは募るばかり。この間、鎌倉では義時、政子、大江広元が相次ぎ死亡、京でも御堀河・中宮、仲恭が亡くなり、多数の死者が出た寛喜の飢饉も発生、「後鳥羽の怨念・生霊では」との噂が広まる。

見かねた朝廷は何回か幕府に後鳥羽還京の働きかけを行うが、執権泰時はこれを断固拒否した。後鳥羽の願いは叶わず、十九年の流人生活の末、無念にも隠岐で崩御した（六〇歳）。顕徳院の諡号（しごう）が贈られたが、その後も四条の夭折、泰時の数日間高熱を出した辛苦脳乱の末の死亡と続き、「やはり顕徳院の御霊の顕現では」と人々は恐怖した。このため、朝廷は直ちに顕徳の諡号を後鳥羽に改名するという前例のない措置をとることとなった。

承久の乱は朝廷時代の終焉と本格的武家時代の始まりを画期する事件となった。幕府は平家討伐時には五〇〇ヵ所の領地を手に入れたが、さらに、この乱では後鳥羽系荘園三〇〇〇ヵ所をも手中に収め、そこに東国の御家人を地頭として派遣、経済的基盤を盤石にするとともに、幕府の支配領域を東国中心から一気に日本全国に広げることができた。

何故後鳥羽は無謀とも思える戦いを仕掛けたか。源氏の嫡流が途絶えた幕府は求心力が弱体化したと判断したのか、あるいは正統性にコンプレックスを抱く後鳥羽が一挙にこれを払拭することを狙ったものなのか。いずれにしても、「義時追討」は頼朝が創った御家人体制を甘く見た後鳥羽の大きな判断ミスであった。

政治的には、専制的な暴政と無謀な挙兵計画で後鳥羽の評価は低い。後鳥羽の護持僧で天台座主の慈円は愚管抄の中で親王将軍構想を断った後鳥羽を強く批判し、「覇道を追求した結果、自業自得の最後」と手厳しい。北畠親房も神皇正統記の中で、「徳性の欠如」「上の御とが」「天の許さぬこと疑いなし」と後鳥羽を強く批判している。「朝敵に敗れた史上唯一の天皇」という汚名を歴史に残すこととなった。

一方、文化的には、当代屈指の歌人で新古今和歌集を藤原定家等と勅撰した。この勅撰和歌集の命名は理想の御代として名高い「延喜の治」の醍醐が勅撰した「古今和歌集」を意識したものであった。また、諸国から京に名工を招き共に焼き共に打ち菊花紋を刻んだ「菊御作」は日本の刀剣史上の金字塔であり、現在国宝に指定されている。宮廷文化の擁護者・文化の巨人として高い評価を得ている。

三、後醍醐の奮闘（一二八八～一三三九）

第九六代天皇。後宇多の第二皇子。承久の乱後幕府は鎌倉殿独裁から執権政治に移行、二回の蒙古襲来も幕府が前面に立ち撃退（一二七四・一二八一）、泰時から時宗の時代に絶頂期を迎えた。しかし、「あるかも知れない」三回目の元寇への備えは長期化するにつれ、幕府及び動員される御家人に重い負担となった。幕府が執権政治から得宗専制に移行したこともあり盤石とも思えた体制に徐々に揺らぎが見え始める。

一方、朝廷では、後堀河から譲位された幼帝四条が一一歳で崩御、後鳥羽系排除という泰時の強い意向から急遽傍流後嵯峨（土御門第二皇子）が第八八代天皇として即位する（一二四二）。立太子もしない皇子からのいきなりの思いもかけない即位だった。後嵯峨は皇統を自らの血統に繋げるため即位後僅か四年で生前退位し、一二四六年三歳の第三皇子後深草を、一二五九年十歳の第四皇子亀山を相次ぎ即位させ己の血統を皇統に繋ぎ、二人の治世計二六年間治天の君として朝政を主導した。一二七二年この後嵯峨が後継者も指名しないまま崩御してしまう。このため、皇位及び所領の継承を巡り二人の兄弟、後深草（持明院統）と亀山（大覚寺統）の両統が対立することとなる。当時皇位は幕府の推薦者を推戴するのが恒例となっていた上、後嵯峨の遺勅もあり幕府は仲裁に乗り出し、「治天の君は亀山、皇位は一〇年毎の両統迭立、所領は折半」と裁定した。朝廷はこれを天意として受け止め、以来四〇年近くこの両統迭立という原則が皇位継承でのルールとなっていた。

こんな状況の中、一三一八年、後醍醐は大覚寺統から三一歳で即位した。二五〇年振りの高齢者即位だった。しかも、一〇年後は持明院統の皇太子に譲位するという「一代の主」が両統間での了解事項であった（文保の和談）。後醍醐は元々大覚寺統の中でも傍系で、後宇多の寵孫（＝異母兄皇子）への中継ぎ役でしかなかった。これは後醍醐の立親王・元服・立太子・践祚の各年齢が一五歳、一六歳、二一歳、三一歳であったのに比べ、前任の花園は五歳、一五歳、五歳、一二歳とかなり若く、後醍醐への期待度が低かったことが分る。

後醍醐が終生倒幕に異常なまでの執念をもち続けることとなった理由は、皇統の分裂を前提とした両統迭立ルールで幕府の意向に盲従せざるを得ない現状に強い屈辱感を覚えたからだった。また、偏に幕府追随の姿勢を崩さない持明院統や父後宇多にも強い反発を覚えた。皇胤一統、自らの血統への皇位を継承させるという野望を実現するためには、何としても障害となっている幕府を抹殺する必要があると思うに至った。

後醍醐は天皇親政を実現した醍醐の延喜の治を理想の御代と仰ぎ、生前に自らの謚号を後醍醐と決めていた。即位後三年、後宇多の院政を停止、天皇親政を開始した。摂関職も廃止し、太政大臣も置かず復古的な太政官制の下、位階・家格・門閥無視で股肱の人材を登用、天皇が全てを勅裁する政治を展開した。この間執拗に倒幕策を練った。

日野資朝・文観等近臣と倒幕謀議を重ね、密かに彼等を下東させ無礼講や講書会を各地で開催、関東に味方を募り、天皇自らは密教の法衣を纏い中宮の安産祈願と偽り幕府調伏の祈祷を繰り返した。さらには、二人の皇子護良と宗良を相次いで天台座主に任命、寺社にも布石を打つことも忘れなかった。

一方、天皇在位一〇年が近づき持明院統からは譲位を迫られたが後醍醐は頑として拒否し続けた。正中の変(一三二四)と元弘の変(一三三一)という二度の倒幕計画がいずれも発覚、資朝・文観等近臣が処刑された上、後醍醐自身は天皇を廃位され、隠岐に配流された。幕府は持明院統の光厳を即位させた。これで一旦は、倒幕運動は鎮圧されたかに見えたが、比叡山延暦寺の座主であった護良親王が還俗し吉野で蜂起、これに呼応し悪党楠木正成と赤松則村が夫々河内と播磨で相次ぎ蜂起、さらに伯耆の豪族名和長年は隠岐を脱出した後醍醐を出迎え船上山に布陣した。また、幕軍として参戦中の尊氏と新田義貞が反幕に転じると形勢は一挙に逆転した。尊氏・赤松が六波羅探題を殲滅し、義貞が鎌倉で一四代執権高時を自刃に追い込み、遂に一五〇年続いた鎌倉幕府の打倒に成功(一三三三)。直ちに、光厳を廃位し、元号を建武に改めた。

しかし、「建武の新政」は天皇親政の公武統一政権を目指したが、「朕の新儀は未来の先例たるべし」とする先例無視・綸旨万能の「公家一統の政道」の独裁政治となり、不公平な人事・恩賞で朝令暮改を繰り返し、公・武・寺三権門全てから失望と反発を買い、僅か三年で瓦解する。

後醍醐の失政振りは、「この頃都にはやるもの夜討・強盗・謀綸旨(ニセ)…」で始まる「二条河原の落書」から見事に伝わってくる。公家優先・武家劣後の人事・恩賞に失望した尊氏は反旗を翻し、持明院統の光厳上皇(北朝初代)の弟光明を即位させ、京に新しい武家政権、室町幕府を樹立した。

後醍醐は京で尊氏に幽閉されるも三種の神器を持参、吉野に出奔、皇統は南朝と北朝とに分裂した。天皇親政の吉野の政権と天皇から統治権を委任された京の武家政権とが並び立つこととなった。二つの朝廷、二人の天皇という異常な南北朝動乱期に突入する（一三三六）。

後醍醐は三年後吉野の行宮で病に倒れ崩御（五二歳）。死の前日義良親王（南朝第二代後村上）に譲位、自らの血統に皇位を繋ぎ、父後宇多との約束を反故にし「文保の和談」は履行しなかった。朝敵討滅、京都奪回を遺言した。後醍醐は精力絶倫で、一生の間に二〇人前後の女性に四〇人近い子女を生ませ、たくさんの皇胤を残した。皇子の多くを要所に配し、ひたすら倒幕・天皇親政・皇胤一統に向けしゃにむに邁進する治世だった。

太平記では、後醍醐臨終場面を、「玉骨（自分は）は南山（吉野）の苔にうずまるとも、魂魄は常に北闕の天（京都）を望まんと思ふ」と遺言、死に臨んだ姿を「左手に法華経を、右手には剣」という異常な姿で、「北向きに葬られた」と描く。「天子は南面す」の慣行にも反するもので、如何に無念であったかが伺える。

死した後醍醐は怨霊になったと信じられ、その後少なくとも二〇〇年に亘り室町幕府体制の上に重苦しい影を落とし続けた。倒幕の戦功により後醍醐の諱「尊治」より「尊」という一字を賜った足利尊氏は後醍醐の崩御を知るや直ちに怨霊鎮魂のための天龍寺造営を決めた。

何故建武の新政は失敗したか。既得権益の破壊が性急過ぎ、異例の抜擢をした股肱の臣中心の異形の人材では対応不能だった。摂関家や精華家等の経験豊富で優秀な上級官僚層を抜きにしては、院政期以来形骸化を辿ってきた太政官体制を有効に復活機能させることができなかった。また、財源の裏付けのない壮大な大内裏造営計画や紙幣発行計画などその政策が余りに観念的で現実離れしていた。結局、その政治は「伝統的公家政権のパロディ」「大いなる時代錯誤」と評せられるものとなってしまった。

天皇は権力型であるべしとする皇国史観の学者（平泉澄）は大化の改新、明治維新と並び建武の中興を最高と評価する。一方、不執政の儀礼型であるべしとする戦後の多くの学者は前後に類を見ない専制的・反動的政治と見なし、最低と評価する。

四、三人の奮闘の検証　…　奮闘の共通点、相違点
そしてその結末

「武家との覇権争い」という基本的性格をもった三人の奮闘ではあったが、その奮闘振りには夫々特色があり、その様相を個別に比較し、検証してみたい。先ず、奮闘の中での三人の関心事項、思考方式、行動様式などには思いの他多くの共通点があることに気付く。一方、三人の人となりには違いがあり、夫々個性的だった。そのため、三人がとった基本的政治路線も夫々違っていた。その結果、三人の奮闘の結末は三者三様のものとなった。以下、三人の奮闘の共通点、相違点、結末の様相につき具体的に検証してみたい。

1．三人の奮闘の中には次に列挙する通り数多くの共通点があったことが確認できる。

（1）三人は皇位継承者としては「傍流」だった。本流ではなかった。後白河と後鳥羽は第四皇子、後醍醐は第二皇子で何れも第一皇子ではなかった。皇位は生まれた順番、本人の資質、母系の貴賤、家長との相性等を考慮して総合的に決められ、特別の事情がない限り、儒学的にも第一皇子が本命と看做される。三人は傍系だったが故に即位後取り組むべき最大のテーマはこの手中の皇位を如何に自らの子孫に繋ぐか、如何に自らの血統を正統として認知させるかということだった。世襲願望は人間共通の本能だが、皇位は別格、正統となるか傍流にとどまるかでその運命は天と地ほどの違いがあることを自らの傍流体験で骨身にしみていた。大宝律令以来皇太子が天皇となる定めであり、自らの皇子を皇太子に据えることが「正統」化への第一歩となる（勿論立太子もせず天皇になった後白河や後嵯峨等の例もあった）。

幼帝五歳の安徳が後鳥羽の同母兄守貞親王ともども平家一門の都落ちで西国に連れ去られた時、突然の天皇不在の事態に治天の君後白河は大慌てだった。後継者を即位させるか、後継者を誰にするか大いに悩んだ。結局、天皇の長期不在は問題ありと判断し後継を選任することとなったが、最後はクジで決めたとか候補者との面通しの際三歳の後鳥羽がニコッと笑ったからだとか言われている。五六歳の上皇による五度目で孫世代の天皇選考とはこんなものであったのであろう。皇位決定の実相の一端が窺われる。

（2）三人は何れも「三種の神器に係るトラブル」に見舞われた。皇位の正統性を示すものは血統と神器である。後白河は歴代天皇が継承してきた「鏡・剣・玉」の三種の神器の内、神鏡と剣爾とを平家都落ちの際平宗盛一族に西国に持ち去られた。鏡は後に取り戻したが、剣は壇ノ浦での安徳入水時一緒に海底に沈んでしまった。このため、後鳥羽は後白河の院宣を唯一の根拠とする神器を欠く践祚を余儀なくされ、終生正統性にコンプレックスを抱えることとなる。後鳥羽は人を派遣、壇ノ浦を探索させたが剣爾は発見できなかった。後醍醐は尊氏との戦闘が始まると三セットの神器を準備し、京で尊氏に幽閉された時その内の一セットを北朝に引き渡した。後に、京を出奔し吉野に逃れると「そちらは偽物。こちらが本物」と愚弄した。神器を保有している天皇が正統ではなく、正統な天皇が保有するものが本物の神器と考えるべきなのであろう。

（3）三人は何れもその政治姿勢は「専制的・独断的・独裁的」であった。近臣の建言には殆ど耳を傾けなかった。後鳥羽は既に内諾済みの親王将軍構想という幕府たっての要望を独断で覆し、義時追討に反対した関東申次西園寺公経を拘禁し、承久の変を惹起した。

後醍醐は側近中の側近吉田忠房の「倒幕計画は無謀」との度々の諌言を無視、元弘の変に繋がった。また、九州に敗走した尊氏との和解という忠臣正成の献策を受け入れず、絶好の和平の機会を逸してしまう。勿論、独断専行の全てが悪い結果をもたらしたわけではない。平安末期、朝廷には排外意識が蔓延、天皇の外国人接見はタブーであったが、後白河は朝廷内の強い反対を押し切り清盛の福原の別荘での宋人商人との引見を強行した。近臣からは「未曾有の事、天魔の仕業か」と強い批判を浴びたが、日宋貿易を拡大させ、後に栄西や重源の大陸留学への道を拓いた。三人には天皇は無謬、仏神の加護ありとの過信があったのではないか。

(4)三人は何れも心の底では武士を番犬程度にしか考えない「武士を見下した認識の持主」だった。当時の日本は身分社会で、支配階級を構成したのは公と武であったが、公=貴族は武士より上位にランクされていた。また、公と武の中も細かくランク付けされていた。例えば、上級・中級の貴族は天皇・皇族を頂点とし、上から摂関家、精華家、大臣家、羽林家、名家という順番であった。従って、伝統勢力朝廷を「官」として仰ぎ、新興勢力武家を「民」として低く見下す官尊民卑の考えが当時は支配的ではあった。位階授与は貴族優先で武士は圧倒的に劣後されていた。後白河は頼朝の大将軍任官への切望を知りつつも存命中は将軍宣下をしなかった。一方で清盛を太政大臣にまで引き上げたのは、後白河の寵妃茲子(建春門院)は清盛の義妹であり清盛の娘徳子は入内し後白河・茲子の所生高倉天皇の中宮であり、二人は極めて近い姻戚関係があった故であろう。後鳥羽は実朝の後任将軍に親王をという嘆願のため上洛した頼朝未亡人・将軍実朝の母、後に尼将軍と呼ばれる立場の北条政子と会わなかった。身分が違うということであったろうか。

後醍醐は建武の中興の最大の戦功者尊氏を征夷大将軍にという側近の進言を受け入れず皇子護良を任命している。また、鎌倉幕府打倒の恩賞では命を懸けて戦った武士に対する恩賞には冷淡で、尊氏を除いては殆ど配分せず、近臣公家のみに厚く振舞った。因みに、執権高時の所領は全て後醍醐が自身の所領としてしまう。ところが、先祖が天皇で京育ちの貴種の頼朝は官尊を当然として受入れていた。後白河には終始臣下として対応していた。以仁王の令旨で挙兵、後白河からの追討の院宣を受け平家、義仲、義経、藤原泰衡を倒している。官軍・錦の御旗が頼朝出陣の矜持だったのであろう。だからこそ、後白河が「頼朝追討」の院宣を義仲と義経に夫々宣下したことには「院のため官軍としてのみ戦ってきた。何事か！」と烈火の如く怒った。また、頼朝は命の恩人、池禅尼の恩は決して忘れず、壇ノ浦の戦いで唯一生き残ったその子、清盛の異母弟公卿平頼盛を平家一族ながら例外的に優遇し、鎌倉幕府の御家人として存続させている。だが、貴種の出でない北条氏は違った。京から遠い伊豆育ちの郷士出に過ぎない坂東武者は後鳥羽の「義時追討」の院宣に何の痛痒も感じずためらいなく、ひるむこともなく出撃し官軍に勝利した。承久の乱は史上初の朝敵が官軍に勝利した戦いとなった。その後も北条氏は鎌倉幕府最高の実権者であり続けたが、北条氏は京から摂家や皇族から若い貴種を傀儡将軍として迎え、この体制を幕末まで変えなかった。一方、歴代天皇も歴代執権の北条氏に対しては誰も将軍に相応しい位階を与えなかった。尤も、北条氏側には誰も将軍を名乗っても何の実利もないという賢明な判断があったのかも知れない。

（5）三人は何れも「信仰心」が厚かった。当時盛んの怨霊思想も信じ、仏神にも深く帰依していた。後白河は平治の乱で配流の上狂死させた同母兄崇徳の怨霊に終生悩まされた。後鳥羽は悔恨の念を抱きつつも「何故許さぬ」と怒りをもって、後醍醐は挫かれた野望を追求し続けると固く決意し、共に怨霊天皇として没した。後白河・後鳥羽は比叡・高野詣の他、熊野詣に殊の外執着し夫々三四回、三〇回の御幸を繰り返し多額の金を費消した。後醍醐は密教の法衣を纏い幕府調伏の祈祷を行なったし、清浄光寺蔵後醍醐天皇像では天照皇大神・春日大明神・八幡大菩薩の三つの垂れ幕の下正装し密教の法具を手に座している。正に神仏習合、当時の世相が知れる。

（6）三人は何れも危機に直面し見苦しい「責任回避」の場面が見られる。後白河は頼朝から離反を図る狙いで義経に「頼朝追討」の院宣を下している。後に頼朝に問い詰められると「強要された」と釈明した。頼朝はこれを認めず、「日本一の大天狗」と怒りを露わにし、後白河に朝廷改革を断行させ、同時に全国に守護・地頭を設置させた（一一八五、鎌倉幕府成立年）。後鳥羽は義時追討の院宣は「叡慮にあらず」とこれを取り消したが、泰時は全く取り合わなかった（尤も、これは達筆の院宣を東国武士は誰も読解できなかったからという説もある）。後醍醐は一回目の倒幕計画「正中の変」が発覚、幕府宛誓書で「帝は関与せず」と近臣に釈明させ自らの処罰は免れたが、日野資朝等側近は重刑に処された。また、我が子護良親王に尊氏追討の密命を下しこれが露見し尊氏から詰問されると「親王の独断、朕は預かり知らぬ」と白を切り、親王を捕縛し、尊氏側に引き渡し見殺しにした。トップは組織防衛のため已を得ない責任回避が許される場合もあろうが、余りに見え見えの責任転嫁は何とも見苦しい。後世の数多くの歴史家の三人の評価の中で何れも「不徳」としているのもむべなるかなと思われる。

（7）三人は何れも「大内裏の造営」を計画した。天皇の住居兼政庁である大内裏は長い歴史の中で度重なる政変と失火で焼失と再建を繰り返してきた。造営には膨大な費用を要し、増税に頼らざるを得ない。各地の荘園領主や国司に賦課し、最終的には農民に負担を強いることとなる。三人は自らの権力を誇示し権威を高めようとしたのであろう。夫々再建計画を策定した。後白河は保元の乱で焼失した内裏を信西の好采配で荘園や公領に一律課税し平家一門の寄進もあり完成させた。後鳥羽は近臣の放火により焼失した大内裏の再建を保元の造営の例を踏襲し一律課税で賦課を試みたが、壮大な無駄と評判悪く、各地の領主の間に抵抗の嵐が巻き起こったが、将軍実朝の協力で辻褄を合わせ、後鳥羽は何とか面目を保った。後醍醐時代には大内裏は既に焼失し永らく存在せず、跡地は内野と呼ばれる荒野となっていた。「建武」という元号を後漢の創建者光武帝に倣い定めた後醍醐は、紫禁城に倣った壮大な宮殿を造営する夢を画いたが、所詮現実無視のアナクロニズム、大内裏造営計画は建武の新政崩壊と同時に雲散霧消した。この荒地内野の地に二五〇年後政庁兼住いの「聚楽第」を造営したのが豊臣秀吉である。

2、一方、三人の奮闘には、基本のところで大きな相違点があったことが検証できる。

（1）先ず、三人は「性格」的に異なっていた。何れも皇統では傍流ながら三歳で即位した後鳥羽は文武両道に優れたエリートで性格的にはストレートで常識的なところがあった。圧倒的な泰時の大軍を前にしてあっさりと降伏宣言を発したり、一回の島流しですっかり戦意を喪失するなど脆さを露呈した。一方、即位が夫々二九歳、三一歳と遅かった苦労人後白河と後醍醐の二人は共に何回かの幽閉・焼討・失脚・配流・廃位等の厳しい試練にも耐え、一寸なことでは挫けなかった。また、二人は異母兄（崇徳）を配流したり、皇子（護良）を裏切ったりする冷血さも持ち合わせていた。後白河は無節操で融通無碍、後醍醐は策謀家で不撓不屈、政治家として二人は後鳥羽よりは逞しかった。

（2）最も大きな相違点は三人の基本的政治路線である。当時の国家体制の根幹をなす公・武・寺の三権門に対する三人の政治戦略を見ればその違いが明らかである。

①「公」（＝朝廷）内部での政治体制については、後白河と後鳥羽の二人は諡号の元祖白河が開始し鳥羽が確立した「院政」形態を継承した。摂関家の政治への介入を許

さず、天皇及び治天の君として、後白河は崩御するまで計三十七年間、後鳥羽は隠岐に配流されるまで三八年間夫々朝政を主導した。一方、後醍醐は即位後三年で父後宇多の院政を廃止し、「天皇親政」を始めた。幕府を排しての「建武の新政」は三年で終わったが、終生天皇親政を貫いた。皇子後村上への譲位は崩御前日だった。

②「武」（＝幕府）への戦略も夫々異なっていた。後白河は武家の勃興期でもあり、手勢を欠いていたため、源平を競わせつつ巧みに自らの警護役（用心棒）として利用することに腐心していた。頼朝による武家政権誕生後は二頭政治で公武協調路線をとった。後白河には独自の武力はなく、幕府打倒などは一切考えなかった。後鳥羽も、基本的には協調路線を走っていたが、軍事力を増強、軍事面でも鎌倉と対等の実力を構築しようと試みた。義時追討の院宣も義時個人の追討であって、幕府打倒までを企図したものではなかったが、そのやり方は武士の世界には通用しなかった。棟梁が狙われれば、御恩に滅私奉公で報いるのが武士の道である。「鎌倉殿のご恩に報いて欲しい」という頼朝未亡人政子の名演説に多くの御家人は魂を揺さぶられ、鎌倉軍に大挙馳せ参じた。後鳥羽の真意とは違う幕府との正面衝突を招来してしまう。状況判断ミスから思いもかけない幕府との全面戦争で、惨敗を喫した。一方、後醍醐にとっては、倒幕は不動の信念であり、終始倒幕を目指し策謀を巡らし、同士を募り、隙を狙い、生涯その倒幕戦略は変えなかった。

③「寺」（＝寺社）への戦略も異なっていた。荘園の公領化を進めた後白河と後鳥羽の二人は南都北嶺に対しては厳しく対応した。当時、興福寺や延暦寺は寺領荘園への国司の違乱や住人の反抗に対する自衛策として衆徒を武装化させた僧兵を抱えており騒乱は絶えなかった。両寺はこの争いを裁く朝廷へ頻繁に僧兵を派遣、強訴を繰り返していた。二人の治天の君は寺社には座主の解任や配流、寺領荘園や末寺の没収等の強硬策をとっている。一方、後醍醐は倒幕戦略を進める上で寺社は欠かせないパートナーとして捉え、二人の皇子を座主として延暦寺に送り込み反幕陣営に引き込むことを企んだ。寺社は倒幕に大きな役割を果たすこととなる。

3、この結果、三人の奮闘の結末は三人三様で夫々違ったものとなってしまった。

（1）尤、三人は何れも自らの治世に大乱を引き起こした首謀者であったにも拘らず、殺害は免れた。末世を思わせる戦乱の中三人は幽閉・廃位・配流等の屈辱的憂き目にも遭ったが、何とか生涯を全うすることができた。流石の坂東武者も神の子孫天皇だけは殺害できなかった。因みに、在位中に殺害された天皇は歴史上いない（注：第三二代崇峻天皇は蘇我馬子に暗殺されているが、天皇制導入以前であり、「大王」であって、「天皇」ではなかった)。第二次世界大戦終了後占領軍最高司令官マッカーサーでさえ天皇には退位・廃位等の選択肢は取らなかった。まさかこれと同じ発想からではないであろうが、占領統治をいたずらに難しくする必要はないと考えたのであろう。

(2)三人の最大の関心テーマ、「皇胤一統」自らの血統による皇位継承について言えば、後白河は成功し、後鳥羽は完全に排除され失敗、後醍醐も南朝に繋いだもののその後北朝による統合で現在の皇統には繋がっておらず、矢張り失敗だった。

(3)三人の没後の政治情勢も夫々大いに異なったものとなった。後白河は頼朝とのトップ会談で二頭政治という新しい統治枠組みで合意、没後約三〇年間の「平和」をもたらした。後鳥羽は武家に全面降伏し、朝廷は幕府の軍門に下り、京は幕府に「占領」された。朝敵に敗戦という史上初の屈辱を経験した。後醍醐は妥協を一切拒否しこの世を去った。朝廷の「分裂」という異常事態はその後五〇年余り続き、朝廷の地位を著しく凋落させた。

(4)このような三人夫々異なった結末から、三人の臨終場面での思いはまた夫々違うものとなった。器量なしと言われ今様狂いの「後白河」は貴族に馬鹿にされ武士に愚弄され続けたが、皇位を自らの血統に繋ぎ、治天の君として京の院御所で微笑んで極楽浄土に旅立った。歴代天皇中もっとも資質に恵まれたエリート「後鳥羽」は強力な幕府軍に完膚なきまでに叩きのめされ、皇統には自らの血統を排除され、自らの誤った判断を後悔しつつも強い望郷の念を抱き配流先隠岐で失意の怨霊天皇として没した。「後醍醐」は一時とはいえ倒幕に成功し建武の新政を実現したが、尊氏による新たな武家政権誕生を許し皇統を分裂させたものの、京奪還の夢を諦めない闘志満々の怨霊天皇として非業の死を遂げる。

(5)結果として、三人とも歴史上殊の外知名度が高い天皇となった。「日本国第一の大天狗」「朝敵に敗れた唯一の天皇」「建武の中興・南北朝動乱の天皇」として歴史上名を残し、歴代天皇一二六人中知名度という点では現在いずれも上位にランクされている。これだけの戦乱を起こした天皇は他にいないということか。

4、三人の天皇を並べて比較し歴史的評価を下すことは難しい。どんな歴史家も評点や順番など付けようがない。歴史家網野善彦は「異形の王権」の中で後醍醐を「目的のためには手段を選ばず、観念的、独裁的、謀略的でしかも不撓不屈。まさしくヒットラーの如き人物」と評している。実は、「網野善彦」は私の高校時代の日本史の先生である。浅学の私ではあるが、先生に倣い、現在世界で影響力のある米・英・仏・独・露・中等海外のリーダーの中に後白河・後鳥羽・後醍醐に似ている人物が誰かいないかを探してみるのも一興ではある。誰が誰とは言えないが、当らずとも遠からずの類似の人物も確かにいるように思えて仕方がない。

五、三人の奮闘の歴史的意義

動乱の三〇〇年に如何なる意義を見出せるか。やや牽強付会気味ではあるが、三人の天皇が反面教師として果たした歴史的意義として次の五点を指摘したい。

1、朝幕関係の安定化

南北分裂という異常事態は室町幕府第三代将軍足利義満の調停で解消された（一三九二）。天皇と将軍の覇権争いに決着がつき、朝廷は武家の優位を認め、天皇は歴史の主役の座を降りた。公武間の覇権争いは一切なくなった。

2、天皇の新たな「かたち」の模索

覇権争いに敗れ、権力者の座を降りた天皇は以降政治に関わらない「不執政」の新しい天皇の「かたち」を模索する。中世においては、要すれば、「権力」とは土地の支配権であり、「政治」とは個別の土地の支配者を決めることであったと言えよう。この権力を天皇は失った。つまり、土地を保有せず、土地の保有者の決定にも関わらない新たな役割を見つける模索の旅をスタートさせた。これは武家政治が終焉する明治維新まで凡そ五〇〇年間続くこととなる。

（注）【天皇の新しい「かたち」の模索の旅】：律令制時代は公地公民制であり、全ての土地も人も全て天皇の所有物であった。それが、時代が進み、戦国時代には天皇は経済力の源泉たる所領を戦国大名に次々と剥奪され、その権力は失墜し、経済力も衰微し、「家業は儀式」「生き残れたのは暦のお蔭」と言われるまでに凋落する。天皇家は経済的に困窮、費用のかかる即位式や葬儀さえも長期間執り行えない事態も頻発する。信長、秀吉は自らの権威付けのため天皇を利用しその限りでの経済的支援を惜しまなかった。家康は一六一五年「禁中並びに公家諸法度」を制定、厳しくその行動を規制、政治への関与は許さず、天皇の役割を「学問第一」と公武関係を明確にし、幕末まで変えなかった。経済的には山科一万石が御料地として与えられた。これにより、「学問・官位授与・元号制定・改暦」という新しい天皇の「かたち」が固まる。「官位授与」には形骸化されたとはいえ古来の天皇の征夷大将軍任命権（将軍宣下）が含まれ、依然として天皇は「将軍に大政を委任する政治上の統治者」という究極の権威者と位置付けられた。このため、明治維新で朝廷は消滅したが、天皇は再び歴史の舞台に呼び戻され、明治憲法では天皇は「軍服を着た現人神」として復活した。戦後の新憲法

下では天皇は自ら人間宣言をし、「象徴天皇」となり、現在に至っている。

3、皇位継承を巡る戦乱がなくなった

以降皇位継承を巡る抗争がなくなった。壬申の乱、保元・平治の乱といった大乱は一切生じていない。これは権力や富が剥奪された皇位が余り魅力あるポストではなくなった所為でもあろうか。

（注）【皇位継承】：天皇の代替わりは「崩御」と「譲位」によって行われる（仲恭・後醍醐・光厳など第三者による強制的な「廃位」もあるが、極めて例外である）。天皇家の先祖は大和地方の有力氏族の一つであったが、近隣の有力氏族を糾合し、五世紀中頃には数多くの氏族連合体「倭国」の長となり、そのトップは「大王（オオキミ）」と呼ばれるようになった。これが日本の古代国家「ヤマト王権」の誕生である。大王位の継承については特に定めはなく、群臣の協議と合意とにより決定され、骨肉の争いも生じていた。崩御した天皇の弟と皇子とが皇位を巡り戦った壬申の乱はその典型である。七世紀末の持統朝時代、大王は「天皇」と、倭国は「日本」と夫々改称され、古事記・日本書紀により「天皇神話」も創られた。我が国は律令時代に入り、大宝律令では「皇位継承者は皇太子」と定めたが、細かな規定はなく、その後も長屋王の変、藤原仲麻呂の乱、薬子の変、承和の変等の皇位を巡る戦乱の例は多かった。摂関時代には摂関家藤原氏の長が天皇の外戚として実質的に大きな皇位決定に多大な影響力をおよぼしたが、院政時代に入ると天皇家家長たる上皇「治天の君」が自分の意中の子孫に皇位を継承させるという方式となる。これも「治天の君」の座を巡る新たな争いが生じ、うまく機能しなかった。兄弟間で争った保元・平治の乱はその典型である。鎌倉時代においても天皇家内部の対立や世代交代、さらには承久の乱以降は幕府の容喙もあり、皇位継承はしばしば不安定化、ついには二人の天皇が併存する南北朝動乱期に突入する。その後、戦国時代に至りやっと皇位の父子直系相続の慣行が定着する。現在は皇室典範により継承順位が決まっている。

4、首都京都に武家統一政権を誕生させた

三人の「後」付き天皇時代の日本の歴史の「あらまほしき」流れは日本列島の「統一」ということであった。この難事業である「歴史の流れ」を推し進めることができたのは雅の天皇ではなく、武力を備えた将軍であった。三人の天皇は敗着の一手ではあったが、日本の歴史の歯車を「あらまほしき」方向に回転させる敗者の役割を担った。三人は手順を踏んで着実に武家による列島統一国家の建設へのリード役を果たした。具体的には、

①後白河は東国鎌倉に初めての武家政権草創の役割を担った。

②後鳥羽は鎌倉政権の支配領域を東国から日本全国に拡大させる役割を担った。

③後醍醐は古来の政治・経済の中心地京都に源氏嫡流名門足利氏による武家政権を誕生させ、日本に名実ともに「も

ののふ」による本格的公武統一政権を誕生させる役割を担った。

5、後醍醐という亡霊

将軍を排除しての天皇親政を目指し「建武の中興」で短期間ながらこれを実現させた後醍醐は後世再び脚光を浴びることとなる。江戸末期の水戸学の尊王攘夷思想に影響を与え、明治維新を成し遂げた長州藩の志士は「正成をする」と公言し、これに心酔していた。明治憲法では、「日本は万世一系、神聖不可侵の天皇が統治する」と明記され、後醍醐の「一君万民」の考えが制度化された。さらに日中戦争から太平洋戦争にかけての時期には皇国史観は軍国主義教育を支え、南北朝正閏論争では南朝が正統とされ、「後醍醐なくして明治大帝なし」とまで言われ、「忠臣正成、逆賊尊氏」が教科書に書かれた。但し、この史観は敗戦後完全に否定された。

近年、伝統的な「上皇→天皇→摂政関白→官僚」という政治の流れから後醍醐が始めた「天皇→官僚」という極めて簡素な天皇直轄制や、官僚を摂関家・清華家等上級貴族のみに限っていたのを位階・家格・門閥にとらわれず中下流からも人材を積極的に登用するという斬新な行政形態に注目し、日本が行ってきた行革や官吏登用試験制度はこの後醍醐の試みがヒントになっていると指摘する学者が近年現れている。後醍醐の理念は後世の文化思潮に大きな影響を与え、今に至るも生き続けている。

このように、後醍醐の亡霊は時に突如姿を現し、我が国の思潮面、ひいては国体のあり方にまでも大きな影響を与え、三人の「後」付き天皇が反面教師として残した歴史的意義を帳消しにするような力を発揮している事実は決して無視できない。

六、三人の奮闘時代と現在の天皇の「かたち」の違い

1、歴史学者河内祥輔は「天皇の歴史」の中で、平安末から鎌倉時代にかけての天皇のあり方につき次の四つの視点から現在との違いを指摘している。

(1) 当時、天皇は「退位した天皇」と「在位の天皇」が何人も併存するのが常態だった。明治以降生前譲位はなくなり、天皇の併存という事態は生じていない。

(注) 令和時代に入り上皇と天皇が併存しているのは極めて例外で一時的措置である。

(2) 当時、天皇は朝廷に閉じ籠り貴族集団に覆われ隠された神秘的存在であった。現在、天皇は頻繁に国民の前に現れて語りかけ国民も日常的に天皇を話題にする。

(3) 当時、天皇は皇位継承者を自分の意思で選定していた。現代は、皇位継承の順位が皇室典範に規定されており、天皇には皇位継承者を選ぶ権能がない。

(4) 当時、「天皇・貴族・武士」は自分を神の子孫と信じ、

日本国の支配を神から託されているという神国思想を信じていた。現代人には、その政治感覚はない。
2、以上の四つは正に核心をつく視点である。この他に私の気付きの三人の「後」付き天皇時代と現在の天皇のあり方への変化につきいくつかの視点を補足、追加したい。
（1）当時、天皇家は日本一の地主であった。多くの荘園を保有し、財政収入は豊かで贅沢な御所・寺社の造営や頻繁な行幸を行っていた。現在残っている当時の寺社等の文化遺産も殆ど天皇家と係わりのあるものだった。現在とは大違いである。因みに、後白河は荘園の公領化で藤原氏や平家所領の膨大な荘園を没収、自らの所領としている。保元新政では「九州（日本全土）は院一人の所有物」と宣言して憚らなかった。正に日本一の不動産王であった。
(2)当時、天皇家の宗教は仏教だった。神仏習合時代であったが、熊野・比叡・高野等への参拝を繰り返し出家して法皇となった上皇も多い。天皇家の葬儀も真言宗など仏式で行われていた。明治以降、神仏分離により天皇家の結婚、葬儀等の祭祀は神式で行われるように変わった。
(3)当時、天皇が政務を執り行っていた朝廷がなくなった。ともに神の子孫という一体感をもち天皇を支えた世襲貴族からなる官僚組織が消えた。当時の朝廷は現在の内閣に相当するが、明治維新で廃止された。現在は、内閣総理大臣の管轄下にある国家公務員からなる宮内庁が皇室関係の国家事務を行っている。
（4）天皇（上皇も同じ）の諡号の決め方が変わった。在位中天皇には名前はなく、天皇とだけ呼ばれる。当時、天皇の名前は死後その事績に相応しい諡号が与えられた。現在は一世一元制で、死後元号が天皇に追号されることが慣例となっている。

（おわりに）

「将軍」は鎌倉幕府誕生から明治維新まで凡そ七〇〇年間日本の歴史の主人公であった。約一五〇年前大政奉還により将軍は歴史の主人公の座から降り、現在は歴史の舞台から完全に消え去った。日本の古代国家誕生から現在まで凡そ一五五〇年、うち七〇〇年間は「将軍」＝軍人支配の国であった。日本が「武の国」「もののふの国」と言われる所以である。

一方、「天皇」は古代国家誕生から現在に至るまで、姿・形を変えつつも、途切れることなく連綿と歴史の舞台で活躍し続けている。昨年四月末の譲位で誕生した新しい令和時代の天皇は、神話時代から数えれば、第一二六代、天皇制を導入した天武天皇以来に限っても第八七代に当たる。天皇は世界最長の歴史を誇る王で世界最古の世襲王である。また、王朝の交代はなく万世一系の世界に類を見ない家系である。在位中殺害された天皇がいないというのも世界の王の歴史の中で稀有である。「天皇」は日本史の最大の主人公であり、歴史上の貴重な資産、無形文化遺産となっている。

このように日本史の二大主人公の運命は大きく分かれた。権力を本質とする将軍は消え、権力と無縁になった天皇は残った。明治、大正、「戦前の」昭和の各時代を例外とすれば、三人の「後」付き天皇以降の天皇が権力を放棄し主役から準主役に退く知恵をもち続けた。これが、天皇が日本の歴史の主人公として重要な役割を演じ続けることができた長寿の秘訣であろう。この三人の「後」付き天皇が果たした役割は反面教師ではあったとは言え、非常に大きかったといえるのではないか。

今回譲位された平成時代の天皇は「国民統合の象徴」としての天皇のあり方を、「国民の悲しみに寄り添う」「国民の安寧を祈る」という「かたち」を具体的な行動でもって示され、広く国民の敬愛と共感を集めている。この国民の敬愛と共感がある限り、天皇はこれから日本史の舞台で主要な役割を演じ続けて行くことになるのであろう。

【参考文献】

「日本史広辞典」(山川出版社)
「日本歴史大辞典」(小学館)
「ウィキペディア」(Webフリー百科事典)
「日本歴史人物事典」(朝日新聞社)
「日本史年表」(増補版)(岩波書店)
「歴史とは何か」E・H・カー(岩波新書)
「日本の歴史」(九巻　頼朝の天下草創)山本幸司(講談社)
「日本の歴史」(十巻　蒙古襲来と徳政令)筧雅博(講談社)
「日本の歴史」(十一巻　太平記の世界)新田一郎著(講談社)
「天皇の歴史」(四巻　天皇と中世の武家)河内祥輔・新田一郎著(講談社学術文庫)
「天皇の歴史」(五巻　天皇と天下人)藤井譲治著(講談社学術文庫)
「天皇の歴史」(六巻　江戸時代の天皇)藤田覚
「後白河上皇」安田元久著(吉川弘文館)
「後白河院」五味文彦(山川出版社)
「後白河院」井上靖(筑摩書房)
「後白河法皇」河合敦著(幻冬舎新書)
「源頼朝」　元木泰雄著(中央公論新社)
「承久の乱」坂井孝一著(中央公論新社)
「承久の乱」本郷和人著(文春新書)
「後醍醐天皇」兵藤裕己著(岩波新書)
「後醍醐天皇」森茂暁(中央公論新社)
「異形の王権」網野善彦著(平凡社ライブラリー)
「院政　天皇と上皇の日本史」本郷恵子著(講談社現代新書)
「上皇の日本史」本郷和人著(中公新書ラクレ)
「乱と変の日本史」本郷和人著(祥伝社新書)
「天皇は如何に受け継がれたか」歴史学研究会(講談社学術文庫)
「皇位継承」春名宏昭著(山川出版社)
「歴代天皇総攬」笠原英彦著(中央公論新社)

竹林の隠者「富士正晴」を訪ねて（前篇）

岩井希文

私が現在住んでいる、大阪府茨木市に縁のある人物として、宮内庁公認の御陵のある継体天皇、実在した人物ではないが茨木市のシンボルマークとなっている茨木童子、戦国期の茨木城主中川清秀、そして最後の茨木城主片桐且元を今までに描いた。今回はその晩年を、茨木市安威の竹林に閑居した、作家で画家でもあった富士正晴を訪ねたい。

一、富士正晴記念館へ

私の通う茨木市立中央図書館と併設して、富士正晴記念館がある。富士正晴の知名度は、せいぜい生誕地の徳島と、活動の舞台となった関西の範囲までで、全国的には知られていないと思われる。そこで記念館でいただいた、『富士正晴文学アルバム』と題する小冊子を参考にして、この稿の初めにその略歴を紹介したい。

一九一三（大正二）年に、徳島県三好郡山城谷村（現・三好市山城町）に、長男として生まれ、弟と妹二人の四人兄弟であった。父母は双方とも小学校の教諭をしていた。父は入り婿で、母の父母が若く三〇代で亡くなったため、母の祖父母と同居して育った。富士はこの曾祖父母の影響を、幼少の頃から強く受けた。

生誕地の山城町は、徳島と高知の県境に位置し、吉野川の激流によってできた深い渓谷、祖谷渓（いやけい）の地にある。岐阜県飛騨の白川郷、宮崎県日向の椎葉村（しいばそん）とともに、日本の三大秘境の一つとして知られる。その秘境のためか、祖谷渓も椎葉村も、平家の落ち武者が、逃れ隠れ住んだ地と伝わる。

一の谷の合戦で敗れた平家が屋島に逃れ、屋島でも敗れた平家が逃れて、祖谷渓へ隠れ住んだと伝わる。阿波・讃岐は平家の本拠地の一つで、義経は屋島を攻めるにあたり、一の谷の鵯越（ひよどりごえ）と同じように、軍を背後の阿波から上陸させた。祖谷渓以外にも阿波には、いくつか平家の隠れ里と伝わる地がある。

一九一七（大正六）年の富士が五歳（数え年）の時に、一家は朝鮮の平壌に移った。この地で小学校に入学するが、正規の年齢より一年早く入学した。富士の小学生の姿を、自分が生きているうちに、ひと時も早く見たいとの、曾祖父の希望による。これがその後の富士の学校嫌いの、端緒になったかもしれない。

一九二一（大正一〇）年の九歳の時に日本に帰国し、両親の勤め先となった、神戸市須磨に住んだ。小学三年に編入され、その後神戸第三中学校（現・長田高校）を卒業した。

受験失敗による浪人生活や、病気入院の時代を経て、一九三一（昭和六）年の一九歳の時に、第三高等学校（現・京都大学教養部）の理科に入学する。三高を志望したのは、旧制高校では全員入寮生活が規則だったが、三高だけはその強制がなかった。理科志望は、医者にしたかった父の強い希望による。ちなみに弟は医者になっている。

二年後に志を変え、三高文科に再入学した。学校に全然登校せず、四年後に退学した。一年生を四回落第したのは俺ぐらいだと自慢（？）している。三高に合格した位だから勉学はできたのだが、好きなことは一生懸命やるが、一方的に教えられる学校が大嫌いだった。

この三高時代に自作した詩を携えて、当時奈良に寓居していた志賀直哉を訪れ、京都の詩人の竹内勝太郎を紹介される。この時訪れた志賀直哉邸は、今もそのまま残り一般公開されており、稿を改めここを訪れ後述したい。

一九四四（昭和一九）年の三二歳の時に召集され、中国大陸に送られ華中・華南に従軍する。一九四五（昭和二〇）年に江西省南昌近くで敗戦を迎えるが、この時の従軍経験が作品、『帝国陸軍における学習・序』他に残る。

軍隊では自分より若い上司に、ビンタばかり受けた劣等兵士であった。富士にとってはこれが、戦争という不条理に対する、唯一の抵抗であったろう。現地調達された苦力（クーリー）に、自分の境遇と重ねて同情し共感している。

戦前は竹内勝太郎の指導により、同人誌『三人』を刊行したが、戦後は一九四七（昭和二二）年に、島尾敏雄、井口浩等と共に、同人誌『ＶＩＫＩＮＧ』を創刊する。この同人誌は、毎月刊行され現在も続いている。私の通う図書館で見ると、最新号は二〇一八（平成三〇）年一二月号が、八一六号となっている。不倒最長の同人誌の一つと言ってよく、六〇ページ程の作りで五〇〇円とある。

富士は作家としてより、この『ＶＩＫＩＮＧ』等を通じて、若い頃まだ無名だった作家と交流し、著述の機会を与え育てたことで知られる。この同人誌の他にも交流は広く、三島由紀夫、井上靖、司馬遼太郎、野坂昭如、小田実、伊藤静雄、久坂葉子、開高健、庄野潤三、高橋和己、山崎豊子、津本陽等々の名が挙げられる。

例をあげると、三島由紀夫の処女作『花ざかりの森』を見出し、当時富士が関係していた書店から発刊した。その当時三島は、まだ学習院高等科の学生であった。三島は後年富士のことを、「ひどく活力的だが、活力の方向を明示せず、不敵な目を光らせながら、自己韜晦（とうかい）を忘れなかった」と懐かしんでいる。自己韜晦は、富士の生涯にわたって見られる気質である。

井上靖は、未だ毎日新聞の記者をしていた、昭和一〇年代の三〇歳代の頃に、茨木に住んでいた。富士の残した日記によると、当時間借りしていた井上宅に招かれ、井上の第二作で後に芥川賞を受賞した、『闘牛』の草稿を読み聞かされ、感想を求められたとある。

一九五一（昭和二六）年の三九歳の時に、三島郡安威村（現・茨木市安威）に転居し、一九八七（昭和六二）年に七五歳で死去するまで、あしかけ四〇年近くこの地を住処とした。竹林に囲まれた藁屋根でできた農家で、晩年には近所に酒や煙草を買うぐらいしか外出しなかったとかで、表題のように『竹林の隠者』と称された。ただし隠者と言っても、編集者等知人たちが酒瓶をさげて、ここを足しげく訪れる人は多かった。

代表作は何かと問われると、その活動範囲が広すぎて当惑する。小説・評論・エッセー・墨彩画・版画・書・詩と多岐にわたる。小説に限ると、芥川賞候補に三回、直木賞候補に一回、挙げられるも受賞はしていない。

大阪で人気のあった落語家『桂春団治』を描いて、唯一度毎日出版文化賞を受賞している。授賞式に出席しないという本人を、司馬遼太郎が布団をはがして、無理やり会場に連れてきたという伝説が残る。

毎年「富士正晴記念館」の主催で、富士にちなんだ講演会があるが、ある年の講師が次のようなことを言っていた。「富士正晴の場合は、彼が生んだ作品よりも、彼が作りあげた富士正晴という人物の方が、はるかに傑作であり、世の中に大きな影響を残した」と。

次は「富士正晴記念館」の玄関入口に掲げてある、展示の紹介文である。

富士正晴の人と文学

郷土の作家富士正晴は華々しい作家ではない。しかし、その文学や絵画はそれに接する人を魅了してやまない。桑原武夫・司馬遼太郎など、多くの文化人が氏の友人であるとともに、氏のファンであった。

富士正晴は、竹林の隠者と呼ばれながら多くの人達と交

「富士正晴ポートレート」（1982年）　藤本巧／撮影

富士正晴（記念館）

流をもち続け、また座談の名手であった。さらに同人誌活動の中で多くの若い作家を育てた。

　富士正晴の文学は、耳に心地よく、舌になめらかというものではない。「何かヒリヒリする、何かガンガンする、噛んで固い芯が残る」ものを好んだ氏の文学は、それを読む人に確かな手ごたえを残す。

　この展示は、このような富士正晴の文学を一人でも多くの人々が手にし、またその真価を少しでもわかりやすくするために企画されたものである。

「座談の名手」とあるが、専門家だけの座談は、肩苦しくて面白くないが、富士を加えると遠慮なく何でも言うので、話が膨らんで楽しくなると、編集者から重宝された。深く親交のあった文化人として、桑原武夫、司馬遼太郎の名があるが、他にも吉川幸次郎、鶴見俊輔、松田道雄、貝塚茂樹、梅棹忠夫、小松左京、画家の榊原紫峰等々多彩であった。

　編集者から乞われれば書くが、自ら進んでは書かないため定収がなく、続く貧乏生活を見かねて、桑原、吉川、鶴見、貝塚等が画策して、富士に絵画を描かせ、東京銀座の文藝春秋画廊で、即売美術展『富士正晴文人画展』を開いた。富士は例によって韜晦して出席しなかったが、これらの大家たちが、客の呼び込みから即売の勧誘まで行い、人々を驚かせた。

　記念館を訪れた時の企画展は、「成功した山崎豊子、才能を見抜いた富士正晴」をテーマに展示している。「昭和二〇年代半ば、山崎の依頼でその小説原稿を読んだ富士は早くも、将来作家として大成することを見抜きました。山崎が富士に宛てた書簡等、貴重な資料を展示します」とある。

　ついでに関連してここに記すと、富士にはこの種の才能を見抜く直観力があった。開高健については将来芥川賞をとると予言し、司馬遼太郎が産経新聞の記者時代に、富士に司馬の第一作、『梟の城』の草稿を読んでもらったところ、これで今年の直木賞は決まりと断言し、そのとおりとなった。

　私は文藝春秋を毎号眼にしているが、この草稿を描いている時の、平成三一年四月号の巻頭エッセーに、『いちめんなのはな』（澤田瞳子・作家）がある。これによると二月一六日に、第二三回菜の花忌シンポジウムが行われ、作者も登壇者として参加した。今回のシンポジウムのテーマは、司馬遼太郎初の新聞小説で、第四二回直木賞を受賞した、記念碑的作品『梟の城』であった。

　『梟の城』に限らず、司馬遼太郎が描く人々はみな一途ながらもひどく人間臭く、敵であってもどこか憎めぬ点を有している。それは「いちめんのなのはな」が織りなす春の光景が明るくもどこか哀しげである様に似ており、だからこそ司馬作品は今なおあらゆる立場・年齢の人間をも虜にし、若い世代にも読み継がれるのだろう。

終了後、会場出口では来場者全員に菜の花が配られた。その様をまさに「いちめんのなのはな」が、司馬遼太郎の思いが各地に広がっていくかのように思ったのは、きっと私だけではないはずだ。

「菜の花忌」の命名は、司馬の作品『菜の花の沖』による。主人公は菜の花の咲く淡路島出身で、蝦夷の開発に尽力した、廻船問屋の高田屋嘉兵衛である。ロシアに拉致される等、波乱万丈の生涯をおくる。私も司馬作品の大ファンで、『菜の花の沖』をはじめ多くを読んでいるが、『梟の城』は読んでいない。早速読んでみたい。

山崎豊子は一九二四（大正一三）年に、大阪船場の老舗の商家に生まれた。毎日新聞に入社し、学芸部では井上靖が上司をしていて、奨められて作品を描き始めた。井上靖が退社し東京へ転居した後は、富士との交友が始まり指導を受けた。

富士は敷地内の空き家に、送られた書簡や雑誌等すべてを残しており、その総数は八万点にもおよび、一人の文学者が遺した資料としては最大級とされる。この膨大な資料は記念館に寄贈され、これらは詳細な目録と年譜に整理された。書籍約八八〇〇点、雑誌（同人誌含む）約八五〇〇点、原稿約二〇〇〇点、日記・創作ノート約一一〇〇点、書簡約五二七〇〇点、書画・版画約二〇〇点、雑資料約五三〇〇点、総計約七八六〇〇点とある。

この中に山崎豊子から富士宛ての書簡一二五通があり、公表され、読売新聞が記事にしている。それを受けて今年（平成三〇年）は、『記者が見た、富士正晴と山崎豊子―一二五通の書簡から―』と題して、読売新聞大阪本社記者の中井道子氏の講演があった。

亡くなって5年になるベストセラー作家、山崎豊子が先輩作家の富士正晴に送った125通の書簡類は、デビュー前後や人気作家になった頃の様子を生き生きと伝える。大阪の商家で育った山崎が作家デビューをめざした時期、助言者の富士の存在が大きかったことや、相手の懐に飛び込む山崎の人柄もうかがわれる。

（読売大阪夕刊／二〇一八年五月一七日）

山崎豊子の作家デビューは、一九五七（昭和三二）年、三三歳の時の『暖簾』である。彼女が育った船場の老舗である昆布屋が舞台である。富士宛ての書簡に、「『暖簾』大変御面倒ですが念のためもう一度、ご高評戴いたのち書き直し、応募しようと思います。人に手をとって指導されるなんて大嫌いな私ですのに、貴男には全く奇妙なものです」。富士への信頼は厚く、このデビュー作は、高い評価を受けヒット作品となった。

主人公の八田吾平（やたごへい）は、一五歳で小学校を出るとすぐ、親からもらった三五銭を握りしめて、単身淡路島から大阪へ出た。ところが宛てにしていた、同郷の口入屋は移転しておらず、途方にくれている所を、船場の老舗、同郷の昆布屋の主人に拾われる。丁稚奉公に勤め、暖簾分けを受け、その後商いに努め自家の店を、本家をしのぐ暖簾に大成させる。しかし戦争ですべてが灰燼に帰し、跡取り息子の長男も戦争で失う。残ったのは「浪速屋（なにわや）」の暖簾のみであった。ここまでが第一部である。

戦場から帰ってきた次男は、大学を出て暖簾を継ぐつもりはなかったが、三男と協力して悪戦苦闘の末、船場の元の地に立派に、父の「浪花屋」の暖簾を再興する。これが第二部である。富士に読んでもらって、書き直したのがこのデビュー作、『暖簾』の草稿である。次は暖簾を再興した、主人公孝平の述懐である。

暖簾は商人の心の拠り（よ）どころである。武士が、氏、素性を拠りどころとするように、商人の心構えを決めるところだ。しかしそれがすべてではない。昔のように古い暖簾さえ掲げておれば、安易に手堅く商いできた時代は去った。現代の暖簾の価値は、これを活用する人間の力によるものだ。徐々に、復活してきた顧客の暖簾の懐古に、安易にもたれてしまう者は、そのまま没落してしまう。暖簾の信用と重みによって、人のできない苦労も出来、ひとの出来ないりっぱなことも出来た人間だけが、暖簾を活かせて行けるのだ。

山崎の第二作は『花のれん』で、これは直木賞を受賞した。やはり船場の老舗の女主人が女手一人で、落語や漫才など新しい演芸の世界を創った、吉本興業の創始者、吉本せいがモデルである。その後『白い巨塔』『不毛地帯』『大地の子』『沈まぬ太陽』等々、次々と多くの大作を生みだした。

講演会には山崎豊子の甥で、山崎豊子記念館の館長をされている方も出席していて、山崎豊子の遺した資料の多くが未整理で、将来富士正晴からの書簡が、見つかる可能性があるとのことであった。

二、生誕地の三好郡山城谷村（現・三好市山城町）へ

私は定年退職をした直後に、四〇年の会社生活を、無事勤めあげたのに感謝して、四国八十八カ所を、四一日歩いて巡った。従って四国は一周し、多くの地を訪ねているが、徳島と高知の県境にある、この大歩危（おおぼけ）・小歩危（こぼけ）の地は訪ねていない。私より多くの地を友達と旅している妻も、この地は行ったことがないとのことで、一緒に訪れることとした。

先述した『富士正晴文学アルバム』によると、富士の生誕

地には、育った住居などは残っていないが、その一〇周忌を記念して、文学碑が立っているとある。ここを訪ねたいと思うが、山上にあり歩いて行くにしても、正しい地図が必要と考え、入手の方法を記念館に相談した。三好市の市役所に問い合わせてくれ、地元の女性のSさんが案内してくれるとのこと。大変恐縮ではあったが甘えることとした。

観光もかねて二泊三日の予定で、大阪から徳島までは高速バスで、徳島から阿波池田まではJR徳島線で、ここで土讃線に乗り換えて、阿波川口駅に降りると、Sさんご夫妻の出迎えを受けた。最寄りの喫茶店で、お礼の挨拶と自己紹介をさせていただいた後に、さっそくご主人の運転で、富士の生誕地へ案内していただいた。

富士正晴生誕記念碑(三好市山城町)

吉野川の支流である、銅山川(伊予川)に面する山麓の、急な曲がりくねった山道を登ると、素晴らしい眺望の地に、その生誕記念碑はある。Sさんからいただいた『徳島ペンクラブ選集』には、『富士正晴の生誕地にて』(島ウタコ記)と題するエッセーがあり、平成九年十月三〇日に行われた、除幕式の様子が描かれている。島ウタコ氏は地元徳島の著名な工芸家とある。

柿の実が色づく頃、早朝の霧に包まれ刻々と変化してゆく山里の風景が絵のように浮かんでくる。大自然の中で変わらぬ姿で生きづいている。その古里に「日傾くなり燈を用意せよ、日傾くといえども、あおぎ戻すべし」の碑が建立された日のことが思い出されるのである。

その日は好天に恵まれ、除幕式に地元の人が大勢集まった。山城中学の生徒たちが富士さん作詞の校歌を声高らかに歌い、盛大でおごそかな除幕式となった。参加した私も、富士さんがこの地に帰ってこられたと実感して、身の引き締まるような感激と感謝の気持ちがわいて来た。

多くの人々の力で一歩踏み出せたのだ。この年は多くの行事も開催され、東京の大川公一(きみかず)先生をお招きして講演会が山城町で開かれた。参加した山城中学校の生徒たちは校歌の作詞者が富士さんであることから興味を深くしただろうし、私には心残る講演だった。

山城中学の校歌を富士が作詞し、当日生徒たちが歌ったとある。どんな校歌かは知らないが、代わりに富士が作詞した、『徳島県民の歌』(一番)を紹介したい。

さわやかさ　すだちの香り
さわやかさ　鳴門の潮よ
緑こき　剣の山よ
流れゆく　四国三郎
ここに生き　県民となり
さわやかさ　体に満ちる

剣の山は徳島県の西部にある、標高一九五五メートルの主峰剣山（つるぎさん）を、四国三郎は吉野川の異称である。ちなみに板東太郎が利根川、筑紫（つくし）次郎が筑後（ちくご）川の異称である。

除幕式の当日この地を訪れ、講演をした大川公一氏には、『竹林の隠者（富士正晴の生涯）』の著があり、この生誕地に立っての印象が記されている。少し長くなるが紹介したい。

富士の絵には、高い所から里を見下ろしたような絵が多く、日本でこんな絵を描くためには山に登らなければならないだろうが、登山などはほとんどしなかったはずの富士なので、若い頃の記憶か、中国戦線に従軍していたときの景色を思い起こして描いているのかと、長い間想像していた。（中略）

ところが、その絵の世界がそっくりそのまま眼下に広がっていたのだから、私は驚いてしまったのだ。富士は山城谷村の生家には四年ほどいただけなのだが、「三つ子の魂百まで」という言葉通りに、四国の山々を望み、山里を遥かに見下ろしていた幼年時代の記憶は、彼の心の無意識にしっかりすり込まれていたのだろう。それが絵筆を持つと躍り出て来たのではないだろうか。

しかもその辺りは、春には一面の雲海となるそうで、仙人と呼ばれその一生を雲の上で生きたような稀有な文人、富士正晴の生誕の地として実にふさわしいところである。まさしく富士正晴は雲の上で生まれたのだ。

歩いて急な斜面をさらに登ると、富士家の墓地があり案内していただいた。富士の父母、祖父母や曾祖父母等が眠る。富士正晴個人の墓は、京都府乙訓郡大山崎町の宝積寺（ほうしゃくじ）にある。訪ねて後述したい。

私たちはJR大歩危駅近くの民宿に宿泊予約をしているが、電車の本数が少なく時間があるため、Sさんの家にご招待いただいた。こたつにあたりながら、干し芋と甘酒の接待を受けた。干し芋は田舎にいた小さい頃、よく食べた懐かしい味である。甘酒はSさん宅の自家製で、そのままでとても甘く、Sさんご夫婦は毎朝飲んでいて、健康に良いとのことであった。

三好市も過疎化と高齢化に悩んでいて、魅力ある街づくりのため、文化活動等に力を入れているとのこと。その一つに

「文芸誌甲子園、富士正晴、全国高等学校文芸誌賞―みんなで選ぼう文芸誌―」の催しを行っている。全国の高等学校に校内の文芸誌を応募してもらい、選考し表彰している。

三好市出身作家富士正晴氏の偉業を顕彰するため、また、「文字のぬくもり」を大切にされた故人にちなみ、全国の高校生が文学への関心を高め、文芸創作活動の振興を図ることを目的とします。

なお第3回最優秀賞は、岩手県立花巻北高等学校の『花北文学』が受賞している。なお同趣旨で「富士正晴全国同人雑誌賞」も設立し選考・表彰している。また市役所発行の『市報みよし』とは別に、市民有志により年三回、ふるさとだより『やましろっ子』を編集・発行し、面白い記事が満載されている。記事の一例をあげると、「やましろAKB(明るく・キレイな・ババァ）大人気」と題して次のとおりある。

インターネットのYou Tube、動画再生回数が4万回を超えて、ますます勢いづくやましろAKB。

「(A) 明るく・(K) キレイな・(B) ババァ」と称して活躍する彼女たちが、グループを結成して4年目になる。

踊る曲数は8曲あり、この夏に向けて新曲も加わり、毎週の練習に熱がこもる。メンバー8人のうち、1人は「鬼監督」と呼ばれ厳しい檄を飛ばす。しかし彼女たちはくじけない。真剣に取り組むからこそ楽しいのです。（中略）

介護施設で踊っていると、年齢も忘れて楽しそうにリズムをとっていたりする。次はどんなふうに踊って楽しませよう、彼女たちの活動の原動力は、そうしたお客さんとのつながりで生まれて来るのです。

いただいた『徳島ペンクラブ選集』によると、二〇一三年は、富士正晴の生誕一〇〇年にあたり、いろいろな催しが行われたとある。

生誕一〇〇年　富士正晴の世界

今回の特集は徳島が生んだ異色の文人、富士正晴にスポットライトを当てた。1913（大正二）年10月30日、三好郡山城谷村（現三好市山城町）生まれの富士は、2013年10月、生誕100年を迎えた。戦中から戦後長きにわたって文壇で活躍。小説、詩、絵、書、また、今も発行を続ける同人誌を創刊・育成するなど多種多芸の人物であった。しかし芥川賞、直木賞候補になったにもかかわらず、後半生を大阪・茨木市の竹林にこもるなど、中央文壇とは一線を画する生き方をしたため、その人物像は徳島県民にもあまり知られていない。特集では「生誕100

年　富士正晴の世界」と題し、第1部「作品に見る、富士正晴像」、第2部は「記念講演＋記念トーク」、第3部「富士正晴の伝記・略年譜・著書」の3部構成でご紹介する。

『徳島ペンクラブ選集』

先に紹介した島ウタコ著の『正晴の生誕地にて』は、この第1部にある。第2部の記念講演は、先に紹介した『竹林の隠者、富士正晴の生涯』の著者、大川公一氏により行われた。その後の記念トークは、講演者の大川公一氏、富士重人氏（富士正晴長男）、丁山俊彦氏（県立文学書道館元事業部長）、岸積氏（徳島新聞元論説委員長）、コーディネーターは竹内菊世氏（徳島ペンクラブ会長）で行われた。

しかしこの記念トークには、大きなサプライズがあった。まったく別の催しで、たまたまこの地に訪れていた瀬戸内寂聴さんが、この会に突然訪れ演台に立った。この実現のためには、Sさん達や多くの人達の背後からの、隠れた尽力があったそうである。抜粋して紹介したい。

富士さんが徳島の出身だということは、ほんともう素晴らしいね、これ自慢です。宝です。この文学館の中に私も入れてもらってますけど、いろんな徳島出身の作家が名前を並べてますけど、富士さんが欠けたら全く値打ちがないですよ。本当に素晴らしい方でした。私は富士さんのごくごく晩年に、割合とお付き合いがあったんです。

ある日突然、一遍来たかったって寂庵に見えまして、それが初めてなんです。私ね、もてなしようがないから来る人に全部お酒飲ますんですよ。お酒を出したら喜んで、ほんとによく飲んだんです。私もね負けずに夜通し飲んだんですよ。向うもぐでんぐでんだしこっちもぐでんぐでんだしで、何を話したか忘れてるんですけど、徳島弁丸出しなんですね、あの方は。「あのなあ、わしがお前に惚（ほ）れたとせんかい」って言ったんですね。ちょっと私はびっくりしてへえと思ったんですが、後は続かないで何か、ぐじゃぐじゃぐじゃって言うんです。するとその日の夕方、電話がかかりまして「あのなあ、わしはお前のとこ行ったか」、「夕べ一晩、一緒に飲み明かしましたよ」、「やっぱりそうか、その時妙なこと言うたか」、「わしがお前に惚れたとせんかい、って言いましたよ」って言ったら「うわあ、それは酔っぱらって言ったんだな」って、何か初めて会って初めてお酒飲んだなんて感じじゃなくて、もう十年も二十年も前から知りあってる、って感じでしたね。あったかい人でしたね。それ以後もしょっちゅう、お付き合いがありまして、お宅へ伺ったことがあるんですよ。

小説は、数は少ないんですけどね、もう素晴らしいものがある。気持ちが、最後まで若々しい方だったと思います。だからあんなに素晴らしい方が、徳島から出てるってことは、もっともっと知ってもらっていいですね。もっと宣伝していいんじゃないかと思います。今日こんなにたくさんの方がお見えになって、うれしいです。

尊敬してね、徳島に富士正晴という誇りがあるっていうことを、自慢になる方がいらっしゃったっていうこと、みなさん心にとめて、今日帰ってください。ほんとに素晴らしい方でした。とにかく優しい。人間の美徳っていうのは、優しいの一語に尽きますよ。相手の悩みや苦しみを、想像する力があるっていうことね。これが一番だと思いますよ、人間として。それをすべて持ってらした。

寂聴さんは一九二二（大正一一）年に、徳島市に生まれていて、富士が九歳年長である。一九七三年に得度受戒し、二〇〇六年に文化勲章を受章、二〇〇七年には徳島県民栄誉賞を受賞している。富士とは同郷なのである。

Sさんご夫婦に阿波川口駅までお送りいただいた。私たちが予約した民宿は、「農家民宿、歩危農園」と称し、三室だけの小さな家庭的な宿で、大歩危峡谷を見下ろす絶景の地にある。ご主人が駅まで出迎えに来てくれ、吉野川を渡ってまたまたくねくねした急坂を上る。ご主人は市役所に勤めていたが、早くリタイアーして、今は農園と民宿に専念しているとのこと、先ほど案内してくれたSさんのご主人も、市役所に勤めていた先輩で昵懇だそうである。

最近の民宿は昔と違って、ホテルに似かよった所が多く、その魅力が薄れている。ところがこの民宿は、自家の農園で朝採った色鮮やかな野菜や、吉野川でとれたアメゴを、熱した石鍋の上で豆腐や味噌などで煮込んだ料理、「ヒララ焼き」と称する郷土料理を、奥さんの手料理で供していただいた。民宿の家庭的な心地よさを、満喫した思いであった。

オフシーズンとあって泊り客は私たち二人のみであったが、シーズンには海外からの観光客も、最近は多くなっているそうである。

次の日は大歩危駅からバスに乗って、祖谷のかづら橋を訪ねた。はるか下を流れる峡谷に、かづらでできた吊橋が架かっており、通行料五五〇円を払って渡ることができる。安全確保と技術伝承のため、三年に一度架け変えるそうで、その費用のための通行料である。

かづら橋

かづら橋は、深山に自生するシラクチカヅラを編んで作られ、重さ五トン、長さ四五メートル、幅二メートル、渡る橋板の隙間からはるか下に、渓谷の流れが見える。江戸時代には、一三のかづら橋があったそうだが、今はこの観光用の橋一つのみである。怖さ知らずの妻は平気で渡っていくが、私は下を見ないようにして、恐る恐る足がすくむ思いで渡った。祖谷は民謡の宝庫でもあり、その代表的民謡として「祖谷の粉ひき節」がある。一番のみ紹介したい。

祖谷のかづら橋や　くものゆ（巣）のごとく
風も吹かんのに　ゆらゆらと
吹かんのに　吹かんのに風も
風も吹かんのに　ゆらゆらと

何故このような橋ができたか説明板があり、一説には平家の落ち武者が追っ手から逃れるため、いつでも橋を切り落とせるようにした、また一説にはこの地を訪れた弘法大師が、橋のないため難渋している住民のために、最寄にあるかづらで架橋することを教えたという。

この橋は、重要有形民俗文化財に指定され、山口県の岩国にある錦帯橋（きんたいきょう）と、山梨県の大月にある猿橋と並んで、日本の三奇橋と紹介されている。錦帯橋は、五つのアーチを描く木造の太鼓橋で、岩国城を背景に架かり、ここを訪れ渡ったことがある。猿橋はまったく知らないので、調べると次のとおり紹介されている。

富士五湖の一つ、山中湖を水源とする桂川が、富士の溶岩上を流れ、その浸食作用によって深い渓谷をなし、その渓谷に架設されている。そのため橋脚を使わずに、両岸から四層にせり出したはね木を設け、それを支点として木の桁（けた）をかけ渡す「肘木（ひじき）桁式橋」といわれる構造になっている。

建築年代は不明であるが、六一二（推古天皇二〇）年、百済（くだら）からの渡来人志羅呼（しらこ）が、木の梢（こずえ）を伝い、桂川を越えるサルに、設計のヒントを得たという伝説がある。

「肘木桁式橋」と言われても、私にとっては意味不明であるが、峡谷に架かるため、橋脚がないのはここのかづら橋と同じである。ただこの書には日本の三奇橋に、かづら橋は入っておらず、木曽の桟橋（かけはし）（長野県）が挙げられている。

世界の三大料理には、フランス料理と中国料理は欠かせないが、三番目はイタリア料理でも、ロシア料理でも、トルコ料理でも、何でもよいと聞いたことがあるが、その類であろうか。日本料理も人気がでてき、評価も高くなっていることなので、三番目に挙げていい時代が訪れるかもしれない。

かづら橋の近くに、落差五〇メートルの絶壁を流れ落ちる、優雅な姿の滝がある。琵琶の滝と称されるが、平家の落人が都をしのんでこの滝の前で、琵琶を奏でて慰め合ったという伝説による。

バス道から離れているため、訪れていないが、平家屋敷と呼ばれる館が残る。写真でみると豪壮な藁屋根を持ち、風格を備えた武家屋敷である。一一八五（文治元）年に、屋島の戦いで敗れた平家の一族、平国盛が百余の手兵とともに住みついたと伝わる。

平国盛は聞きなれない名だが、清盛の弟、忠盛の孫にあたる。八幡大菩薩と書かれた、二竿の平家の赤旗（軍旗）が伝わり、嵯峨天皇と弘法大師の筆とされる。近くには平家落人のものと伝わる墓も残る。できれば祖谷渓の奥深くまで行きたかったのだが、バス便がなく諦める。最近田舎のバスは、本数が少なくあてにできない。

二日目の夕食に何をご馳走になったか、詳しくは覚えていないが、猪の焼き肉をいただいたのは記憶している。工場に勤めていた頃、近所にあった焼肉屋の主人が猟をやっていて、猪が捕れると電話をくれた。仲間を募って食べに行ったのを懐かしく思い出す。夕食もさることながら大皿に盛られた、野菜類を主にした色鮮やかな朝食が、みそ汁と共に美味しく印象的だった。

三日目は、「エメラルドグリーンの吉野川に、太古の奇岩が迫りくる、大自然の造形美を楽しむ」と称する、大歩危峡観光遊覧船に乗る。吉野川の激流が、数億年の時を経て造りだした、太古の奇景を楽しむことができる。

私など素人には解らないが、含礫片岩という大歩危でしか見られない珍しい岩石で、天然記念物に指定されている。往復四キロメートル、三〇分の船旅である。昔はこの崖の上を細い道が通じていて、歩くのに危険で難渋したので、大歩危・小歩危の名がある。

来るときは徳島まで高速バスで来たが、阿波池田から大阪まで、高速バスが通じていることを教わった。これを利用するため、土讃線で阿波池田に出た。時間があるので観光案内所に聞いて、阿波池田たばこ資料館（うだつの家）を訪ねた。いただいたパンフレットに次のとおり紹介されている。

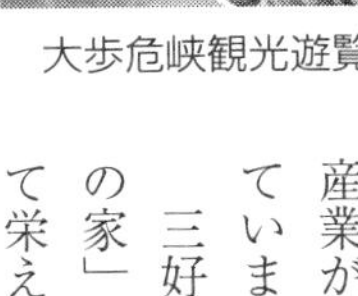

大歩危峡観光遊覧

当家は、幕末から明治にかけて繁栄した阿波池田の煙草製造業者の居宅として、百年以上を経過した今でも、重厚な風格をそなえています。

また、この住宅は、本町筋に立ち並ぶ同時代の業者の居宅の中で、うだつを始め、母屋や製造作業場がほとんど当時のまま残っており、たばこ産業が繁盛した頃をしのばせています。

三好市は「阿波池田うだつの家」を、たばこ産業によって栄えた象徴と位置づけ、旧たばこ作業場にたばこ産業にかかわる各種資料を展示して公開するとともに、この施設を生涯学習の場として運営し、活用を図っています。

うだつとは、屋根の両端の壁を、屋根より一段高くあげて、子屋根を設けた部分をいう。富裕者の立派な旧家にあり、装飾と防火を兼ねる。栄達できないことを意味する、「うだつがあがらない」の語源となっている。私の故郷でも昔は煙草を栽培していたが、この阿波池田はたばこ産業で栄えた。

　訪れてはいないが、この街からはどこからでも、丘に建つ池田高校が見える。私たちにとって鮮明に記憶にあるのが、一九七四（昭和四九）年春の、全国高校野球選抜大会での、池田高校の活躍である。蔦文也監督が率いる野球部員は、一一人しかいなくて、「さわやかイレブン」また「やまびこ打線」と称された。決勝で地元の報徳学園に敗れ、優勝は逸したが準優勝であった。

　池田高校の活躍のピークは、一九八二（昭和五七）年の夏、続く一九八三（昭和五八）年の春と連続優勝し、続く夏は未踏の連続三連覇が期待された。この時準決勝に進み、対戦相手がＰＬ学園であった。一年生のエース桑田と、四番打者清原が活躍したチームで、池田高校は事前の予想に反し七対〇で完敗した。この時を契機に、池田高校の時代は終わり、ＰＬ学園の全盛時代となる。

　この阿波池田の地は、香川県との県境にあり、その県境に四国八十八ヵ所、第六十六番札所雲辺寺がある。雲辺寺は標高９２１メートルの山頂にあり、八十八の札所中最も高い地にある。香川県の観音寺市側から、ロープウェイがついているが、歩く遍路にとっては、最もきつい難所の一つである。もう十数年前になるが、私もここを歩いて訪れたのを、山を望みながら懐かしく思い出した。

　駅前の寂れてしまった商店街にある、老舗の食堂で昼食をとって、高速バスで帰阪した。私はビールを飲んだが、妻はここで食べた親子丼が、とてもおいしかったと激賞した。

私の愛読書『街道をゆく』（司馬遼太郎著）の第三十二巻に、阿波紀行があり、司馬さんもこの池田の街と、祖谷の峡谷を訪れている。阿波紀行は次のとおり始まる。

> 阿波（徳島県）へゆくことにした。
> その途中、鳴門の海を見たい。私は音にきく鳴門の渦潮というのを知らないのである。
> 阿波にわたれば、阿波一国を、東西一文字に流れている吉野川を見、その下流の大きな野を見たい。さらにさかのぼって、野がせばまって迫になってゆく姿も見たいのである。
> 　吉野川をさかのぼりつめれば、山岳地帯になる。秘境などといわれる祖谷の山々をほんのすこし見、ふたたび吉野

川の中流にもどり、さらに下流へくだって、徳島市に出るという旅をしてみたい。

古来から池田の地は、交通の要衝の地で、高知県、愛媛県、徳島県の結び目にあり、また高知県から香川県への通過点でもある。ところが吉野川の峡谷は深く、流れが速いので、昭和三三年にこの地に、三好大橋ができるまで、すべて交通手段は渡船であった。

そしてこの四国の要衝の地を地盤として、織田政権が輩出するまで、京の都をはじめ近畿の地を支配したのが、三好長慶（ちょうけい）を頂点とする三好一族である。もともとは室町幕府の管領で、阿波国の守護だった、細川氏の家老であった。

司馬さんの筆によると、三好氏には後の戦国大名のような、全国制覇の野望がなく、応仁の乱から続く仲間内の暗闘に終始し、歴史の舞台から消えていった。長慶は著名な連歌の達人でもあり、近世というより中世の人だった。司馬さんも旅の最後に、須田剋太画伯と、大歩危を訪れかづら橋を渡っている。

私どもは、有料道路から祖谷に入った。

ときどき、谷や山の中腹に見る家々の形がよく、豊かそうでもあった。

西祖谷山村の善徳という名（みょう）に入ると、渓流にかづら橋という吊橋がかかっていた。材料の葛（かづら）は、標高六〇〇メートル以上の高地に自生する白口葛（しらくちかづら）という植物のつるで、いかにも頑丈そうである。

明治四十四年の調査では、東西の祖谷村に八か所もこういう橋があったというが、今はみな近代的な橋にかわり、この善徳の吊橋だけが残された。というより、この場所にも別に橋梁があってふつうそこを往来しているのだが、ごく最近、観光用として架けかえられた。（中略）

ともかくも、須田画伯とともにかづら橋をゆらゆらと一往復してみた。祖谷に十日もいればもっといい体験があるだろうが、ほんの瞥見（べっけん）の旅としては、この橋を往復するしかない。

最後に富士晩年の詩を紹介して、前編を了としたい。

隠者と　ひとはいいますなあ
陰々滅々でありますな　笑っておりますな
ひとは　のんきそうだといいます
黙っておれば腸が七つ折り
喋れば　胃がむかつきますなあ
書くこと一切気に入らず
読むこと一切苦患なり
先行き　茫々　人生　漠々
人類の象徴は　はばかりながら　わしでっせ

（つづく）

『デイヴィッド・コパフィールド』と親愛なるペゴティ

川本卓史

第一章　デイヴィッドの幼年時代

本誌「あとらす」に二回続けて、英国の小説家チャールズ・ディケンズを取り上げました。初期の小説や『アメリカ紀行』についてでしたが、三回目は代表作の一つ『デイヴィッド・コパフィールド』です。彼がまもなく四十歳になる、一八四九から五十年にかけて執筆されました。

例によって長い物語で、中野好夫訳の新潮文庫で四巻、石塚裕子訳の岩波文庫は五巻です。何度も愛読している私でさえ、彼の作品につきものの冗長さや感傷的な文章に辟易するところがあります。現代人が読み進むには、時間と忍耐が必要でしょう。しかし、ディケンズ特有の印象に残る人物描写も場面場面の面白さもすこぶる健在です。

ロシアの文豪トルストイやドストエフスキーはロシア語訳のディケンズを愛読しました。『デイヴィッド・コパフィールド』を読んだ二四歳のトルストイは一八五二年九月二日の日記に、「何ともすばらしい」と書き残しています。また後年になって若い頃に読んで感銘を受けた書物を思い出して、「絶大」「甚大」「大」の三段階に分けてリストを作り友人に書き送っていますが、本書を最上級の「絶大」の中に入れています。外国の小説で同じ評価を受けているのは、他にヴィクトル・ユーゴーの『レ・ミゼラブル』しかありません。（トルストイ全集第十八巻「日記・書簡」中村融訳、河出書房新社）。

G・K・チェスタトンはディケンズの評伝の中で、本書を次作『荒涼館』と並んで「過渡期」の作品と位置付け、作風の変化に注目します。以前ほど誇張した風刺を使わなくなったことや、作品への目配りやリアリズムの要素が増えた点を指摘した上で、本書を「ある意味で彼の最初の小説」ともいえる偉大な作品であり、「現実主義者に対して偉大な空想家が示した偉大な回答なのだ」と、“great”という形容詞を三回も使って称えます。

トルストイが「何ともすばらしい」と感じ、チェスタトンが「偉大な作品」と呼んだ小説を、以下、私なりに読んでいきたいと思います。

本書はディケンズが一人称で書いた最初の小説です。語り手デイヴィッドは作者と同じく成功した小説家で、回想録の形式をとっています（邦訳は中野好夫訳を用い、適宜私訳を交えた）。

本書の第二章は、「私の幼年時代をはるかに振り返ると、まず目の前に浮かぶのは」という文章から始まります。そして、「美しい髪と若々しい姿の母と、姿はともかくとして、黒い瞳と、小鳥たちがりんごと間違えてつつかなかったのが不思議に思えるほど赤くひきしまった頬と腕の、ペゴティの思い出である」と続き、「記憶」がこの小説の主題であることを示します。

父親はデイヴィッドが生まれる前に亡くなりました。夫を失った母クララは一家を支えていくには少し気丈さに欠けます。そこを狙われて、教会で知り合ったマードストンという「ととのった黒髪と頬ひげの紳士」からの計画的な求愛を受け入れてしまう。

その前の暫くは、平和な暮らしが続きます。場所はロンドンから百数十キロ東にあるサフォーク州の田舎の村。女中のペゴティも家族同様の扱いで、仕事が終わると一緒に居間で過ごします。日曜には母が二人に聖書を読んでくれ、デイヴィッドも絵本を読んで聞かせ、冬の夜には三人でダンスを楽しんだりします。

しかし、すぐに頬ひげの紳士が近づくようになり、ある日教会の帰りに母を自宅まで送ってくれました。ペゴティは（デイヴィッドも）ひと目見ただけで、勿体ぶった態度の彼を好きになれません。

「あんな方、ミスター・コパフィールドだったらお気に入らなかったでしょうね」という率直な発言は母を傷つけ、二人の仲は少しぎくしゃくします。ペゴティは海辺の街ヤーマスにある兄の家にデイヴィッドを連れていき、二週間滞在します。海に面した大きな船を改造した家で、漁師をしているダニエル・ペゴティが甥のハムや姪のエミリーと暮らしています。二人とも漁師の父親を海の事故で亡くし、独身のダニエルが引き取って育てているのです。エミリーはほぼ同い年の美少女です。彼らにすっかり歓待されて、楽しい旅を終えて帰宅したら、この間に母はミスター・マードストンと再婚していました。

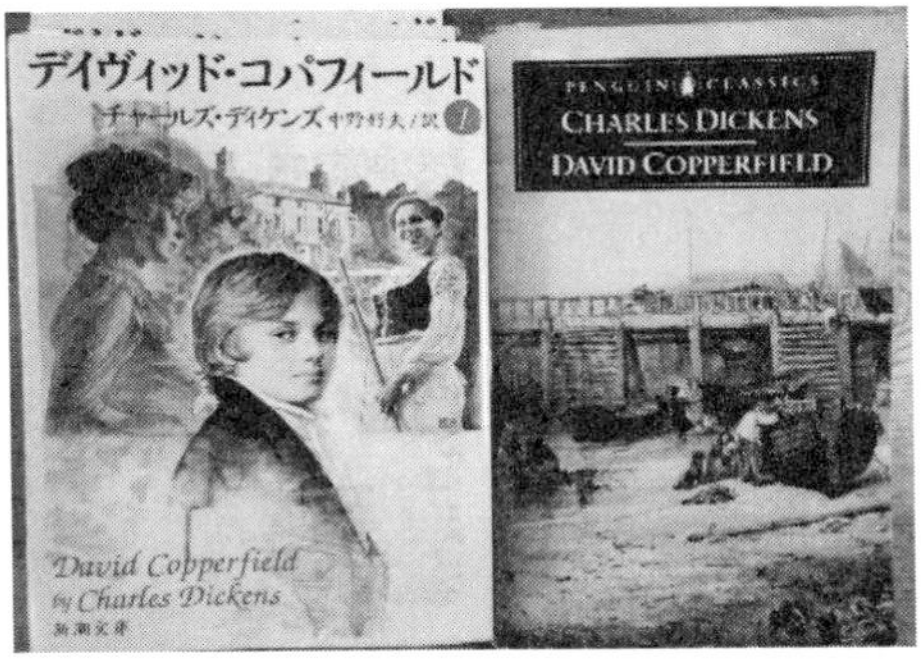

本書のペンギン版と邦訳

マードストンは独身の姉を連れて母の家に一緒に住むようになります。二人はデイヴィッドに対

幼いデイヴィッドとペゴティ

して、しつけと称して冷酷かつ厳格に当ります。継父は脅します。「もしも家に、言うことをきかない馬や犬がいたら、私はどうすると思うかね?」

「わかりません」

「鞭で打つね」、そして続けてこう言います。

「縮みあがらせて、叩き直すんだ。やっつけなきゃいかん、そう自分に言い聞かせるんだ。相手が血だらけになったって、最後までやり通す……」

マードストンは自分も父親から同じような扱いを受けたと告白していますが、不幸な時代の連鎖がデイヴィッドにも及びました。

母からもペゴティからも遠ざけられ、友達と遊ぶことも禁じられ、時に鞭で打たれ、幸いに亡くなった父が残してくれた沢山の本を読みふける、「これが私のたった一つの、変わることない、癒しの時間だった」。もともと健康にすぐれなかった母も、愛児の身を案じて心身を痛めるだけでなく、「陰気で傲慢」な二人に家政のいっさいを握られ、自主性をうばわれます。

九歳になると、ロンドンの南にある全寮制の学校セイレム塾にやられます。生徒数四十五人の小さな私塾で、暴君のような経営者かつ校長の厳しいしごきに苦労します。一年も経たないある日、知らせが来て母親の死を知らされました。葬式に出るために自宅に戻ると、継父から「もう学校に戻る必要はない。お前に学問は要らない。私はロンドンのワインを扱う商社の株主だから、そこで働き、これからは自分一人で世間にもまれるのだ」と言われます。

「そして、十歳になった私は、マードストン＝グリンピー商会で働くことになった」。テムズ河に面する古い、ねずみが走り回る倉庫で、酒類の輸出入にともなって出てくる瓶の処理の仕事につきます。空いた瓶の疵物は除け、残りは洗って使う。酒の入った瓶にはラベルを貼り、封をし、箱につめる。「そのために雇われている子供が、私も入れて三、四人はいた」。

そんな日々についてこう続けます。「学校での勉強を続けて、優れた人間になろうという希望はうちくだかれた。もはや望みはない。雑役をしているという屈辱感。日々に学び、考え、喜び、夢や競争心を育んだ一切が少しずつ消えていくみじめな気持ち。それらの思い出を書き尽くすことはとてもできない」。

「この頃の貧乏や生活の苦しさについて、私は別に誇張して書いているつもりはない。……一シリングでも手元に残ったら、決まって食事かお茶に使った。薄汚い子供として、朝から晩まで、そこいらの男や子ども達と一緒に働いた。栄養不良の青い顔をして、街々を歩き回った」。

こんな生活をいつまでも送る訳に行かないと感じた彼は、逃げ出すことを考えます。ちょうど下宿している家主のミスター・ミコーバーが借金で首が回らなくなり、都落ちするのも契機になりました。逃げてどうするか？ ペゴティから、ベッチー・トロットウッドという、たった一人の身寄りがドーバーに住んでいる、亡き父親の伯母で父をとても可愛がっていたと聞いていたので、そこに頼ろうと考えたのです。

そして、ロンドンから百十キロの道のりを歩いていきます。夜は野宿して、着ている物を古着屋に売って食べものを買い、ぼろぼろの姿になって、それでも六日目に何とか伯母ベッチーの家に辿りつきました。伯母は、その無謀さに驚き、呆れますが、親代わりに引き取り、再び学校に送ることを決めます。かくして「私の幼年時代」は終わり、新しい人生が開けてくるのです。

ちなみに、ディケンズ自身も、ロンドンで同じ年ごろに同じような体験をしており、この時の辛い、屈辱的な時期を生涯にわたって忘れることがありませんでした。

第二章　デイヴィッドの周囲の人たち

（一）

クレア・トマリンは評伝の中で、本書全六四章のうちの「幼い頃を扱った最初の十四章は、天才の作品として独立している」と書きます。主要な人物はほぼ出揃い、その後のドラマを引っ張っていきます。

そもそも私たちは、どのような「幼い頃」を送るのでしょう。普通であれば、育て、保護してくれる親がいる。時には、父母に死に別れたり、貧しくて余裕がなかったり、自身も心の傷や悩みを抱えている親から虐待を受けたり、教育者に厳しくされたりする。同世代の子どもたちとの親しい交流もあり、いじめにあうこともある。最後に、世間一般との様々な接触がある。そのようにして子どもは成長し、やがて自立していく。

時代や国によって違いもあるでしょう。例えばいまの日本の若者が、アジア太平洋戦争中やその直後に、不運で悲惨な状況に巻き込まれた子ども達の姿をどれだけ想像できるでしょうか。二〇一九年四月から始まったＮＨＫ朝ドラ「なつぞら」では、主人公の女の子なつは、父が戦死し、東京大空襲で母も死に、兄と妹と三人で一時は上野の浮浪児の仲間に入っているところから物語が始まります。モデルはのちにアニメーターとして成功した実在の女性だそうです。

最新の医学の知見によれば、人格形成は五歳ごろまでにどういう環境で育てられたかがもっとも重要だそうです。デイヴィッド・コパフィールドの場合、父は居なくとも母とペゴティの愛情に包まれ、緑豊かな田舎の村で、六歳ごろまでは幸せな幼年時代だったでしょう。「なつぞら」のモデルだって、戦争が始まるまでは東京の下町で穏やかな日々を過ごした筈です。

そしてその後の不幸のなかでも、「なつぞら」であればなつは、父の戦友の親切で北海道の牧場にひきとられます。継父の虐待に耐え、暴力的な寄宿学校に追いやられ、母を亡くして孤児になったデイヴィッドも、ペゴティや伯母ベッチーの愛情があったからこそ生き抜くことが出来ました。

ペゴティは「女中（servant girl）」の身分であっても冷酷なマードストン姉弟が来るまでは、「家族の一員」でした。若くして夫に死に別れた母クララにとっては、ペゴティが友であり、支えでした。日曜に一緒に教会に行き、相談相手にもなり、遊び相手でもありました。

二人は時に口論もしますが、互いに信頼しあっています。母が死に、学校から葬式に戻ったデイヴィッドを泣きはらしたペゴティが迎えます。「彼女はもう長い間、ベッドに入っていなかった。夜も起きて、見守っていたのだ。お気の毒な、大事な、可愛らしい方がここにいるかぎり、どうしておそばを離れますものか、というのだった」。

最期の場面も話してくれます。「可哀そうなお母様は、この片意地で愚か者のペゴティの腕に、安心して頭を休めて――まるで子供が寝つくときのように安らかに亡くなりました！」。

まだ母の生前、デイヴィッドは継父が鞭を振るうのに抵抗して、手にかみつき、子供部屋に監禁されたことがありました。「五日間、ミス・マードストンのほかは誰にも会うことができなかった」。

「監禁の最後の晩だった。私は小声で名前を呼ばれたような気がして、目をさました」。ペゴティが夜中、こっそり来てくれたのです。彼女はドア越しに、罰として明日には家から出されて寄宿学校に行かされると告げて、「お母様は私がしっかりお守りするから」と約束します。話しているうちに「私も鍵穴のこちら側でそうだったように、外側でペゴティがしくしく泣いていることが、声ですぐわかった。彼女は中に入ることができないので、鍵穴にキスをし始めた」。

彼女はもともとコパフィールド家の家付きだったので、父母の結婚式にも出席しました。長い付き合いです。デイヴィッドを置いて家を去る気持ちは毛頭ありませんが、マードストンはお払い箱にします。母のいるときから、こんなやりとりがありました。

「私は、年を取って意地悪な婆さんになるまで、こちらでご厄介になるつもり。耳も聞こえず、目も見えず、足もよたよた、歯も抜けてもぐもぐ、これじゃもう小言を言っても仕方がないという能無しにでもなりましたら、そのときは、マスター・デイヴィのところへ伺いまして、引き取っていただくことにいたしますから」

「ああ、ペゴティ」と私は言った。「喜んで迎えて上げるも、女王様みたいに歓迎するよ」。

希望は満たされず、クララの死後追い出されてしまったペゴティは、ヤーマスで運送屋をしているバーキスに熱心に説き伏せられて結婚します。しかしその後もデイヴィッドのことを忘れず、交流はいつまでも続きます。ロンドンで苦労しているときは少しのお金を送り、その後はベッチー伯母とも仲良くなり、結婚式にも揃って出席します。

このような女性の存在について、G・K・チェスタトンは以下のように書いています。

「人間の尊厳と平等という意識をもって教育を受けることは、この世で何より大切なのだ。そして(ペゴティのような)下層階級の親切で有能な女性への尊敬を一度でも経験した少年は、永遠に下層階級の人々を尊敬することだろう。差別にひそむ悪に打ち克つ本当のやり方とは、革命家たちのように告発することではなく、子供がするように差別を無視することなのである」。

他方で、ベッチー・トロットウッドもデイヴィッドを可愛がります。少し変わり者ですが、「世間の思惑などいっさい気にしない」自主独立の気風のつよい、魅力的な女性です。

デイヴィッドがロンドンの勤め先を逃げ出し、自分のところに来たことをマードストンに手紙で知らせ、無断で逃げ出した行動に驚き、怒った姉弟が早速引き取りにやって来ます。この時のやり取りは訳文で十四章の二十ページ近くを占めますが、「この子の将来は、私がお引きうけ致します」から始まって、胸のすくような啖呵を切って二人を追い返すくだりはディケンズらしい躍動する文章がみられます。

「私が知らないとでも思っているんですか?」

「あの不幸なクララをいじめて、どんなにひどい目に遭わせたかを?　あなたに初めて会った時が、優しいあの娘にとっては、それこそ災いの日だったんですのよ——きっと、もうつくり笑いをしたり、秋波を送ったり、まるで虫も殺さないような猫なで声など出してね」

「それで、あの可哀そうなお馬鹿さん、もう天国へ行ってしまっているあの娘のことを、——ええ、ええ、あなたなどの金輪際行けるところじゃありませんから、お生憎さま——こんな言い方して、ほんとに悪いんだけども、とにかく、そのお馬鹿さんをいいことにして、手に入れてしまうとね、今度は……まるで籠の鳥みたいに、あの娘の心を傷つけて、……うまくだまして、とうとうあの娘の命まですりへらしてしまったんじゃありません?」

ベッチー・トロットウッドという老年に近い女性の気概の面目躍如たる場面で、ここで殆ど初めて舞台に登場した彼女が、これからどういう個性を見せてくれるか、読者として楽しみになる場面です。

物語は、この対決に同席したデイヴィッドが伯母に引き取られてどんなに安心したかを伝えます。今度はちゃんとしたカンタベリーの学校で教育を受けて、彼女の紹介で、知り合いの法律事務所で見習いとして仕事に就くことも出来ました。

（二）

デイヴィッドは成長していく過程で、ほぼ同世代の二人と知りあいます。ジェイムズ・スティアフォースとユライア・ヒープは、人間には時に一見して分からない「悪」や「心の闇」が存在することを彼に教えました。

スティアフォースは、富裕な上流階級の御曹司で夫を亡くした母親から溺愛されています。デイヴィッドは、最初に送られた寄宿学校セイレム塾で上級生の彼に会い、憧れます。彼は学校の英雄的存在で、母親の多額の寄付もあるのでしょう、暴君の校長といえども彼には遠慮します。ハンサムで頭も良く、快活で誰にでも気さくに話しかける、外目には魅力あふれる少年です。

その後青年になった二人はロンドンで再会し、交友が復活します。スティアフォースはオックスフォードの大学生。法律事務所で見習い中のデイヴィッドは、夏休みに彼を誘って、ペゴティ兄妹に会いに漁港ヤーマスに出かけます。

スティアフォースは、持ち前の人好きのする態度でダニエル・ペゴティや彼の漁師仲間に大いに好かれ人気者になりますが、成人した美しいエミリーに目をつけ、そこから悲劇が始まります。いったん引き上げたスティアフォースと示し合わせて、ある日エミリーは「レディになって、お世話になったペゴティ伯父さんに恩返しをしたい」と書いた置手紙を残して家を出てしまいました。

スティアフォースにとっては一時の遊びに過ぎない、エミリーは騙されたに違いないと直感したダニエル・ペゴティはデイヴィッドの紹介で彼も同道してロンドンの母親のお屋敷を訪れます。

漁師の直感は当ります。貴婦人は彼やエミリーを同種の人間とは見なしません。二人の会話は言葉遣いの違いを含めて、当時の英国の厳しい階級差を示す場面です。

「奥様、私はご子息が約束を守ってくれるかどうか、伺いに参ったんです」

「それは駄目ですね」

「なぜです?」

「よくお分かりと思いますけど、たいへんな身分違いですもの」

相手にされないダニエルは、お屋敷を退出。みんなに別れを告げて、エミリーを見付け出し、取りもどすため、旅に出ます。「もし、私に万一のことでもあったら、『可愛いエミリー、私は全てを赦しているからね』、これが遺言だったことを覚えておいてほしいんだ」という言葉を残して。

他方で、ユライア・ヒープは、最初からデイヴィッドが嫌悪を感じる四歳年上の少年でした。しかし彼の悪行を知るのはだいぶ先、お互いに青年になってからです。

デイヴィッドはベッチー伯母の援助でカンタベリーの学校に通い、そこで伯母の顧問弁護士の家に下宿しました。ウィックフィールドは妻を亡くし一人娘のアグネスと事務所を兼ねた家に住んでいます。ユライアは住み込みの職員です。

二人は互いに反目します。しかし下層階級出身のユライアは決して自分の本心を見せず、卑屈な態度で誰にでも接します。実は狡猾な人間であり、ウィックフィールド弁護士に取り入りながら横領・背任を重ねて、共同経営者の地位をものにし、ついにはアグネスに求婚するまでになります。

そういうユライアに我慢ならないデイヴィッドが後になって彼と対決する場面があります。

「ずっとあなたは、私のことを下賤な人間だと思っていらした、そうでしょう?」というユライアの問いに、デイヴィッドは答えます。「僕はね、自分で自分を卑下するなんて、大嫌いなんだ」。

対してユライアは、自分の生まれと育ちからそういう生き方をせざるを得なかったのだと反論します。

「でも、あなたは、私のような身分の人間が、どうして卑下したくなるか、ちっとも考えてはくださらない。父も私も給費学校の出なんです……いつも父から言われたことは、頭は下げるにかぎる。そうすりゃ、出世はできる。……親父はよく申しましたっけ。世間の人間ってもんは、みんなお前の上に立ちたがっているんだ。だからお前は、できるだけ下手に出るんだぞ、ってね。それでまあ、デイヴィッドさん、私はね、今の今まで他人様には頭のさげっきりで来たわけでございますが、それが、いまじゃやっといくらか力もできましたようなわけで！」。

この場面も英国の階級社会の一側面、ここでは労働者階級に属するユライアがデイヴィッドの属する中産階級の人間に抱く複雑な思いと両者の葛藤を描いています。

スティアフォースは上流階級の上品で快活な所作の中に、他人を犠牲にして何とも思わない傲慢さと利己心を隠している。ユライアは、卑屈な態度で相手を油断させながら、手段を択ばず悪事を犯しても自らの目的を遂げようとする。

その二人に接するデイヴィッドは、彼らの「悪」を怒り、憎み、自分は彼らとは違うのだと信じて疑わない、英国ヴィクトリア朝時代の道徳観を身に付けた人間です。「几帳面、規律、勤勉」を大事にし、「生涯を通して、いちど目標としたことにはすべて真剣に取り組んだ。……徹底、熱心、真面目さという精神に代わるものはない」と成功した後で自らを振り返る人間です。

しかし面白いと思うのは、読者である私たちは、読み進めていくうちにしだいにデイヴィッドと必ずしも一体化することができなくなる。スティアフォースとユライアを描写するディケンズの筆力のせいもありますが、語っている主人公との距離を感じてくる。デイヴィッドは自分は彼らとは違うと思っているかもしれないが、果たしてそうだろうか。実はディケンズはこの二人を登場させることで、人間の悪や闇はどこにでもあると言いたいのではないだろうか。

デイヴィッドだけでなく、そもそも私たちは自分をそうだと思いこんでいるように、誠実な善人だろうか。誰の心の中にもほんの少しでも、スティアフォースやユライアは存在しているのではないか。本書を読んでいくとそんな気持ちにさせられるのがディケンズの作家としての力量であり、トルストイが「すばらしい」と感嘆したところではないかと思うのです。

（三）

最後にデイヴィッドの周りに登場する人物として、世間一般の様々な大人の存在が重要です。本書では彼が、彼らとの接触を通して成長していく姿も描かれます。その点は、いまとは少し異なるかもしれない。

そもそも、いま英国でも日本でも児童労働はもちろん禁止されている。しかし、デイヴィッドであれば母の死後、継父に働くことを命じられ、自立していかざるを得なくなりました（前述したようにディケンズ自身も、同じ年齢で同じように働かされた経験の持ち主です）。乗合馬車に乗せられてひとり旅立ちました。ロンドンでは、部屋を借り、働き、週給をもらい、食費を払って生きていく、十歳から自分の道を切り開いていくことを強いられたのです。そして苛酷に働く日々からどうしても抜けだしたくて、たとえ百キロを歩いてでも助けを求めに行くという選択も自分ひとりで決めました。

いま、少子化が当たり前になった国々の普通の家庭では、子供はもっぱら大事にされ、保護され、管理される存在になりました。逆にいえば、幸せな子どもは常に保護され、大事にされ、機会が少なく、家族や学校以外の場で大人に接する不幸な子供は、そこから逃げ出す選択肢が乏しくなったのではないでしょうか。二〇一九年一月、千葉県野田市で起きた、十歳の少女が父母の虐待を受け、学校の先生への訴えがかえって逆効果になり、とうとう死亡にまで至った痛ましい出来事がありました。彼女は親と小学校に救いを求めるしかなく、そのどちらも助けにならなかった。「いじめ」についても同じことが言えるでしょうが、閉鎖空間であるほど親も学友も時にいっそう残酷になるのではないか。家庭や学校が救いの場にならない、閉じ込められて逃げ場のない幼い子の絶望を感じます。いまの社会は、歩いてでも、野宿してでも逃げ出せる自由が子供にはない……。

ロンドンの街を歩くミスター・ミコーバーとデイヴィッド

もちろん社会に放り出された子どもは、時に危ない目にも遭います。デイヴィッドの経験がそれを教えてくれます。ドーバーの伯母に会いに行くに当たってもペゴティが送ってくれたお金を貯めて少しは持っていたのですが、ロンドンを出たところでたちの悪い若者に取り上げられてしまい、全行程を歩かざるを得なくなります。

その前に、乗合馬車でサフォーク州の自宅から寄宿学校セイレム塾に行かされる途中で宿屋で食事をする場面では、給仕人に騙されて、たくさんの量を注文してそのほとんどを彼に食べられてしまう。家を出るときにこっそり母とペゴティが渡してくれた餞別まで使い果たしてしまう。

しかし、こんな場面をユーモラスに描くディケンズは、騙されたことに暫く気づかず、分かったあとでも憤慨したり後悔したりしなかった幼い自分をむしろ肯定的に振り返るデイヴィッドを、暖かく見つめます。「私はむしろ、こうした子供らしい純真さが、あまりに早く大人の世知辛い賢さに変わっていくのを悲しむのだ」。

また、こういう経験もありました。ロンドンで働きながら安い食事で我慢する日々、ある日誕生日だったか気張って、パブでビールをグラス一杯注文する。店主の奥さんに、「名前は？　歳は？　どこで働いている？」などといろいろ訊かれたあげく、「私のお金を返してくれたばかりかキスまでしてくれたのだ」。

その中でも、彼が下宿した家主ウィルキンス・ミコーバーとの付き合いはミコーバーの独特のキャラクターもあいまって、とくに印象に残ります。その付き合いは、まったく十歳の子どもらしくありません。

ミスター・ミコーバーを、サマセット・モームは「（シェイクスピアの『ヘンリー四世』に出てくる破天荒な人物）フォルスタッフに次ぐ偉大な喜劇的人物」と呼びました。もちろんディケンズに特徴的な誇張とデフォルメが施されていますが、作者自身の父親がモデルと言われています。

一見したところおだやかで礼儀正しい紳士だが、貧乏人の子だくさん、大言壮語はするが実行力も生活力もなく、経済観念に乏しい。お人好しで底抜けに明るい楽天家であり、「自らの利害に関係ないことだったら大いに活動的であり、自分には一銭の得にもならない事柄で忙しいときほど幸せそうになる」と評される人物。

年中借金取りに追いまくられ、その時ばかりは神妙にしょげ返るが、彼らが帰ってしまうとすぐに地に戻り、奥さんの嫁入り道具とおぼしき銀のスプーンを質に入れて、ラム・チョップとエイル一杯ですっかりご機嫌になってしまう。

ミセスはいいとこのお嬢さん（らしい）。実家から愛想をつかされ、相手にしてもらえないが、「私は決して夫を見捨てませんよ。彼には才能があるんです」というのが口癖です。

借金取りを逃れてついにロンドンを夜逃げすることになって、デイヴィッドに別れを告げる。餞別にあげられるのは忠告だけだよと言って、「君ね、年収が二十ポンドあって支出が十九ポンド何がしで済めば幸せこの上なし。ところが、二十ポンドの年収で一ペンスでも余計に使ってしまえば、もうみじめ。このことを忘れないように」なんて真面目くさってお説教を垂れる。ところが本人はいつまでたっても借金地獄から抜け出せず、一時は、家族ともども債務者監獄に入れられてしまいます（ディケンズの父親も同じ目に遭っている）。

このミコーバー一家は、最後にはオーストラリアに移住することになりました。それには、漁師のペゴティと姪のエミリーが絡みます。結局はスティアフォースに捨てられて、一時はロンドンで身を売るまでに落ちぶれたエミリーを、すべてを投げうって探す伯父のペゴティがついに見つけて、救い出し、二人で新天地を求めてイギリスを立ち去るのです。

その移住計画に、ミコーバー一家も加わります。ミスター・ミコーバーは、デイヴィッドを通して知りあったユライア・ヒープに声を掛けられて、カンタベリーのウィックフィールド法律事務所に雇われ、働きはじめました。

ところが、そこで上司ユライアの横領背任の動かぬ事実をつかみます。「自らの利害に関係ないことだったら大いに活動的」になる彼は持ち前の正義感を発揮して、上司の悪事を皆の前で告発し、彼が逮捕されるのに一役かいます。

そんな事情もあって職を失い、祖国イギリスにも見切りをつけて、ペゴティの移住計画を聞いて、自分たち一家も新しい植民地に未来を賭ける決意を固めました。

「オーストラリアは、夫にふさわしい場所でしょうか?」とミセスが心配すると、ベッチー・トロットウッドは、「これ以上ふさわしい場所はありません、あそこは可能性に満ちた土地ですからね」と請け合う。そしてミコーバーは、ロンドンからわずか百キロ離れたカンタベリーに都落ちしたときは、まるで地の果てにでも行くような悲愴な覚悟だったが、今回は、ドーバー海峡をほんのひとまたぎするとでもいった気楽な趣きで出発する。「太平洋をちょっと横切るだけ。距離なんて観念の産物ですからね」というせりふを残して。

……少し話が先に行ってしまいましたが、ロンドン時代のミコーバーとデイヴィッドに戻ると、二人は、家主と下宿人、四人の子持ちの父親と十歳の少年の立場を越えて、仲の良い交友を続けます。

「お互いに同じような事情からきたものであろうか、彼らと私の間には、馬鹿げたほどの歳の違いがあるにもかかわらず、まことに奇妙な対等の友情が生まれていた」。時にささやかな夕食を共にし、ミセスの苦労話や口癖(「でも、それでも、あの主人を捨てるなんてことは、断じてできません」)を聞いてあげます。

彼のお供をして質屋に行って、やがて顔なじみになり、代わりに交渉したりします。借金が払えず、ついに債務者監獄に収監されたときには、毎週見舞いに行きます。「ミコーバー一家と私とは、いわば苦難を通じて完全に結びついていた」。フィクションとはいえ、この時代の子供は、世の中を生きていく辛さや知恵を大人と共有する関係が成り立っていたのだなあと読みながら思います。

第三章　「ラッキー・カントリー」のこと

（一）

ディケンズが本書を書いた十九世紀の半ば、オーストラリアは英国の植民地でした。もともとは何万年にもわたって先住民アボリジニが住んでいた土地です。しかし一七七〇年に探検した英国海軍のキャプテン・クックは、ヨーロッパ人として初めて同地の東海岸に上陸し、「領有」を宣言しました。英国は初めは流刑地として罪人を送り込み、その後多数の移民も移住しました。流刑は約八十年続き、累計で約十五万人の罪人が送り込まれました。ユライア・ヒープもこの地に送られたと本書は書きます。

一九〇一年には独立しましたが、英連邦の一員であり、エリザベス女王が元首であり、英国から派遣される総督がいます。一九九九年には共和制に移行するか否かを問う国民投票が実施されましたが、反対が五四％を占めて、立憲君主制が維持されています。

そのオーストラリアを特徴づけるのは、移民国家であり、多文化主義を採用しており、「ラッキー・カントリー（幸運な国）」だという認識です。「ラッキー・カントリー」とはもともとは、五十年以上前に出された本の題名です。著者はこの言葉を批判的な意味で使い、「オーストラリアは幸運な国であり、その幸運を享受する二流の人々が国を動かしている」という一節が示すように幸運にあぐらをかいていてはいけないという警告でもありました。しかし以後、むしろ肯定的に受けとられ、自他ともにこの国の代名詞になりました。

私は、二五年も昔、勤めていた銀行から派遣されて、シドニーに三年半暮らしました。当時の日本はバブル景気のはじけた直後でしたが、まだ元気よく、豪州にとって最大の輸出国、観光客も多く、投資も活発でした。

良い思い出を抱いて帰国してからも、短期間ながら訪れる機会があります。かつての日本の存在感はいまは中国がとって代わり、隔世の感があります。しかし、オーストラリア自体は昔も今も元気で陽気で、いつ行ってもやはり「ラッキー・カントリー」だなと感じます。

資源に恵まれ、沿岸部は気候も穏やかで景色も良く、人々は概して寛容で親しみやすく、紛争や内乱には無縁であくせくしない国という印象でしょうか。日本と違って「ヨコ社会」が普通で、人間関係で悩むことも少なそうです。

「easy going（のんびり、くよくよせずに）」なライフ・スタイルという言葉がよく使われ、憤慨したり緊張したり落ち込んだりする様子を見せると、「Take it easy（向きにならずに、肩に力を入れずに）」と仲間が声を掛けてくれて、元気づけられます。

六年前にシドニーに滞在したときです。電車の駅にＧＡＰが広告主の大きな広告がありました。写真のモデルは、音楽家と音楽ディレクターの二人の男性で、実名も載っており「恋愛結婚した某氏と某氏」と紹介されています。「愛はどんな形でも可能である。輝いてあれ！　ギャップ」とは広告の文句です。これはまだ豪州が同性婚を合法化する前のことです。いまアジア・オセアニアではニュージーランドに続いて豪州も同性婚を合法化しました。（国というと中国に怒られますが、台湾が三番目です）。

そんな広告を眺めながら電車に乗ると、立っている乗客も何人もいて、私は早速席を譲られましたが、「近いから」と丁重に礼を言ってお断りしました。「優先席」なんてありません。次の駅で中年の女性が乗ってきたら直ちに若い男性が席を譲り、その後から赤ちゃんを抱いた母親が乗ってきたら、くだんの女性は直ちに立って、席を空けました。

こういう国ってストレスは少ないだろうなとあらためて感じました。

シドニーの電車の駅で見たＧＡＰの広告

（二）

二〇一八年十月英国の雑誌「エコノミスト」が十四頁にわたってこの国の特集記事を載せて、経済や財政などが先進国の中でも群を抜いて優良だと高く評価しました。例えば、過去二八年間、経済は常にプラス成長を続けている、こんな国は先進国では他にありません。国家債務はＧＤＰの四十数パーセントに過ぎず、医療や年金なども持続可能な、しかも高い水準の内容です。教育も優れています。

この国の選挙制度もユニークです。「世界でもっとも完璧に近い」と言う人もいますが、選挙は国民の義務であり、理由もなく投票しないと罰金を科せられます。投票率は毎回九十％を超えます。

選挙はいつも「お祭り」のような雰囲気を帯び、学校や教会などに設置される投票所の周りには、屋台が設置されて、ホットドッグが提供される。シドニーに永住する友人からは、「子どもや犬を連れてきている人たちも多く、小さい時から親が投票をする姿を見て育った子ども達は、自然に選挙することが身につくのではないかと思いました」とありました。市民同士の話し合いやボランティアの活動も活発で、「草の根の民主主義を感じる」という感想もありました。

また「優先順位付き連記制」を採用しており投票者は候補者全員に順番を付けて投票しなければならず、候補者が過半数を取れない場合は、二位以下の票が加算されます。

そのせいもあるでしょう。豪州は二大政党制ですが、いつも接戦になり、政権交代の可能性と緊張感が常に存在し、与野党とも政策論議を真剣に行う。

そして、その二大政党制が、アメリカのような「世論の大きな分断」をひき起こしていません。与野党の政策の差はあるが、ともに「中道右派」「中道左派」と呼ばれるように両極化するよりも「中道」が軸になっている。トランプ大統領以後のアメリカとの大きな違いである。

強制であるため、低所得層や少数民族の投票率が上がる。したがって、自分たちのコアな支持層に訴えるだけでは選挙に勝てない。トランプのように「何より味方を大事に、敵を徹底的に叩く」戦略は効果的でない。その結果双方ともに政策は「中道」よりになる。前述した友人は、「ラッキー・カントリー」だけではなく「クレバー・カントリー（賢い国）」でもあるのではないか」と言います。

移民政策と多文化主義の成功もその大きな成果と言えるでしょう。この国は、建国以来移民を積極的に受け入れてきましたが、長年、「白豪主義」と言われて受け入れ国を制限していました。

ところが一九七〇年代に政策を切り替え、アジアなど様々な国から受け入れて、多文化主義の政策を打ち立てました。いま、二千五百万人の人口の三割近くが外国生まれであり、国民の半分が自らが移民であるか、親が移民かです。多様な人たちが、お互いの文化を受け入れて暮らしている姿がみられます。

もちろんオーストラリアに問題がないわけではありません。物価、とくに不動産価格の上昇、先住民対策の遅れ、気候温暖化への対策の遅れなどに加えて、昨今は中国の影響力が増していることへの懸念も広がっています。

『静かなる侵略、オーストラリアにおける中国の影響』（2018年）

二〇一八年に、『Silent Invasion（静かなる侵略）』という本が出版されて話題になりました。「オーストラリアにおける中国の影響」という副題があり、表紙には主都キャンベラの国会議事堂に中国の国旗がひるがえっている合成写真を載せています。昨今の中国の存在感の大きさを「侵略」ととらえて、危機感を表明した著書です。

いまやオーストラリアにとって中国は最大の貿易相手国であり移民国です。巨額の投資も受け入れています。在豪中国人の活動も活発です。その背景には中国の国家戦略と共産党による徹底した思想統制がある、豪州国籍の中国人に対しても本国への忠誠を最優先に要求する、本国の方針（台湾、チベット、ウイグル問題など）を支持させ批判は許さない、と本書は指摘します。

オーストラリアはいま、伝統的な英米との関係や民主的な同胞を大事にするか、中国との緊密な関係をより重視するかの岐路に立たされているようです。それは、リベラル民主主義の価値観を守るのか、価値観を犠牲にしても経済的な利益を重視して、そこに国の繁栄・幸福を賭けるのかの選択でもあります。

もちろん豪州は両方を達成したい。しかし果たしてそれは可能でしょうか？

この問題についてシドニー在住の友人の意見を求めたところ、楽観的かもしれないが、「たとえ中国から多大の圧力がかかっても、この国は自由と民主主義を死守すると思う」というコメントも届きました。彼女の願い通りになってほしいものです。

移民と多文化主義について言えば、日本は二〇一八年四月法改正をして、外国人労働者の受け入れ拡大を決めました。彼らが定住し、多文化が共生する社会に向けての方向が少し進むことになるとよいのですが。その点で、多文化主義の実験場として長年取り組んできたオーストラリアの知恵が今後の日本にも参考になるのではないかと思います。

第四章　おわりに

ミコーバーやペゴティが住み着いたのは現在はどんな国かをお伝えしたくて、オーストラリアの話で長くなりました。この地に移住した彼らのその後についてディケンズがどう語るかをみてみましょう。

なんと、ミセスの予言は当たり、ミコーバーは初めて自らの才能を認めてくれる場所を見つけることができました。一時帰国したペゴティからデイヴィッドが受けた報告によると、彼は、ポート・ミドルベイという新しく開かれた町で、「汗みずくになって働いた」後、治安判事に選任されて、町民の尊敬を集め町の名士になっているのだった。

ペゴティもまた、みんな懸命に働いた、初めのうちは苦しいこともあったが、羊や牛を飼い、暮らしはどんどん良くなった、と報告します。

当国は、今も年々二十万近い移民を受け入れています。果たしてどんな人々がどのような動機で、新天地を求めてやってくるのでしょうか。その中には今も、故国を愛しつつも受け入れられず（「イギリスは、夫に生を与えてくれませんでしたが、職は与えてくれませんでした」とミセスは言う）、しかし、いつも夢見る人ミコーバーのような人たちもいるのでしょうか。そして彼のように新天地で成功を収めることができるでしょうか。

前章で二〇一八年十月に英国の雑誌「エコノミスト」がオーストラリアの特集記事を載せたと書きました。中に「移民」と題する章があり、こんな文章から始まります。

――オーストラリアは、他の豊かな国々よりはるかに多くの移民を、しかもより少ない摩擦のなかで受け入れている。

例えばキエン・リイの物語は信じがたく思われる。彼は一九五五年南ベトナムの軍人の息子として生まれた。北ベトナムが統一を果たした国に自分の未来はないと感じた彼は、一九八一年、仲間と船をつくり、国を逃れた。救助され、インドネシアのキャンプに入れられ、当時多文化主義に政策転換し、難民も積極的に受け入れていたオーストラリアに住みついた。郵便配達の仕事から始め、十年後には組合の指導者となり、労働党が彼の活動に目をつけて推薦し、地方議会の議員となった。いまは、移民のより公平な待遇を求めて活動する日々である。

こういう事例は実は決して珍しくない。ベトナムやアラブから来た多くの人たちが、国籍を取得し、職を得て、家も持って暮らしている。「差別を受けたことはない、みんな親切で手を差し伸べてくれる」と言う人たちが多い。

もちろん移民や多文化共生の現状にまったく問題がないわけではない。しかし、国全体として移民受け入れに引き続き前向きであり、国民の七割以上が「国にとってプラスになっている」と肯定的である。この国は、機会を求めてやってくる人たちにとって、アメリカも抜いて最大の「約束された地(The Promised Land)」なのである。――

この記事を読みながら私は、昔シドニーで読んだ「エコノミスト」と「タイム」に載った二つのエッセイを思い出しました。

前者は豪州出身の英国ブッカー賞受賞の小説家ピーター・ケアリの発言を引用していました。「アメリカ人にとって、成功は神ですね。ところが私たちは、成功者をなかなか信用しない。オーストラリア人にとって、ヒーローとは敗北者、さらに言えば犠牲者なんです」。

後者の方は、オーストラリアには「敗者に対する健康な感性」あるいは「優しさ」が存在する、と指摘します。これは、移民国家であることにもよるのだろう。新しい土地で新しい人生を始めるに当たって、過去の失敗は許されるべきであるという心理が、彼らの意識の底に流れているのではなかろうか、と。

このような国民性の背景には「移民国家」だけではなく、流刑地でもあったという歴史も影響しているでしょう。罪人が流刑地に辿りつくまでの道程は苦難も多く、上陸してからも厳しい日々だった。しかし、「オーストラリアへの罪人流刑の歴史」という副題をもつ、ロバート・ヒューズの"The Fatal Shore（『宿命の地』一九八七年）"という書物は、「イギリス本国の牢屋に繋がれていたら精神的にもつぶされたり、ますます犯罪にのめりこんだであろう多くの罪人にとって、新天地は新しいスタートを約束した」と述べます。

そして「流刑は、すべてが悪いというわけでもなかった」。刑期が終われば彼らは自由になり、無償で土地を提供される場合もあり（もとはと言えば、そもそも所有権の観念のなかった先住民が住んでいた地ではありますが）、努力次第で成功者になることも可能だった。したがって、罪人たちの多くは、刑期を終えてもこの地にとどまることを選び、その子どもたちの多くも、法を守り、良き市民として育っていった。

小説の終わりになってミスター・ミコーバーやペゴティ、エミリーをオーストラリアに送り込むディケンズの手法は、安易なご都合主義だと批判する批評家は少なくありません。植民地主義を肯定しているのではないか、という批判もあります。

そうかもしれない。しかし、以上紹介してきたこの国の歴史や国民性を理解すると、新天地に機会を求めるという生き方はあながち批判し、否定するものではないという気もします。ミコーバーの成功も実際にあり得る話だったのでしょう。悪人のユライア・ヒープだって、刑期を終えてその後の人生をまともに送ったかもしれない（そう願います）。

もちろんすべての人間が人生のやり直しに成功したわけではないが、この地がピーター・ケアリの言うように「敗者に優しい地」であるとすれば、階級社会の厳しい本国より生きやすかったかもしれない。日本の若者だって、ストレスの多い管理社会と少し異なる場所が世界にあるということだけでも、知っておく意味があるだろう。

ディケンズ自身、彼の性格と生き方からしてそういう地に大いなる関心を抱いたことは十分に予想されます。彼の七人の男の子のうち二人が若年のときにオーストラリアに移住しています。一人はまずまず、もう一人はあまり成功しなかったようではありますが。

ディケンズはまた、前回の文章でも紹介しましたが、富裕な慈善事業家のミス・クーツに協力して、ロンドンの貧困者救済に熱心に取り組みました。彼がこの時期取り組んだのは、エミリーのような身を売るまでに落ちぶれた「女性のための救済施設」をつくって、その女性たちをオーストラリアに送り込むという事業でした。失敗に終わった事例も少なくなかったようですが、しかし彼は著述のかたわら、終始熱心に売春婦の厚生事業に取り組みました。

彼の小説はメロドラマだとはよく言われます。G・K・

チェスタトンは、その点に触れて、メロドラマの真髄とは高度に単純化された倫理感覚に訴えかけるものであり、道化芝居（ファルス）と並んで正統かつ高貴な芸術であるとして、彼一流の言い回しで擁護します。「メロドラマは、（例えば、ロンドン目抜きの）オックスフォード通りで宿敵を殺害した人物がそのあと被害者の母親の写真を見て悔恨の涙を流すような、そんな道徳的に単純な人たちを作りだすのだ」。

ディケンズは、実人生においても、メロドラマが最後は幸福に終わることをいつも夢見ていた、そういう人間であったように思われます。

ミコーバーの消息をデイヴィッドが知るのは、移住して十年以上経って、ペゴティがはるばる英国に旅して、彼に会いにきてくれたからです。その時の経緯は六三章に描かれます。

そして最終の六四章は、「さて、これで、この物語は終わる。筆をおく前に、もう一度――最後の回想を試みてみよう」という四十歳に近い、成功した作家である彼が、人生の途次で触れ合った様々な人たちの現在を思い起こすことで終わります。その中で、本書で私がもっとも愛するペゴティについてデイヴィッドがどう語るかを聞いて、私の文章も終えることにします。

「まず、伯母だ。強い老眼鏡をかけ、もはや八十を越した老人だが、まだ腰も曲がらず、寒い冬でも、一度に六マイルくらいは平気で歩く。

そして、いつもそのそばにいるのは、乳母のペゴティ――これも老眼鏡をかけ、夜になると決まってランプのそばで、針仕事をはじめる……

私がまだ子どものときには、真っ赤で、硬くしまって、よく小鳥がりんごと間違えて、ついばまないものだと思った、その頬も、腕も、いまはもうすっかりしなびてしまった」。

「あの美しい目も（まだ輝いてはいるが）さすがにだいぶ霞んでしまったが、ナツメグおろし器みたいにざらざらの人指し指だけは、そっくり昔のままであり、私のいちばん末の子が、伯母から彼女へと、よたよたとよろけて行き、その指につかまると、私は、急に、あの故郷の家の小さな居間、そしてまた、ほとんど歩けもしなかった頃の私のことを思い出す……」。

作家としての名声を得たデイヴィッドは家族を得て大きな家に住んで、ベッチー伯母もペゴティも一緒に暮らしているのではないでしょうか。居間には暖炉が暖かく燃え、皆がその周りに集まって夕べを過ごしている、そんな光景が目に浮かびます。

生涯を精力的に働き、自分の成功だけでなく他人のためにも休みなく活動したチャールズ・ディケンズがいちばん追い求めたのは、このようなひとときだったのでしょう。吉田健一も、「一家のものが火の廻りに集まることになって、編みものをするものもあれば、本を読むものもあり、別に努めて話をする訳でもないままに時間がたっていく」「炉辺（ろばた）の幸福の観念」が英国人にいかに根付いているかを書いています（『英国に就いて』ちくま文庫、一九九四年）。

最後に、私にも子どもの頃、ペゴティのような女性がいたという私事について蛇足を加えさせてください。

ペゴティはコパフィールド家の女中です。日本で女中というのは今は差別用語でしょう。昭和の中頃まではまだそういう人たちがいました。お手伝いさんと言う呼び名に変わり、我が家で「清や」と呼んでいた女性が「清さん」に変わり、いまはそれも死語になりました。東北に代表される貧しい農村や格差社会を前提にした封建的な構造だという批判はいくらでも言えましょう。しかし、私が子供の頃、東京のさして豊かでもない中産階級でも、とくに子供の多いところでは「住み込みの女中」は珍しくなかったと思います。ペゴティのように「家族の一員」として扱われ、女中の方でも子供たちを可愛がり、女主人にとっても大事な頼りになる存在になる。

清さんは山形県の農家で生まれ、小さな体であまり丈夫ではなかった。農家の嫁は頑丈な働き手が求められますから、その選択を諦めて、東京で奉公することを決め、我が家に住みつき、気が合ったのか母ととても仲良く過ごしました。

日本が敗戦した一九四五年の八月、広島の原爆で父を失い、三六歳で五人の子どもを抱えて未亡人になった母は、住む家が確保される寮の管理人という仕事につきました。そんな苦境を見捨てるわけにいかなかった清さんは家族とともに残り、子供たちが一本立ちするまで長く母とともに働き、相談相手にもなり、仕事を手伝い、子育てもしてくれました。

私は六歳のときに被爆した後遺症もあったかどうかわかりませんが、幼い頃は虚弱体質で、夜中に熱が出たり、具合が悪くて寝られないことがよくありました。忙しい母の代わりに、清さんが一緒に寝て、面倒を見てくれました。だだもこね、我儘も言いました。

その後、母は姉が引き取り、幸せな老後を送りましたが、清さんは母が探してきた相手と結婚しました。しかし必ずも豊かな日々とは言えず、病

1880年代英国の画家が描いた「移民船」と題する絵

を得て、六六歳で他界しました。

デイヴィッドのように成功もせず、大きな屋敷も持てず、海外勤務の多かった私は「女王様のように迎えてあげるよ」と言い出すことも、引き取ることもなく、彼女の死にも立ち会えませんでした。おそらくその、取返しのつかない忘恩が私の心に占める「心の闇」ではないか。そんなことを感じつつ今回も何回目かの本書を読み返したことでした。

いま清さんは、小平墓地にある我が家の小さな墓に、母とともに眠っています。母は長生きしたのでまだ時間がありましたが、清さんと「炉辺の幸福」を味わう機会が生前もっとあればよかったといまも思います。

女性のブローチのこと

茅野太郎

本稿が目にとまる頃、英国のEU離脱の混乱はおさまっているだろうか。ジョンソン首相は続投しているだろうか。

この動きに関連して、昨年九月二四日に英国最高裁が、野党議員などからの訴訟を受けてジョンソン首相の五週間の議会閉鎖の措置を違法とし、議会主権を認める歴史的な判決を下した。そして、この判決を読み上げた女性の最高裁長官の濃紺の洋服に、銀色に大きく輝く蜘蛛のブローチが飾りについていたということが判決と同じくらいの反響を呼んだ。ある日刊紙は、早速、ファッション欄の記事にした。

——誰もが、これは首相を蜘蛛の巣に絡めとるメッセージだと受け取った。レディ・ヘイル長官はもともと独創的なブローチが好きな女性で、蛙・カブト虫・トンボなどを持っている。最高裁のホームページの自己紹介には、何と毛虫のブローチをつけた写真が載っている。もっともブローチにメッセージを込めるのは彼女が初めてではない。一昨年トランプ大統領が英国を訪問し、エリザベス女王に謁見したとき、女王はオバマ前大統領に贈られたブローチを身に付けていた。もちろん女王は何も語らないが、トランプをあまり歓迎しないメッセージは明らかだと多くの国民が受けとめた。——というような記事内容である。

女性がこんなことを考えてブローチを選んでるとはこの年になるまで知らなかったので、面白く読んだ次第である。

マルセー・ルドゥレダ著『ダイヤモンド広場』を読んで

岡田多喜男

現代カタルーニャ文学の至宝と呼ばれ、すでに古典とも位置付けられている小説『ダイヤモンド広場』の邦訳が、八月、岩波文庫から出版されました。著者はマルセー・ルドゥレダ、訳者は田澤耕教授です。(註一)

一　ダイヤモンド広場とは

スペインにかつて市民戦争（一九三六―一九三九）があり、その直前に共和制、その直後にフランコ独裁という時代があったことは、文芸作品でも語られているところですが、(註二)この小説は、この残酷な時代を生きたバルセロナの女性ナタリアの物語で、著者マルセー・ルドゥレダは、これを一九六二年に亡命中のジュネーブで出版しました。カタルーニャ語で書かれているのですが、一九六五年にアルゼンティンでスペイン語訳が出版されたのを皮切りに、これまでに三〇を超える言語に翻訳されています。日本でも、一九七四年に朝比奈 誼氏の翻訳が出ていますが、これは仏訳からの重訳でした。今般、日本におけるカタルーニャ語研究の第一人者である田澤耕法政大学名誉教授による翻訳が岩波文庫から出版されたことは、本当に喜ばしいことと思います。

『ダイヤモンド広場』などという題名だけ聞きますと、まるでダイヤ原石の産地であるコンゴやダイヤ研磨の聖地アントワープを舞台にする冒険小説かとも思ってしまいますが、このダイヤモンド広場というのは、バルセロナ市北部のグラシア街にある広場の名前です。

なぜこんなきらびやかな名前がついているのかについては、田澤教授の解説によれば、かつてこのあたりの土地を買って開発した宝石商が自分の商売に因んで名付けたからで、近くには黄金、真珠、ルビー、トパーズという名の通りもあるとのことです。

二　あらすじ

ナタリアは、ケーキ店で働く、バルセロナの町娘だが、友達のジュリエッタに誘われ、「ダイヤモンド広場」で行われる大祭に出かけ、初対面の青年キメットに「踊ろう」と声をかけられた。「許婚がいるのよ」というと、「それは気の毒に。

一年後には君は俺の奥さん、女王様になっているはずだから」と彼は言った。そして、「君の名は、クルメタ（小鳩ちゃん）だ、それしかあり得ない」と言う。そしてデートを重ね、許婚とは別れさせられ、ケーキ屋は、主人が君の尻を見ていると嫉妬したキメットに辞めさせられ、ガウディ建築について意見が分かれると膝を叩かれ、「俺と結婚したければ、俺がよいと思うものをいいと思えるようになるんだ」と長々と説教された。

　キメットは腕の立つ家具職人だったが、新居のため借りた古アパートの改装は、仕事仲間のシンテットとマテウに任せ、自分はずるを決め込み、改装が終わると結婚した。クルメタは世話好きなアンリケタ小母さんから初夜の様子を尋ねられたが、体が切り裂かれると思い込んでいて、恐怖のあまり結局初夜に一週間を要し、「結婚初夜」はなくて「結婚初週」とでもいうべきものになった。

　キメットは客に騙されると彼女にあたった。「クルメタ、ボーっとするな。クルメタ、お前はドジだ。クルメタ、こっちへ来い。クルメタ、あっちへ行け」だのがお決まりのセリフだった。しかし、長男のアントニの出産のときには、「天にまします我らが父よ」を何度も繰り返しながら廊下をうろうろした。

　その頃一羽の傷ついた鳩が迷い込んできた。キメットがうちで飼おうと言いだし、番の雌鳩もつれてきて、鳩小屋を作った。こうして小さな頭痛の種は抱えながらも、平和裏に暮らしていたが、それは、スペインが共和国になるまでのことだった。[註三]

　一九三一年四月、共和国になると、キメットは浮かれてしまい、叫んだり、どこから持ち出したのかも分からない旗を振り回して通りを行進した。彼女には、あの四月以来、小さな頭痛が大きな頭痛になり始めた。

　長男の出産から丁度一年半後に再び妊娠し、今度は女の子が生まれ、リタと名付けられた。アントニはリタに激しく嫉妬した。その頃、キメットがなんとサナダムシを宿した。虫下しでようやく駆除し、アルコールと一緒に空き瓶に入れておいたところ、皆が屋上に鳩を見に行った隙に、アントニがそれを取り出し、リタに巻き付け、リタを絶望的に泣かせていた。キメットの怒りかたは凄まじかった。

　共和国になってキメットの仕事は上手くいかなくなった。人々は、家具を修理したり、新調したりする余裕をなくしてしまったのだ。キメットは、鳩の飼育や販売で生計を立てることを企て、鳩小屋や産卵所を整備した。そして将来の夢を語った。たくさんの鳩を次々に仕入れ、多数の番を抱えるようになったが、夢は実らなかった。

　キメットは売るどころか、次々にタダでひとにプレゼントしてしまうのだ。彼女は鳩の世話で死にそうだった。近くのお屋敷に女中として通うようになったが、耳にこびりついた鳩の鳴き声はどこへでもついてきた。脳の中に入り込んでクマンバチの羽音のようになっている。そして来るべきものが来だした。お屋敷でもガスが止まり、代わりの炭も買えなくなり、ミルク屋も来なくなった。

　お屋敷の若旦那は、フランコが北上しているからもうすぐ上手くいくようになると言う。キメットはアラゴンの前線に行った。その前にジュアン神父をトラックに乗せて国境を越えさせた。神父は金貨二枚を彼女と子供たちに渡すよう託してくれた。

　彼女はお屋敷を解雇され、市役所の清掃員になった。キメットは、前線から時折食料を抱えて戻ってきた。鳩は野生化していき、もうほとんど残っていない。彼女は長男を困窮児童保護施設に入れた。アントニは泣いて家に残りたいと言ったが、もう食べるものがないのだ。

　ある日、民兵がやってきて、キメットが男らしく戦死したと告げ、遺品の腕時計が渡された。アントニが施設から戻ってきたが、別人のようになっていた。シンテットも戦死した。彼女は、清掃の仕事を見つけたが収入は砂粒だった。そんなある晩、痩せて肋骨が皮膚を破りそうになって、体中の血管が青く浮き出ている子供たちを見て、この子たちを殺して自分も死のうと決めた。方法は、鳩の餌を買っていた食料雑貨店で塩酸溶液を買って、これを漏斗で流し込むことだった。しかし、金はない。店で塩酸溶液をボトルに入れて貰ったとき、小銭入れを出し、お金を忘れてきたから明日払いに来ると嘘を言った。

　主人は快く応諾したが、彼女の帰路、追いかけてきて、店に戻し、「女中が老齢でやめることになったので、明日からでも働いてくれないか?」と言った。彼女が応諾すると、缶詰や少々の食べ物を渡してくれた。彼女は無意識のうちに塩酸溶液を入れたボトルをカウンターに置いて店を出た。そして、「アパートに着くと、私はそれまでめったに泣くことなんてなかったんだけど、それが当たり前のように大泣きした。」

　この食料雑貨店の主人は、戦争で子供を望めない身体になっていたが、数年後に意を決して彼女に求婚し、彼女はもはやクルメタではなく、ナタリアという名前を取り戻し、幸せになっていく……。

　このあと、美しい最終章に至る物語はネタバレになるので書き綴るのは憚ります。

三　著者のマルセー・ルドゥレダの生涯

　訳者の田澤教授が、岩波文庫の解説で詳述していますが、概略は次の通りです。

マルセー・ルドゥレダは、一九〇八年にバルセロナに生まれた。ボヘミアン的傾向のあった両親は、宗教的倫理観に縛られた学校には僅か二年間しか通わせず、以降は家庭内で教育した。十三歳の時叔父のペラが同居を始めると、マルセーは、この厳格な気風の叔父に強く惹かれ、二〇歳の時、一四歳年上の叔父と結婚した。近親結婚故、教皇庁の許可を要した。一九二九年に男児出産、彼女の唯一の子供だった。この頃から文筆も始めた。叔父との生活は息苦しくなり、結局一九三七年には別居した。

一九三六年にスペイン内戦が勃発、彼女はカタルーニャ自治政府の広報局で校正者として勤務、一九三七年には最初の小説『アロマ』でジュアン・クラシェイス賞を受賞した。一九三七年戦況は不利になり、自治政府のために働いていた彼女はフランスに亡命、パリ郊外の避難民収容施設に入った。ここで、作家で評論家のアルマン・ウビオルスと出会い、強い影響を受けるとともに恋に落ちたが、彼は既婚者で幸せな恋にはならなかった。

二人は様々な苦労で生計を立て、一九五七年にスイスのジュネーブに移った。ここで彼女は代表作となる『ダイヤモンド広場』を書き、文学賞に応募したが落選した。

しかし著名な作家で編集者であったジュアン・サラスを感銘させ、一九六二年に出版されるに至った。彼女は一九六六年には『カメリア通り』で、サン・ジョルディ文学賞を受賞、一九七四年にも『割れた鏡』で大きな成功を収めた。故郷に戻ることも考え始め、一九七九年にはコスタ・ブラバの村に居を構え、小説、戯曲、詩と著作を続け、帰国して四年目の一九八三年にジロナの病院で死去した。享年七十四歳だった。

四　訳者の田澤耕教授について

この文庫本には訳者紹介のページがありません。私の理解している範囲で訳者の田澤耕教授とその業績に触れてみたいと思います。

田澤耕教授は、一九五三年生まれ。文学博士（カタルーニャ語学）。二〇一九年三月まで法政大学国際文化学部教授、現在は同大学名誉教授。

日本におけるカタルーニャ語研究、教育、普及の分野の草分けで、第一人者と言えるでしょう。

業績として真っ先に挙げられるのは、三冊の辞書を出版したことでしょう。『カタルーニャ語辞典』（二〇〇二年）、『日本語カタルーニャ語辞典』（二〇〇七年）、『カタルーニャ語小辞典』（二〇一三年）をいずれも大学書林より出版。『カタルーニャ語文法入門』（一九九一年）も大学書林から出ています。また初学者用の学習書『ニュー・エクスプレス　カタルーニャ語』を白水社から出しています。『カタルーニャを知る事典』（二〇一三年・平凡社新書）は、カタルーニャの政治・経済・言語・芸術・文学などを解説する必見の書です。

カタルーニャ文学の邦訳では、ジュアノット・マルトゥレイ著『ティラン・ロ・ブラン』が光ります。これは、中世カタルーニャで書かれた騎士道小説で、セルバンテスがその著『ドン・キホーテ』の中で高い評価を与えている重要な作品ですが、本邦初訳（二〇〇七年）です。岩波書店からの単行本の出版でしたが、二〇一六年に岩波文庫に全四冊として収録されました。

その他多数の邦訳がありますが、なかでも、かつてノーベル文学賞の候補にも挙がったことのある、ジェズス・ムンカダ著『引き船道』は素晴らしいです。これは田澤佳子夫人との共訳でした。

カタルーニャの人たちへの日本文学の翻訳・紹介にも尽力してきました。これまでに、三島由紀夫の『潮騒』『金閣寺』の完訳を出版した他、明治以降の代表的文人の作品を紹介するシリーズも始めていて、すでに樋口一葉、夏目漱石、森鷗外、谷崎潤一郎、芥川龍之介、志賀直哉、江戸川乱歩のいずれも短編ですが出版されています。

このような研究・業績はカタルーニャでも高く評価され、二〇〇三年にはカタルーニャ州政府からサン・ジョルディ十字勲章を受章し、二〇一八年にカタルーニャ作家協会名誉会員に選出されました。日本でも二〇〇九年に外務大臣表彰を受けています。

五　感想

田澤教授の解説によりますと、『百年の孤独』でノーベル文学賞を得たコロンビアの作家、ガブリエル・ガルシア＝マルケスが、こう述べたそうです。

「『ダイヤモンド広場』は、私の意見では、内戦後にスペインで出版された最も美しい小説である」

この、「美しい」という評価に、私は心打たれました。

内戦、独裁という残酷な時代を聡明に生き抜いた主人公のナタリアのみならず、共和国のため戦死した夫のキメットや、家具職人仲間のシンテットやマテウがナタリアに寄せた友情、世話好きのアンリケタ小母さん、二度目の夫アントニの愛情などの美しい挿話で満ちています。

そして、クルメタの個性をどう評価するかについて、田澤教授の解説によれば、作家のバルタサル・プルセルが、この小説を大絶賛しながらも、クルメタは間抜けなお人好しだと評したとき、ルドゥレダは、激しく反発したそうです。曰く「クルメタは間抜けなお人好しとは程遠い。むしろボヴァリー夫人やアンナ・カレーニナを上回る知性の持ち主だ。彼女は与えられた環境の中で、天賦の才能をいかんなく発揮している。」と。

田澤教授は、「ルドゥレダは、クルメタの中に自分と同じ、『この世で迷子になったような』ところを見出して共感しているのである。同じようにスペイン内戦に翻弄された経験を持つ同志として。」と評しています。

この本を読んで私がとても感心したのは、この時代を動かした重要人物、例えばフランコやクンパニィスなどの大物の名前が一切出されず、且つ、歴史上の重要な出来事も記述されず、あくまでバルセロナの庶民の目に映った世の動きが述べられていることです。翻訳ではフランコの名前が二度出てきますが、これは日本の読者の理解を助けるための訳者の配慮でしょう。

この小説が、優れた翻訳を得て、日本に読者を増やすことを期待します。

（註二）カタルーニャ語とはどんな言語か?

私はあとらす三一号以来、ずっとカタルーニャ情勢、カタルーニャ文学についての投稿を続けて来たのですが、「カタルーニャ語というのはどんな言語ですか? スペイン語の方言ですか? スペイン語に似ているのですか?」というご質問をしばしばいただきます。

カタルーニャ語は、古代ローマで話されていたラテン語から派生したロマンス語と呼ばれる諸言語の一つで、同じように生まれたイタリア語、フランス語、スペイン語、ポルトガル語、ルーマニア語などはその姉妹言語にあたります。決してスペイン語の方言ではありません。しかしスペイン語に似ていることは確かです。

私は若い頃、長い間スペイン語圏の諸国で働き、生活しましたので、スペイン語ではさほど困りませんが、定年退職後に勉強を始めたカタルーニャ語は簡単ではありません。

新聞や小説など、書かれたものを読む分には、辞書を片手に何とかなるのですが、話したり聞いたりするのは相当困難です。スペイン語は、母音が日本語同様、ア、エ、イ、オ、ウの五つしかありませんが、カタルーニャ語にはこれらに加え、アとエの中間の曖昧母音、エとオにはそれぞれ口を大きく開けて発する音があり、合計八の母音があります。

この本の著者のRodoredaは、スペイン語ならローマ字と同様「ロドレダ」と発音されますが、カタルーニャ語では「ルドゥレダ」になります。Barcelonaは、カタルーニャ語の発音では「バルサロナ」になります。

また、カタルーニャ語にはスペイン語に比べて濁音が多いという特徴もあります。例えば、「日本」はスペイン語では「ハポン」ですが、カタルーニャ語では「ジャポ」になります。私は勉強のため、カタルーニャのテレビTV3を時々聞いていますが、そこで、スペインの首相がスペイン語で話しているのは聞き取れても、カタルーニャの州首相の発言になると俄然聞き辛くなります。

カタルーニャ語を母国語とする人は約六〇〇万人いると言われてい

ます。スペインのカタルーニャ州、バレアレス諸島州、バレンシア州、アラゴン州のラ・フランハ地方、ピレネー山中にあるアンドラ公国、南フランスのピレネ・オリアンタル県、イタリアのサルデニャ島のアルゲロ市がカタルーニャ語圏です。ですが住民のほとんどは、カタルーニャ語だけでなく、スペイン語、フランス語、イタリア語を話すバイリンガルです。

興味深いのはアンドラ公国で、住民はフランス語とスペイン語、カタルーニャ語を自在に話すようですが、公用語に指定されているのはカタルーニャ語だけです。世界中の主権国家でカタルーニャ語のみを公用語としているのはこのアンドラ公国だけです。

（註二）
アーネスト・ヘミングウェイ『誰がために鐘は鳴る』
ジョージ・オーウェル『カタロニア讃歌』

（註三）
スペイン第二共和制は、一九三一年四月国王アルフォンソ一三世が退位し、無血革命により成立、一九三九年にフランコが内戦に勝利するまで続きました。公式国名はスペイン共和国でした。

カタルーニャ州政府からサン・ジョルディ十字勲章を授与される田澤耕教授（2003 年）

ダ・ヴィンチとフィレンツェ

フィレンツェへの旅〈その二〉

大河内健次

(一)「最後の晩餐」巡り

ダンテの足跡を辿ろうとフィレンツェの街を歩いたが、この街はクアトロチェント(十五世紀)の思い出が強すぎるのである。ダンテはフィレンツェがルネッサンスの花開く以前の最後の中世人として位置付けられるのであって、フィレンツェはその後のダンテの名声に応えるべく「ダンテの家」と呼ばれる博物館を設置し、更に、街に「神曲」に纏わる数々の事跡を碑版で表示するなど努力は認められるが、十五世紀を中心とする絵画・彫刻・教会・建造物等の街全体が博物館のように保存されているのが、本来のこの街の魅力だろう。十六世紀以降、都市としてフィレンツェは急激に衰退し、且つ十九世紀のイタリア統一後、最初のイタリアの首府となり一部に都市改造が行われたが、短期間で首府はローマに移転してしまったので、十五世紀の街は姿を変えることなくそのまま残ることになった。

フィレンツェには古くから多くの人びとが訪ね、それだけ多くのことが語られてきたので、短期間の旅行で今更に私が付け加えることは何も無いのだが、一人旅であるし、自分なりのフィレンツェ歩きをしようと考えた。最初にダンテに絞ったのはその試みの一つであった。

ダンテの次に私が目指したのは、レオナルド・ダ・ヴィンチが「最後の晩餐」を描くにあたって、事前に訪問したと伝えられる数多いフィレンツェの教会・修道院の「最後の晩餐」の壁画の中から見学可能なものを見ることだった。

私は一九七〇年代にミラノに駐在の頃、レオナルド・ダ・ヴィンチの「最後の晩餐」の壁画のあるサンタ・マリア・デッレ・グラツィエ寺院には日本からの訪問客を何度も案内したので、そのテーマの絵に関心があり、他の「最後の晩餐」の壁画と比較したいと思っていた。レオナルド・ダ・ヴィンチの壁画自体は損耗がかなり激しかった記憶がある。もともと古来壁画に使用されるフレスコ画の技法は漆喰の壁が生乾きのときに短時間で描かねばならず、遅筆で重ね塗りや描き直しが好きなレオナルド・ダ・ヴィンチはこの技法を採用せず、壁が乾いた後に媒材を張り、その上に描く方法を執ったが、馬小屋に連なる食堂壁面だったこともあり、湿気の影響を受け、早くから損耗が進んだ。更に、第二次大戦の空爆により寺院の建物全体が損壊したが、絵の描かれた壁面は奇跡的に助かったものの、損壊後しばらく風雪に晒されたままだったので、絵の損耗は極度に進んだのであった。その後二十数年を掛け、絵の修復作業を行ったが、修復完成と同時に世界遺産の指定を受けた。二〇一三年ミラノ訪問の際、予め予約が必要で大変な手続きが必要なばかりか、見学時間は厳守しなければならなかったが、修復後のものを鑑賞した。生まれ変わったように鮮明だった。

まずフィレンツェで私が訪問したのは、聖アポロニア修道院の「最後の晩餐」である。ルネッサンス期初期（一三三九年）にアンドレア・デル・カスターニョにより描かれたものだが、ユダがテーブルの反対側に坐っており、聖ヨハネがキリストにもたれている。壁面上部には復活後の情景が描かれ、同一壁面にて、「最後の晩餐」、「十字架降下」と「復活」とを併せ描いている。次は、サンタクローチェ教会の食堂、この教会を象徴する大きな生命の木とキリストの磔刑を上部に組み込んだ「最後の晩餐」の壁画だが、ユダはやはり反対側に坐っている。一三四〇年タッデオ・ガッティ作。オニ・サンティ教会食堂、一四八〇年　ギルランダイオ制作。ユダはやはりテーブルの反対側、イエスがこれから裏切り者について語るのか、使徒の姿は動きが少なく静的。受難を表す棕櫚、血の象徴のざくろ、花瓶に活けられた赤いバラ、不死の象徴の孔雀、ハヤブサの餌食になるウズラ（キリストの犠牲の象徴）など背景のものに多くを語らせている。サンマルコ修道院美術館にもオニ・サンティ教会とよく似たギルランダイオの一四八二年作の「最後の晩餐」がある。ユダはやはりテーブルの反対側、オニ・サンティ教会では一直線だったテーブルがコの字形になっている。ユダが裏切り者と判明した時点での絵。ユダの足元には裏切り者の象徴として猫が描かれている。

これらフィレンツェの古典的「最後の晩餐」と比較するとレオナルド・ダ・ヴィンチの近代性が明らかになって来ると思われる。そこで思い出されるのが、二〇一六年七月在日イタリア大使館で行われたコスタンティーノ・ドラッツィオ氏の『レオナルド・ダ・ヴィンチの秘密―天才の挫折と輝き』の翻訳版出版記念に際しての「何故レオナルドには未完の絵が多いか」という題の講演である。ドラッツィオ氏はイタリア国営放送で人気のある美術番組を持っている美術評論家であるが、レオナルド・ダ・ヴィンチの時代には絵画は注文主の依頼により製作されるのが常だったが、ダ・ヴィンチは独自の自分の考えや構想に基づき製作するので、遅筆な上に時代を先取り過ぎて、注文主の意向に沿わず、製作の途中でキャンセルされることが多かった。ミラノへは音楽家として行ったのであり、演劇の舞台演出家としてミラノ宮廷で評判を取った。そんな中で教会食堂のための「最後の晩餐」の壁画の製作の依頼を受けた。そして、ダ・ヴィンチは演劇的な方法を壁画制作に取り入れた。まるで映画監督のように動き、使徒たちの描写を三人単位で把握、おのおのの動作がその精神状態や気持ちを物語るようにする。使徒は一人一人異なっており、自由に動き会話している。製作の過程におけるスケッチやメモを作成、また脚本が残っている。十五世紀の絵画なのに現代の映画やアニメを製作するような分析がなされていたのだ。「最後の晩餐」修復の過程でイエスは口を開いていることが判明した。まさに、イエスが裏切り者の存在を告げたその瞬間を切り取った作品である。ダン・ブラウンはこの絵画に謎解き風のミステリーが入っていると主張するが、私は「最後の晩餐」の映像性にこそ注目すべきものと思う。

また、ダ・ヴィンチの最後期の作品がルーブル美術館に多いのは、フランスのルイ十二世のイタリア侵攻が関係している。一五〇〇年ルイ十二世がミラノ公国を征服したが、ちょうどそのときダ・ヴィンチはミラノにいた。「岩窟の聖母ルーブル版」はもともとミラノのサン・フランチェスコ・グランデ聖堂の依頼のものであったが、注文側の意図に合わず引き取り拒否沙汰になっていたのを、ルイ十二世が依頼主をなだめたため、ルイ十二世に献上されたものという。ダ・ヴィンチの場合、この種のトラブルの連続だった。フィレンツェのアヌンツィアータ修道院の「聖アンナと聖母子」の素描画はダ・ヴィンチがチェザーレ・ボルジアの軍事顧問就任のため完成を見ることが出来なかったものだし、ウフィツィ美術館の「東方三博士の礼拝」も注文主とのトラブル中のところ、ミラノへの赴任により、それを完成させなかったもののようである。おしいのは絶世の美女と言われたマントヴァ侯国のイザベラ侯妃からの肖像画の依頼が素描だけで終わってしまったことなど、枚挙に暇がない。

(二) サンマルコ修道院　フラ・アンジェリコとサヴォナローラ

前述の通りギルランダイオの「最後の晩餐」がサンマルコ修道院美術館にあるためサンマルコ修道院を訪ねたが、ここはフラ・アンジェリコの「受胎告知」のあるところだった。私はキリスト教信者でもないのに、この絵が好きで、是非オリジナルのものを見たいとかねてから望んでいたのだった。それは修道院一階から階段をのぼったつきあたりの二階の廊下にあった。柵に囲まれた背景の庭園が柱廊を通して眺められ、簡素な佇まいと奥の小さな格子窓がマリアの純潔さと瞑想的深さを示している。郊外のコルトーナ司教美術館にはテンペラによる極彩色による「受胎告知」の作品があるが、私はこのフレスコ画の方が好きだ。フラ・アンジェリコは「天使」を意味する通称で、本名はグイド・ディ・ピエトロという修道士だったが、修道院の四十二の部屋の壁を全てフレスコ画で描いたのであった。フラ・アンジェリコはその宗教的信念の強さのみが強調されてきたが、実際には画家として卓越した能力と様式についての熟達した知識があった、と言われている。

この修道院にメディチ家崩壊の基を作ったサヴォナローナがいたのだ。一四八二年サンマルコ修道院にフェラーラから移籍されたサヴォナローラは教会の説教壇から、激しくフィレンツェ人たちの腐敗した享楽生活を告発し、素朴な神への信仰に戻ることを説いた。当時はロレンツォ豪華王の勢威の最も盛んなときだったが、ロレンツォは病気になった。そして、サヴォナローラはロレンツォの死と外敵の侵入の惧れを説いたが、その通りに歴史が進行し、ロレンツォは一四九二年に死去、実際にフランスが侵入してくると、フランスと交渉する市民代表に彼は選ばれた。一四九四年から九八年までの四年間フィレンツェはサヴォナローラの神聖政治の時代となった。あのルネッサンスの象徴とも言うべき「春」と「ヴィーナスの誕生」を描いたボッティチェリはサヴォナローラに心酔し、以後、生命の息吹きを感じさせるような絵を描くことはなかった。サヴォナローラの時代は彼に飽きた市民による処刑で幕を閉じるが、フィレンツェ共和国はサヴォナローラの死後も勢力を回復することはなかったのである。

（三）ロレンツォ豪華王の詩と「ゴンドラの唄」

私はイタリア大使館文化部の語学講座でイタリア文学史の講座を受講したことがあるが、上記のメディチ家のロレンツォ豪華王は詩人でもあり、「バッカスとアリアドネの凱旋」という詩が教科書に掲載されていた。

それは、次の詩句で始まるが、「華やかな祭りとしての青春を讃え、その短く、はかないことを歌った絶唱」であるが、「黄金時代の終わりを迎えるフィレンツェのたそがれをいみじくも予言している。」（若桑みどり《フィレンツェ》）

「あわれ、青春はうるわしきかな
されどそは疾く過ぎやらん
楽しまんものは楽しめや
明日の日は定めなし」
（以下　略）

ところで、塩野七生はこの詩句がバカッス祭の俗謡にも影響を与え、「フィレンツェのみならず、ヴェネツィアでも大流行し、ヴェネツィアではとくにずいぶんと後代になっても謝肉祭中は欠かせない歌になっていた」とし、「ヴェネツィア旅行をした日本の文人が聴き知り、日本にもどってきて話したのが、吉井勇にヒントを与えた」のではないかとこの詩句の次に掲げる「ゴンドラの唄」への影響を指摘している。（「わが友マキアヴェッリ」塩野七生ルネサンス著作集）

この点については吉井勇自身が森鷗外のドイツ語から翻訳したアンデルセンの「即興詩人」に出てくる「ヴェネツィア民謡」の一節からとった旨松井須磨子にあてた公開書簡の中で述べており、（吉井勇全集第8巻）「即興詩人」の影響は事実であろう。

「いのち短し　恋せよ乙女
あかき唇　あせぬ間に
熱き血潮の　冷えぬ間に
明日の月日は　ないものを」
（以下略）

すなわち、アンデルセンが「即興詩人」の中で書いている、ヴェネツィア旅行中に聴きかじったヴェネツィア俗謡に上記ロレンツォの詩句の影響が認められれば、間接的ではあるが、「ゴンドラの唄」への反映があったことになる。

この点をイタリア人の講師に訪ねて見ると、日本滞在の長い講師は「ゴンドラの唄」のことは知っていて、ヴェネツィア俗謡へのロレンツォの詩句の影響はあったことを認めていた。「ゴンドラの唄」はロシア作家ツルゲーネフの「その前夜」の劇化に当たって、芸術座が劇中歌として中山晋平に作曲させたものであるが、第二次大戦後黒沢明監督の映画「生きる」の劇中歌としても採用され、長く歌われることになった。

この歌は実に各国文化の融合により生まれたものだったといえよう。

（四）ミケランジェロのダヴィデ像

フィレンツェの好きな風景としては、フィレンツェの街全体を見渡せる小高い丘にあるミケランジェロ広場からの眺めがすばらしい。古い教会であるサン・ミニアート教会を前にした広場である。七十年代半ば過ぎまでミラノに勤務して、日本へ帰ったが、ちょうど八十年にスペインのマドリッド勤務となり、最初の夏休みにイタリアで育った子供たちが、どうしてもイタリアへ行きたいというので、バルセローナから南仏経由海側の高速道路からフィレンツェに入り、しばしの休憩のため、この広場のはずれに駐車して、フィレンツェを展望し、イタリアに帰ってきたことを実感したのだった。

マドリッド郊外の赤茶けた土と荒々しい岩石の土地に比し、緑なす丘に囲まれ、アルノ川の流れに恵まれたフィレンツェは古くから文化が栄えるのにふさわしい都市であることを再確認したのだった。

この広場には街の中心にあるシニョリーア広場と同様に

「ダヴィデ像」のレプリカが置かれている。ダヴィデはフィレンツェの守護神であり、一五〇一年ミケランジェロはダヴィデ像の製作を大聖堂造営局と羊毛組合から依頼された。

当時、イタリアはフランスとスペインの侵攻に苦しんでいたが、すでに、ナポリとミラノは落ち、次はフィレンツェに差し迫った危険があった。フランスの支援を受けたチェザーレ・ボルジアとの戦いをフィレンツェは準備していたが、そのシンボルとしての像の製作の依頼であった。従って、ミケランジェロの「ダヴィデ像」はあくまでヘラクレスのように力強く、素手で投石だけでペリシテの巨人ゴリアテと戦う青年のダヴィデになっている。マキャヴェリは傭兵のみでは足りず、ダヴィデのような愛国者の存在が必要と主張していたが、この像には政治的背景があった。

国立バルジェッロ美術館にはドナテッロとヴェロッキオの「ダヴィデ像」があるが、差し迫った戦いのなかった十五世紀の時代を反映して、両者とも旧約聖書の記載に忠実で、竪琴の得意な繊細な美少年という印象を受けるブロンズ像であり、ミケランジェロと異なり、どちらかというと女性的な感じである。ミケランジェロの「ダヴィデ像」は市庁舎の前に設置されていたが、市街戦の際、一部損傷を受けたため、今はアカデミア美術館に置かれている。

このアカデミア美術館への入場は長蛇の列が出来ていて、二時間程度待たねばならなかった。ようやくして入場すると改めて「ダヴィデ像」に圧倒された。レプリカとは全くの別物だ。「ダヴィデ」とはヘブライ語で「強き手」と言う意味だという。かつてのサヴォナローラのこの言にヒントを得て、右手を大きく作ったと伝えられるが、右手が異常に大きいことは現物を見て実感出来た。同美術館には未完の「マタイ」など未完の作品も展示されているが、石から半分も彫り出されていないのに、存在感は完成しているものより出ているように思われた。

優れた彫刻家は素材のなかから、彫りだすだけと言われることが多いが、ミケランジェロは詩人でもあり、三百を上回るソネットを残しているが、彫刻家である自分を意識して次のような詩を書いている。ミケランジェロは小さな寒村の執政官（貴族）の長男に生まれたが、父の職業を継ぐため、幼少の頃、ラテン語教室に通わされたため、文学的素養も一流なのであった。

「叡智に導かれた手だけに……
どんな優れた芸術家でも思いつかないのは
一個の大理石がその内部にある自信の過剰さに
限界は与えていないということ、そしてそれも
叡智に導かれた手だけに可能だということ」

（以下略／木下長宏訳）

ミケランジェロが最初に彫刻の手ほどきを受けたのは、ロレンツォ豪華王によって創設されたサンマルコ広場にあった「彫刻学校」ということになっている。ミケランジェロは十三歳のとき、父親の意に反して前述ギルランダイオのアトリエに弟子入りしたが、一年後ギルランダイオ自らの推薦により、「彫刻学校」に入った旨、ヴァザーリの「芸術家列伝」が伝えている。

しかし、フランスのA・シャステル教授の実証的研究（一九五九年）によれば、前述ロレンツォ豪華王時代は伝えられるほどの黄金時代ではなく、〝彫刻学校〟は実在しなかった。

すなわち「前述サヴォナローラが異教主義と頽廃の極地として〝メディチ文化〟を猛烈に攻撃、一旦メディチ家は追放されたが、やがてメディチ家のコジモがトスカーナ大公として復活するや、サヴォナローラの否定したものを強く讃美することにより〝メディチ文化〟の栄光を実際以上に飾りたてた。ヴァザーリやロレンツォ伝を書いたヴァローリはその典型である。」

（高階秀爾『美の思索家たち』）

ところでミケランジェロには恋人と呼んでもいい存在が二人いた。一人は二十代の美青年貴族であり、もう一人はヴィットリ・コロンナという侯爵夫人で未亡人となって、ローマの修道院に隠っており、ミケランジェロの詩には、この未亡人への想いを歌う詩が最も多い。

須賀敦子はサバやノーベル賞を受賞したクァジーモドなど五人の現代詩人の詩の翻訳をしているが、一九七六年に日本オリベッティの機関誌「SPAZIO」のミケランジェロの生誕五百年記念特集号にミケランジェロの手紙といくつかの詩を翻訳し発表した。同侯爵夫人に捧げた詩も翻訳しているので、以下にその一部を掲げる。（須賀敦子全集第五巻）

（冒頭部省略）

愛がおんみの美しさが
頑な心が　また幸運が　蔑みが
わたしの不幸の種　宿命　因果とは言わせぬ

（以下略）

私が受講したイタリア大使館文化部のイタリア文学史講座でもミケランジェロの最晩年の頃の詩を学んだが、次のような詩であった。（Rime 285番）

私の人生の航路はすでに尽きた
大しけの海　壊れやすい船
誰でも行く港へ（それは死）
そこではその善悪の仕業を審判されるのだ

（以下略／筆者訳）

ミケランジェロにはローマのシスティーナ礼拝堂の天井画

「天地創造」および壁画「最後の審判」があるが、私は彫刻の方が好きだ。「ヴァチカンのピエタ」を最初に見た時の衝撃は忘れられないが、「フィレンツェのピエタ」はミケランジェロが自分の墓のために作ったと言われるぐらいで、重々しい。この度、大聖堂を訪ねたら無くなっていたが、八十年代にドゥオーモ美術館の方に移動されてしまったらしい。「ロンダニーニのピエタ」はミラノのスフォルツァ城美術館にあるが、ミケランジェロの八十九歳の時の作品であり、抽象度の高い彫刻で、私はこれを理解するには相当の宗教的素養がないと無理と思ったことがある。「死の数日前まで彫り続けた未完の遺作」であり、棒状の部分は「すでに形をなしていたキリストの頭部と胴体を本人が削り取った後の右腕の断片」（「神のごときミケランジェロ」池上英洋）と言われている。

（五）メディチ家最後の人、ブファルツ選帝候妃アンナ・マリア・ルイーザ

フィレンツェにウフィツィ美術館やピッティ宮殿のメディチ家の莫大な美術コレクションがフィレンツェから持ち出されていた、としたらフィレンツェの魅力が半減するだろう。これを守ったのがアンナ・マリア・ルイーザである。長男フェルデナンドは世継ぎを残さず早逝し、弟のガストーネは病気がちで無能力な上に、子供がいない。お家断絶を危惧したコジモ三世は未亡人になった長女アンナを手許に呼び寄せた。アンナは小さい時から才気煥発だったので、トスカーナ大公国が将来外国の手に渡るなら、交渉役として適任との読みだった。

数年の後、すべてのメディチ家の相続人は死去し、彼女だけが残された。大国間協議によりトスカーナ大公国の継承はオーストリアのロートリンゲン＝ハプスルグ家に決定しており、彼女が相続したメディチ家の所有地と資産譲渡をめぐっての困難な交渉があったが、彼女は一七三七年「家族の協定」と呼ばれる協定に持ち込み、美術品が国外に持ち出されるのを回避させた。そして、一七四三年に死去したが、遺言として「メディチ家のコレクションがフィレンツェにとどまり、一般に公開されること」という条件ですべてをトスカーナ政府に寄贈したのであった。

私のフィレンツェの旅も結局最後は、ウフィツィ美術館とピッティ宮殿だった。ボッティチェリやラファエロ等の傑作を再び見られた幸せをかみ締めたことだった。

書かなかったラヴ・レター

山根タカ子

私たちは太平洋の上空を快適に飛行していた。隣りの席の夫は早くもうとうとし始めている。突然、私の胸郭の中にカクンと何かが嵌まるような気配がして、それまで経験したことのないその肉体的な感覚に私は少し驚いた。嵌まり切っていなかった蝶番が正しい位置にコトンと納まったような感覚だった。

シートベルト着用のランプが点灯したのはその直後である。すぐに落ちついた声の機長のアナウンスが流れる。当機は気圧の乱れた所に入りましたのでシートベルトを着用して下さい、という意味のことが何ヶ国語かで放送される。いつもの癖が出て、私は外国語を音楽のように楽しんだ。落ちる心配は二の次である。飛行機は揺れもせず乱気流を抜け出し、まもなくランプも消えた。そうだったのかと私は納得した。あの大手術の後、少しずれたままになっていた胸の中の軟骨か靭帯か何かが、急な気圧の変化に圧されて元に納まったのだと理解した。正にその感覚だった。

その五ヶ月前のことである。私はトップレス姿で一人ストレッチをしていた。夜の電灯の下なら私の胸はまだ少しは美しいかしら？　五十二歳にして私は十分お行儀も悪く、既にナルシスティックな傾向にあったらしい。ふと私は右の乳房に小さなひきつれを見つけた。内部から細い糸で引かれているような、極めて小さなくぼみである。それは翌日には消えてしまいどこだったかも分からなくなったけれど、チョイと勘が働き乳腺外科を受診した。念入りな精密検査の結果、早期の乳癌であることが判明した。

大して驚きもせず悲観もせず私はその事実を受け入れ、冷静に手術を受けた。三十年も前のことだから癌となれば全摘手術である。右のひきつれはステージI、ご丁寧に左にもゼロ期の前癌症状があると告げられたが、よくあることで、周りの者の配慮でステージを騙されているかもしれないと、少しだけ疑っていた。しかし、すぐに思いすごしであることが分かった。入院中の教授回診の折のことだ。

医学の専門用語は昔はドイツ語だったらしいが、その頃は既に英語になっていた。若い担当医が私の症状を教授に説明する時、単語だけではなく全文が英語であることに驚いた。へェ、教授にはこうして報告するのかと、そしらぬ顔で私は耳をそばだてていた。自分の症状よりも外国語に興味がある変な患者もいるのだ。そして患者をなめてはいけない。日本人の発音なら百パーセント聞き取れる。手術前の細胞診で、左は第一第二検査室でマイナス、第三検査室でプラスと出たことを知った。

最も驚いたのは、右腋のリンパ節を十九個切除したという言葉だった。腋下や鼠径部にリンパ節があるのは誰でも知っているが、私はそれぞれ一個づつだと思い込んでいたので、十九個というのは衝撃だった。私の大事なその十九個に癌細胞は見つからず、結果的には取られ損だったけれど、これもまあ仕方がないか、と私は何かにつけて気前がよい。

前置きが長くなってしまったが、そんな訳でのお疲れさま旅行だった。ハワイではいつも奇跡が起こる。道中の飛行機の中でそれはもう始まったではないか。

モアナ・サーフライダーという古いホテルの中庭は奇跡のように美しい。ワイキキがまだ片田舎だった頃のセピア色の写真にも、その古風な建物が海に向かって両翼を拡げている。その頃に根づいたであろう一本のバニアンツリーが巨木となり、中庭を覆うばかりに枝を拡げ四方に気根を垂らしている。

部屋に落ちつくとまもなく、どこからか妙なる調べが聞こえてきた。心惹かれて私は一人で下に降りて行った。ハワイだからとて音楽はアロハオエでもなく、ブルーハワイでもない。クラシックギターを抱えた一人の青年が地味な古典の曲、バッハやサティをポツポツと弾いているのだった。バニアンの枝の下に椅子が並べられ、老舗ホテルにふさわしい大人の客が何人か静かに聴き入っている。なんと清らかな音だろう。

突然のなりゆきで何の心構えも出来ていない私の中へと、ギターの音はさらさらと流れ込んでくる。流れはどんどん強く豊かになり私を呑み込もうとする。身動きもならず私は回廊の手摺りに身を寄せた。エキゾチックな中庭とそれを取り巻く白い回廊、その先に昏れなずむ太平洋の空と海。そして近景に一人のギタリストの斜めうしろ姿。品の良い八弦ギターの音が潮のようにそのあたりを満たしている。やがてすべてが終り、観客は去り私もロビーに戻った。

その時奇跡の風が吹いた。私のすぐ傍らをその人が通りすぎようとしたのだ。先程のギタリストだ。私は思わず小さく声に出してしまった。

「すてきな音楽をありがとう」

彼は立ち止まり私を見て言った。

「あなたは私の音楽を好き」

ネイティヴの英語ではなかった。

「はい。印象的でした」

私もたどたどしく正直に答えた。

「Ｗａｉｔ！」

と、ひとこと言ったかと思うと彼はさっと姿を消し、すぐに戻ってきた。そして気がつくと私は手に二個のカセットテープを持たされている。突然の贈り物に戸惑い、私は聞き返した。

「これを私に下さるというの？」

真剣に頷く顔がま近にあったように覚えている。何故なのか分からぬままに、その瞬間に私は特別な何かを感じたようにも思う。一瞬、二人の間に通い合う何か、「気」とか「波動」「パルス」そんなものを感じ取ったのだと、今なら思う。その頃はそんなことは知らなかった。この三次元世界に目に見えない物が存在するなどと信じていなかった。

目の前の階段を降りてくる夫の姿が目に入ったのはその時だった。カメラを提げている。

「写真を撮ってもいいですか」

と、突差に現実に戻った私。

「Ｓｕｒｅ」

と、ギタリストが短く答えたように思う。

夫がカメラを構えたその時、私の肩からそっと手が離れたので、彼に肩を抱かれていたことに私は初めて気がついた。きちんとお礼を言う間もなく彼はすぐに立ち去ってしまった。現れるのも消えるのも風のように、或いは獣のように滑らかだ。すべてはほんの三分ほどのあっという間の出来事だった。

ディナーのテーブルにも私はカセットを飾っていた。飾っていても音は出ない。早く聴きたくて心ここにあらずだ。

「コンシェルジュに頼めばプレーヤーを用意してくれるかしら？」

「帰ってからでいいだろう」

さり気なく夫に言われて私はやっと我にかえった。

翌日アラモアナに出かけた時、私はベルギーのチョコレートを一箱手に入れた。今夜は夫と共にちゃんと席に座って初めから全部聴こう。終ったらテープのお礼を言ってリボンをかけたチョコレートを渡そう――。

南国の夕暮れが再び巡ってきた。しかし、中庭の様子は昨夜と少し違う。椅子席はなく、レイのワゴンが出ている。パラオの屋台では色とりどりの布が風になびき、美しい娘がお客に腰布の巻き方を教えている。バニヤン・ヴェランダに奏者の椅子もない。ボーイに尋ねると、演奏は昨日で終りだと言う。彼はもう居ない。まるで中世の吟遊詩人のようにどこかへ去ってしまった。

私たちはあちこち移動する計画はなく、モアナ・サーフライダーで何日かをゆったりと過ごした。次の日から私はあの吟遊詩人のことはすっかり忘れ、ココナッツミルクとウォッカのカクテルを舐めたり、パイナップル畑をドライヴしたり、フェイクオッパイを仕組んだ水着を着て海に入ってみたりもした。

往きの機中で肋骨まわりも元に納まったことだし、この旅行で体力の回復を実感できた。

私に乳房があろうが無かろうが、夫は何の変りもなく、相変らず武骨だけれど人間力全開の人だ。何があっても体幹のぶれないこの人の存在に倚りかかって、私はこんなに平静に一連の難儀をすり抜けてきたのかもしれない、などと思う。帰りの機中では二人とも眠ってしまう。もう胸郭の中の何かが気圧の変化に反応することもなかった。

外国に行くといつも私はその国のすべてにするすると順応する。けれども帰国したらお風呂だけは日本式が良いといつも思う。長旅のあとの体をゆっくりと深い湯舟に沈める。鏡の中に自分の姿が見える。まだ生々しい手術痕だけれど私は恐くはなかった。悲しくもなかった。元々体を張って勝負してきた人生ではないし、女を張った覚えもない。見えを張ったり意地を張ったりもしない。まあ、これでもいいか――と思っていた。

お風呂から上がり、久々に自分の部屋で一人になった時、ふと思い出してスーツケースの中からあのテープを探し出した。

一つはカリフォルニアでの音楽祭の折にライブ録音された物で、フルートとの合奏である。ギターは伴奏に徹し、表現を抑制しつつも滲み出るやさしさは隠しようもない。印刷された奏者の名前とエージェントの住所が、あのアーティストの存在を夢ではないと証明している。

残る一つはプライベートな物らしく、曲名も書かれず唯「THE BEST COLLECTION」と手製のタイトルだけ貼りつけられている。あの夕べと同様にクラシック・ギター一台の演奏である。まるですぐ傍らで奏でているように、キュルルッと弦の擦れる音まで入っている。私は思わず音量を上げた。

ギターの音はたちまちの内に私の心を占領してしまう。ある時は訥々（とつとつ）と語りかけるように、又ある時は水の流れのように静かに激しく、そして、胸をかきむしられるとはこの事かと思うほどに狂おしく――。心根のまっすぐな人にしか出せない純粋な音、その音にこめられたデリケートな情感、あふれる愛のこころ。ホテルの中庭でのあの感動はまぎれもなく真実だったのだ。

久しぶりの自分のベッドに横になって、私は音楽の流れに身を委ねていた。しっとりとした八弦ギターの音は私の胸に沁み込み、充満し、収まりきれずついに溢れ出る。

初めて私は泣いた。癌と告げられた時も、両乳房をバッサリやられた時も私は泣いたりはしなかった。冷静にすべてを受け入れすべての過程を流していった。五ヶ月が経ち身も心も癒えているつもりのこの夜、初めて溢れ出るものを止められなかった。誰にも知られずその夜は更けてゆき枕だけがぐっしょりと濡れた。ほんとうに思いもよらないことだった。

写真が焼き上がってきて、私は初めて彼の顔をつくづくと見た。褐色の肌、肩まで届くまっすぐな髪。白人ではないけれどポリネシア系でもアフリカ系でもない。東南アジア系ともアラブ系とも違う。いくつかの人種と、品性と知性、そして少しの野生の混在する横顔である。端正と言ってもいい。ファースト・ネームは英国風、そしてTANという不思議な苗字。あの英語。一体どこの国のどんな人なのだろう？　あの一瞬の出会いは一体何だったのだろう？　初めて出会って一分も経たないあの時に、わざわざ引き帰してまで私にテープを与えてくれたのは何故なのだろう？　私にこの音楽が必要だとどうして彼に分かったのだろう？　そして、私があの時感じたあの波動は何だったのだろう？

チョコレートは自分で食べてしまったけれど、ぜひお礼の手紙を書きたい、住所が確認できれば何か感謝のしるしを送りたいと思っていた。カセットに印刷されたエージェントを手掛かりに手紙を送ればタンに届くかもしれない。きっと届く。あの日の写真を同封すれば思い出してくれるだろう。きっと――。

しばらくの間私は、アイロンを掛けたり雑草を抜いたりしながら、頭の中で長い英文を組み立てていた。タンの八弦ギターを聴きながら眠りにつくのが夜毎の癖になり、もう大泣きすることはなかったけれど、聴けば必ず胸がいっぱいになるのだった。打ち寄せてくる波のようなやさしさで私を満たしてくれるタンのギターに捉えられ、弾き手への思いが日に日に募っていった。恋に似ていたかもしれない。家事をしながらの英作文は順調に進み、私の中には既に幾通りかの文面が出来上がっていた。あとはスペルに気をつけながらレターペーパーに記すばかりだ。

けれども私はタンに手紙を書かなかった。何故なら、どの方向からどの様に書くにしても、書けば必ずラヴ・レターになりそうだったから――。

手術後の二十年間は、五年毎に病院からアンケートの往復葉書が届いた。私はいつも「生存している」の方にマルをつけ、感謝のひと言を添えて送り返していた。世間的には全く役立たずの私だけれど、乳癌手術後の生存率に貢献した。葉書が来なくなって更に十年が過ぎたけれど今も私は生存している。経年変化はややあるものの心も体もまだ息づいている。喜びも悲しみもたっぷりと濃密な三十年間だった。

いくたびも廻り続けたそのテープも又、経年劣化の掟に耐え切れず、ある暑い夏を境に急に音が変化した。私は少なからずショックを受け、どうにも諦め切れず、ハワイの奇跡を期待して、伸びたテープをデッキにカタンと嵌めてもみるが、もはや元には戻らない。世界的なギターの名手のＣＤも持っているけれど、同じ曲でも私には同じではない。美事な演奏にうっとりとはするけれど、素粒子レベルの波動は届いてこない。テープが壊れたあの夏にタンは私の許を去ってしまった、と思っていた。

そしてこの夏、あの時書かなかったラヴ・レターをついに書いたこの夏に、彼は再び戻ってきた。タンの奏でる音曲がいつも傍らに流れて私を離れず、記憶はふつふつと甦り、細やかなことまでが鮮やかに脳裡に浮かんでは消えた。そんなひと夏であった。

こんな時、その人が永遠の別れを告げに来ていることを私は知っている。空の彼方にラヴ・レターは届くのだろうか。

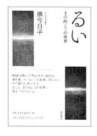

一本道

浅川泰一

昭和三十年四月、大学に入って札幌から上京したが、このころは全国的に〝歌声は平和の力〟とする歌声運動が盛んになり始めた時期で、大学のキャンパスでは、あちらこちらからロシア民謡が聞こえてきた。

ロシア民謡の中では、カチューシャ、赤いサラハン、黒い瞳などが最も多く歌われていたが、私はそれに比べると少し知名度が落ちるが〝道〟が最も好きなロシア民謡の一つだった。

おお道よ
たつほこり
寒さに震え
茂るブーリャン

一望千里、何も遮るもののない果てしないシベリヤの原野、その中を縫ってエニセイ河、レナ河などロシアの大河がゆったりと流れていく。その川の両側に茂る丈の短い灌木、ブーリャン。そして川に沿ってそのブーリャンの中をまっすぐにのびる一本道。人家も人通りも全くない。そんな風景を連想させる、やや低いが荘重なゆったりとした調べである。

日本ではそういうシベリヤのような風景にはお目にかかれないが、それに近い景色は一度だけ体験したことがある。四十年近く前、ある鉄鋼会社の北海道支店勤務で札幌に単身赴任していた時のことである。

日本の最北端、稚内の西側の海に利尻島、礼文島が北海道本土に寄り添うように点在している。その一つ利尻島に町営のセメント用大型砕石工場が作られ、そこにわが社の砕石機械を納入することが決まった。町長に挨拶する必要があり、ぜひ支店長も行ってくださいと言われて、担当課長や担当者に同行して行くことに決まった。北海道での仕事は札幌のほか函館、室蘭、苫小牧など道南と、釧路、根室、帯広、北見など道東がほとんどで、旭川から北に来ることはまずない。

「おい、せっかく稚内まで行くんだから、俺は出来れば車で行って天塩のサロベツ原野を走ってみたいんだけどな……」

「前後の日程も詰まっていますから、私らは飛行機で稚内まで往復します。支店長、申し訳ないけど、お一人でそうしてください」と同行者が言うので、私も行きは彼らと飛行機で同行し、稚内からの帰りは彼らと別れて、車で名寄、旭川、深川を縫って約五〇〇キロ近い道を札幌まで帰ることにした。

社用車は前日のうちに札幌を出発して、運転手は稚内で一泊して待っていた。前日にすべての仕事を済ませて、朝十人乗りくらいの小型飛行機で利尻空港を発って稚内空港についた。ここで同行者と別れて車でスタートした。

稚内市を出てから間もなく、道の両側には全く人家は途絶えた。旭川まで約二五〇キロ、途中に大きな都市はない。道の両側には笹や灌木が茂り、低い丘陵のような山がところどころあるだけの景色が果てしなく続く。一望千里と言うのだろうか、家は全く見えず高い山も見えない。歩いている人もいない。黒い大きな鳥が一羽、ゆっくりと空を舞っている。日本でも有数の人口の過疎な地帯だろう。この道を一時間も走った頃だろうか、大野運転手が「支店長、気が付かれましたか、全く対向車がありませんね」と言った。

「うん、俺も気が付いていたよ。稚内の市街を出てから、一時間の間にたった一台の車とすれ違っただけだね。この車の前にも後にも全く車がいない」

「一時間も走って全く対向車がないなんて、こんな立派な道路作ってもったいないと思いません？」

「うん。ソ連がまだアメリカと鋭く対立していた冷戦時代に、万一ソ連との戦争が起こった時のことを想定して、それに備えて作ったんだろうね。あまり発表はされていないけど」

なお二時間ほど走ってやっと旭川市に入り、久しぶりに取引先の鋼材の卸問屋を訪ね、その日の夜遅く札幌にもどった。

シベリヤの原野の道と異なるのは、ほこり立つ道ではなくて、見事に舗装された道であることくらいだろうか。

こんな会話を運転手と交わしたことと、あの荒涼とした風景は今もはっきりと覚えている。

西宮の会社の社宅を出て、宝塚の今の家に移ったのは昭和四十九年春のことだった。

阪急今津線小林の駅から東に向かって、ほとんどまっすぐの一本道が二キロ余り続く。駅を出てすぐのところでちょっとL字を描く以外は、まっすぐの道が武庫川に向かって続いていた。途中ちょうど駅と我が家との真ん中あたり、駅から六〇〇メートルくらい歩いたところを県道が直角に一本道を横切っている。この県道までは道の両側に小さな商店や人家がびっしりと続いているが、県道を横切ったあたりからはほとんど家が無くなり、道の左右とも田んぼが続いていた。田んぼの切れたあたり、ある住宅会社が開発した住宅団地のなかに、ささやかな住宅を買った。まだ人通りも少なく、歩いていると蛇が道を横切っていた。家のすぐ横まで田んぼが続き、夜になると蛙のなき声がやかましかった。

小学生の息子も娘も学期の変わり目まで、もとの西宮市の小学校にそのまま通うことになった。ある朝学校へ行く息子と娘を送り出した後、少し遅れて出勤のために家を出た。息子と娘がしっかりと手をつないで前を歩いている。それに追いつこうと急いで歩いて、ぎりぎり間に合って彼らの後から同じ車両に飛び込んだ。

通勤客が周りを壁のようにぐるっと囲んだ真ん中にいた息子が顔をあげて、「おじさん、今何時ですか?」と私に聞いたとたんに私に気が付いて「あ!……パパだ!」と大きな声でさけんだ。この話は我が家の笑い話として長く残った。

我々が駅に向かって歩くのとほとんど相前後して、二十代後半位の若い一人の女性が駅に向かって歩いていた。OLだろうか。身長が一七〇センチ近くあり、ほっそりした体型から、体重は四〇キロを少し超えたくらいだろう。長い黒髪が肩まで下がっている。服装は若い女性にしてはごく地味な白や紺を中心とした上下をまとって、色彩感があまりなかった。顔は端正な整った顔立ちだったが、若い女性の持つ華のようなものはあまり感じられなかった。

ある朝息子と娘が家を出た後突然雨が強く降り出した。

「おい、あいつら傘持っていったのか?」

「持っていないわ。困ったわね」

「おいかけても間に合わないし。仕方ないな」

その日帰宅して息子に聞いたところ「大きなお姉さんが、傘を広げて入れてくれたよ。だからあんまり濡れなかった」というので「よく道で一緒になるお姉さんか?」と聞くと「うん」という。彼女だなとすぐわかった。

「今度パパが会った時に、お礼を言っておこう」

ところがそのころから彼女に会うことが全くなくなってしまった。間違いなくこのくらいの時間に、いつも駅に向かって歩いているはずだと思う時間に、出勤の時間を少し早めて歩いてみても会わない。若い女性だからお嫁に行ったのかもしれないなと思いつつ、いつの間にか彼女のことはすっかり忘れてしまい、長い年月がたった。

七年前の平成二十三年のことだったと思うが、いつも行く駅近くのスーパーのレジで、思いがけずお母親らしい高齢な女性と、買った商品を袋に詰めている彼女を見かけて驚いた。ほっそりとし、すらりとした体つきは昔と全く変わっていない。顔は年齢相応ながら、昔のままの端正な顔立ちだ。

ただ大きく変わっているのは、昔真っ黒だった髪が、みごとに白髪になり短くカットされていた。小学生の息子や娘とほぼ同じ時間に小林の駅に向かって一本道を歩き、息子たちを傘に入れてくれたあのころから、もう四十年以上もたってしまったのだと、しみじみと思った。

その後現在まで、ちょくちょく一本道で彼女を見かけるようになった。もちろん通勤時間にではない。彼女もとっくに勤めは卒業しているだろう。はじめは一時的な里帰りかなと思ったがちがうようだ。事情は分からないが、それまでの生活を引き払い親元に戻ってきたようだ。全身に漂う孤独な雰囲気から、あまり幸せな人生ではなかったのかもしれないなと思った。そのうちに声をかけてみようと思いつつ、どう話しかけてよいのかわからず、まだ声をかけてはいない。今更子供たちが傘に入れてもらったお礼でもあるまい。

一本道で傘に入れてもらった子供たちもとっくに巣立ってしまい、二人とも家庭をもって東京と川崎にいる。一年に一度か二度帰ってくるが、忙しい中を帰ってくるせいか、昔学校に通った一本道を歩こうという気持ちはなく、ＪＲの宝塚駅まで車で迎えに来いという。

今年の春上京した時に息子に電話して「渡すものがあるから東京駅の八重洲北口に出て来られないか。一緒に昼を食べよう」とさそうと、「午後からゼミがあるのでいけない」と言う。仕方ないので地下鉄を乗り継いで本郷の東大まで行った。倉庫のような薄暗い汚い農学部三号館の建物の階段を三階まで登って、息子の部屋の扉をそっと開くと、細長い机に男女の学生が七、八人座っている。ゼミの最中らしい。急いで息子が出てきたので、あわてて荷物を「これママからだ」と言って渡して中にも入らずすぐに帰った。

今年の夏学会で帰ってきた息子を宝塚駅で拾うと「あんなこと親父さんが言うから、〝先生、まだおうちでパパママって呼んでおられるんですか〟って、学生にすっかり冷やかされたよ」と口をとがらせて言った。もちろんそんなことはないが、その時はあわてたのでついそう言ってしまった。

身長は一九〇センチ近くあるのではなかろうか。二年位前から駅やスーパーへの行き帰りに、一本道でしばしば大きな男と出会うようになった。年齢は八十歳前くらいだろうか。過去にどこかで会ったことがあるような気がした。その桁外れた長身や、眼鏡をかけたやや面長な顔立ち、頭の格好などから、確かに過去にどこかで会ったことがある人だと思ったが、なかなか思い出せなかった。

ある時自分の部屋で壁にかかっている古い写真をぼんやりと見ているときに、はっと気が付いた。ちらほらと女性も混じったたくさんの男女の後ろに、周りの男性よりも首一つ高い男が写っている。顔はぼやけていてはっきりしないが、頭の格好や眼鏡をかけているところなど、確かに最近道で会う男とよく似ている。

札幌勤務の時代に札幌国税局長の主催する秋の利き酒会に毎年呼んでもらっていた。国の出先機関の長、地元の財界人や我々本州企業の地元代表者、バーのマダムなども来ている。

ある年の利き酒会で酒を口に含んで、これ純米酒かな？　それとも大吟醸酒だろうか？　と考えているときに、ふと気が付くとテーブルの向こう側に、ずらっと地元のマスコミと思しき人たちが十人くらい、こちらに向かってカメラを構えている。おいおい、写す相手を間違えていないか、ほかにもっと撮る相手がいるだろう、と思ったが余計なことを言う必要はない、それよりこちらの方が大切だと、利き酒に集中した。そのおかげでこの年の利き酒会では三位に入賞することが出来た。

利き酒会のあった十日くらい後だったろうか、サッチョン仲間の日本ペイントの現地法人の社長をしている宮城さんから「薄野の〝蝦夷の華〟と言う料理屋ご存知ですか？」と聞かれた。薄野とは東京でいえば銀座、大阪でいえばキタとかミナミにあたる札幌の繁華街だ。

「はい、名前だけは知っていますよ。役所や会社が仕事や接待に使う高級なお店でしょう。私の会社では別のお店に行きますから、行ったことはありませんが」

「美人で評判の女将がいる店です。あの店にあなたの大きな写真がかかっているの知っていますか？」

「え⁉　なんでそんなところに私の写真がかかっているんですか？　第一そんな店行ったこともないのに……」

「まあ、とにかく今夜行ってみましょう」

宮城さんに誘われて蝦夷の華に顔を出した。薄野四丁目の通りに面したビルの二階に店はあった。入り口を入ると長いカウンターがあってその前が椅子席になっている。通路の後ろ側は〝小上がり〟と言う小さな座敷がいくつかある。

カウンターに座って左手の壁を見ると、大きく引き伸ばして額に入った写真がかけられている。

一番手前にこの店の女将だろうか、着物姿の大柄できれいな女性がグラスをもって立っている。その隣に、今と違って黒い髪のふさふさした私が、利き酒のグラスを持って何か考えている表情で立っている。その私の向こう側にK札幌国税局長が少し前かがみで机の上にグラスを置こうとしている。

あ！　利き酒会で前に並んでいたマスコミが撮っていた写真だなとすぐ分かった。正面の撮影者だけが気になっていたが、この写真は右斜め前から撮られているようだ。利き酒に夢中で左に国税局長、右にこの店の女将が立っていたことなど、この写真を見るまで全く気が付かなかった。

そこへ「よくいらっしゃいました」と言ってこの写真の女将がにこやかに現れた。大柄で着物姿もよく似合う。

「やあ、どうも。貴女がこのお店の女将さん？　今この写真を見ていたところだけど、この前の利き酒会の時の写真だよね、これどうしたの？」

「はい、この写真はあの翌日の北海道新聞に載ったんです。時々お店にいらしてくださるK国税局長さんが、新聞社に言って焼いて引き伸ばして届けてくださいました」

「ああ、そういうことか。貴女のような美人と並んで撮ってもらって幸せだけど、このお店には私の知っている人もたくさん来るだろうし、こんな写真を飾られると何だか気恥ずかしいな」こんな会話を交わした。

数日後に行われたあるパーティでK局長に会ったので「局長、あの利き酒会の写真を、私にも一枚いただけませんか」と頼むと「わかりました。用意して二、三日中にお届けします」と言って二日後に額に入れた写真を秘書が届けてくれた。

宝塚に戻ってからは、この写真を自分の部屋の壁にかけておいたが、これを見ると我々のずっと後ろに、大勢の男の中で首から上が出て大きい男の上半身が写っている。その顔立ち、頭の格好など見ると、最近一本道で会う男と実によく似ている。札幌では属する業界が違っていたのでどこの誰かはわからず、挨拶したこともなかったが時々何かのパーティで見かけた男だ。

一度声をかけてみようかと思って機会を探していたが、思いもかけないチャンスが出来た。ある時駅に向かって一本道を歩いていると、この男が道の横の人家の前に長々と横たわっている。その横にこの家の主と思しき男が、途方に暮れた様子で立っている。あ！　脳梗塞か何かを起こしたなと、とっさに思った。すぐに駆け寄って横に立っている男に「とにかくそこの病院まで運びましょうよ」と言って左右から腰を抱えて五十メートルほど先の病院に運んだ。とにかく桁はずれて大きな男なので苦労してよろよろしながら運んだ。おそらく回復しても話の出来る状態まで戻るのは難しいのではないかと思ったが、ひと月ほどしてこの男とぱったりと一本道で出会った。あれ！　もうよくなったのか、と「この前は大変でしたね。もうよくなられたんですか」と声をかけた。

「あのときには大変お世話になりました。どなたが助けてくださったのか覚えがないのでお礼も言わず申し訳ありませんでした。道を自転車で走っているさいに、目の前がぐるぐる回りだして倒れてしまい、無様なところをお見せしてしまいましたが、大事に至らず、おかげさまで元気になりました」

「それは良かった、脳梗塞ではないかと心配しました。結局何が原因だったんですか」

「メニエル氏病ではないかと医者は言うんですが、よくわからないんです。退職とかいろいろあって少し疲れていたので、そのせいかなと思います」

「まあ、これからもお大事にしてください。ところで一度あなたにお聞きしたいと思っていたんですが、あなた昭和六十二、三年ころから平成三、四年ころにかけて、札幌に勤務されたことはありませんか？」

彼はちょっと考えていたが「札幌ですか、いいえ、私は仕事では何度も札幌に行きましたが、札幌で勤務したことはありません」と言う。

「そうですか、それは失礼しました。あなたによく似た人に昔札幌で会ったことがあって、その人かなと思ったんですが、どうも違っていたようです」

札幌在住者でなければ、利き酒会に呼ばれるようなことはない。写真の人物は別人だとすぐわかった。その後の会話から、この人はゴルフの会員権の商売で全国を歩き回っていたらしい。

この写真がきっかけで、彼女のお店蝦夷の華で、K国税局長とはその後何度も食事を共にした。三重県出身の宮城さんが、彼のマンションでサッチョン仲間を呼んで、郷里から送ってきた松阪牛ですき焼パーティをやるという。彼にことわって同じサッチョンのK局長にも声をかけたところ、喜んで出席させてもらいますというので、蝦夷の華の女将も入れて、にぎやかにすき焼パーティをしたこともある。こんなことで彼とはすっかり親しくなった。その後彼は衆議院法制局事務局長として東京に戻り、私も東京に戻ったので、東京でもお付き合いは続き、年に何度か食事を共にした。

異常に暑かった今年の夏もやや盛りを過ぎた八月下旬のことだった。

駅を出て汗を拭き拭き一本道を歩いていると、前を小柄な婦人がゆっくりと歩いているのに気が付いた。わきにそれる小道の入口のところで追いつき同時に立ち止った。汗を拭きながらなんとなく顔を見合わせて、にっこりと笑った。丸顔で目が黒く整った顔立ちをしていた。

「暑いですねえ、あなたは日傘をささないんですか?」

「日傘は持ってきませんでした」こんなことから会話が始まり、ゆっくりと歩きながら会話は続いた。

「スーパーにはクーラーがあったからよかったけど、早く家に帰ってクーラーのあるところに飛び込まないとたまらない」

「私の家にはクーラーがないんです」

「それは悪いこと言いました。それにしてもこんな暑い中、買い物に出られるなんてお元気ですね。おいくつになられたんですか?」

「八十三歳です」

「え！　八十三歳にもなられるんですか。姿勢もよろしいし、歩き方もしっかりとしておられるし、とても八十三歳とは思えませんでした。ご主人とお二人で生活しておられるんですか?」

「主人はとっくに死にました。主人は鹿児島、私は佐賀、二人とも九州の出身でした」

「ご主人は鹿児島出身ですか、私の昔勤めていた鉄鋼会社も高度成長の昭和四十年代までは、現場の作業職社員を九州から毎年何百人も採用していました。特に鹿児島の人が多かったですね」

突然横を車が猛スピードで通り過ぎた。道の両側に家がびっしりとできているが、歩道が全然ないので怖いし身に危険を感じることがある。我々が来たころは家などほとんどなくて両側は田んぼだった。「武庫川に新しい橋が架かって交通量も格段に増えたんだから、もし宝塚市に先見の明があったら、この道に歩道をつけるべきだったわね」と家内も言う。

「いまは、お一人で生活をしているんですか?」

「いいえ、息子がいます。ものすごい借金を作って、転がり込んできました。今息子と二人でいます」

なんだかテレビか新聞で見るような話だなと思った。この人の息子となれば、もう五十歳を超えていてもおかしくない。最近は介護問題から派生する事件がよく報道される。私はそんなことになってほしくないと思った。

「それは大変ですね。今は年金生活ですか?」

「いいえ、年金はもらっていません」

「生活保護をもらっているんですか?」とは、さすがに聞けなかった。

途中道端に大きな木が残っていて、日陰になっているところがある。そこでどちらからともなく立ち止まった。

「ここで一休みしていきますか。貴方のお宅はまだまだ先なんですか?」

「はい。突き当り川沿いの道を曲がって少し行ったところに市営住宅が出来てそこにいます」

「ああ、確かに川沿いの道に市営住宅がありましたね」

「あれが出来たときに、土地を提供するために私の家も買い取られました。もらった補償金は全部娘が持って行ってしまいました」

またしばらく歩いて私の家の方に入る道の曲がり角に来た。

「私はここで曲がりますが、どうかお元気でお暮らしください」と言って別れた。

かわいそうな人だな。これから先どうやって生きていくんだろうか。何か魚と野菜でも買って渡してあげればよかったなと、あとで気が付いた。余計なことかも知れないが、次に会ったら是非そうしようと思いつつ、その後まだ一度もこの人の顔を見かけていない。


この道を歩き始めてからもう四十年以上になる。我が家の周りには同じような年代の家族が多く、息子や娘と同じ年代の小学生も沢山いた。これらの子供たちもすべて巣立ってしまい、今は我が家を含めて完全な老人社会になってしまった。

ほとんど毎日歩き続けた小林駅につながる一本道で、この四十年の間に多くの人に会った。忘れられない印象を残した人もあるが、いつしか忘れてしまった人がほとんどだ。

十月末、この道を歩いているとどこからともなく、金木犀の強い香りが漂ってきた。

おお友よ
忘れられぬ
荒れ野の道
忘れられぬ

明日をも
我知らず
いつ荒れ野の
露と消えん

（了）

花に生く

細木郁代

人日や籠一杯のクロワッサン
生を秘め死を秘め闇の淑気かな
藤の花天衣なびかせ令和開く
師を送る美しき黄泉路や夕桜
花に生き花を友とすこのひと世
武蔵野に息づくいのち青葉風
白亜館に花の時雨や忌日来る
リラ冷えや黄昏せまる古書の街
白日傘母のおもかげ畳み込む
麓駅にレトロの灯入る巴里祭

向日葵の存分に生きいのちの焔
浅漬けの京の瓜喰む処暑の朝
存問の散るを急がぬ百日紅
埒もなき小咄たたむ秋扇
新米や諸手に余る宙の艶
人生に柵多し衣かつぎ
ゴブランのホテルの椅子や雁渡る
錦秋の触れ残したる湖の蒼
新米にかがやき添ふる糀味噌
何事も無きこそよけれ秋燈し
生きるとは見守るいのち後の月
気強くも生き抜く君に銀杏散る
歳月の煮凝りに似し和のこころ
人を悼み人懐かしみ日向ぼこ
日向ぼこ行き交ふ青春眺めをり

白神山地

船本　マチ

ベアベルに登山靴を履き杖をつきブナ林登る　踏みしめながら

橅の葉のつくる天蓋高きした　病超えたる身を遊ばせる

ゆっくりと高くのびゆく橅の木よ　早く育ちゆく木々糧として

ターザンがぶら下がりてジャングルを移りゆく山葡萄の蔓ぞ　白神の地に

大木のブナの木膚に残りたる高き爪痕を指す　月輪熊ぞ

赤ずきんの絵本に出てきたあのキノコ　真っ赤なキノコが枯れ葉もち上ぐ
（卵苔）

ひと度は諦めし夢が実りたり　橅の作りたる大空間（くうかん）に立つ

見納めの銀竜草（ぎんりょうそう）になるだろう白神山地のこれなる土に

水筒の水を入れ替えてガイド告ぐ ブナ原生林の湧き水ぞこれ

殻斗より取り出せし小さな橅の実を手渡すガイド六十九歳

降り出せし雨に濡れずにありがたや白神山地のブナ林を出ず

*

つりふね草の赤き小花のさく路を暗門渓谷に沿いて登れり

長雨の後の日照に身体（からだ）干す蛇せき立てて渓流に沿う

白神の九月の光はねかえし蜥蜴消えたり渓の草むら

ヘルメットを被りてわたる狭き径　淵と岩壁（いわ）とを縫うような径

橋ふたつ渡り渡りて見下ろせる暗門川の淵の暗さよ

先にやりし若き女が滝三つ観て戻りくる 通りすぎゆく

屋台よりチョッピリ大きい店先のふやかし薇（ぜんまい） 指の太さぞ

トロッコ事件

隠岐都万

（はじめに）

私の半世紀以上の人生の歩みの中で、何が一番怖かったか、と問われれば、私は高校一年の時に味わったトロッコ事件だと答えるであろう。

過日、孫を連れて、京都市の梅小路にある鉄道博物館を訪ねた時、館の隅に旧式のトロッコが静かに、そして何となく寂しく佇んでいた。その途端、私には十六歳の青春時代に体験した命が縮む思いをさせられたトロッコ事件の悪夢が、まざまざと思い起こされたのである。孫は何時までも展示品のガラス窓をとおしてトロッコを凝視する私を仰ぎ見ながら不思議な表情を浮かべていた。

その当時、私は男子寮で生活していた。まさかトロッコ事件で自分があわや命を失うほどの危険水域に紛れ込んでいたとは夢想だにしなかった。今ではあれは悪夢だったのではと曖昧模糊とした思い出である。

一・肝試し

今でも忘れられない事件である。否、事件と言うより体験と言った方が正確であろう。

この体験に至るまでの当時の私の状況をスケッチしてみよう。一九五二年四月、私は島根県西南の津和野市の高校に入学した。昭和二十七年のことである。この年の三月末に私は津和野町からさらに南に入った鹿足郡七日市の吉賀中学を卒業していたが、地元に普通高校がないので、バスで二時間以上はかかる津和野高校を受験したのである。

津和野は今では観光地として人気があり、全国的にも名が知られているが、当時でも森鷗外や西周など明治時代の偉人が輩出した町として有名だった。また、島崎藤村著「坂崎出羽守」が城主として活躍したこと、乙女峠のマリア聖堂の殉死事件、八坂神社の鷺舞など興味が尽きない。更に太鼓谷稲荷神社の鳥居のトンネル、藩校養老館跡がある本町通り両脇の用水路で戯れる緋鯉の群れの光景も魅力的である。私は山紫水明の地の津和野町にすっかり魅了された。毎朝、東を仰げば女性的な青野山が微笑んでいる。私は標高九〇八メートルのこの山に直ぐ上ってみたが、頂上付近は深い笹の茂みに蔽われ、下界は見えず落胆した。西を眺めると津和野川（当時は錦川）が流れ、その真上の津和野には城跡が見える。この一帯は城山公園として知られ、季節によりサクラや紅葉の名所となる。

七日市を後にした時は獣医の父と小六の妹と暫し別れるのが辛かったが、そこは私の若さの高揚感が克服したのであろう。とにかく希望に満ちていたのだ。高校は津和野川沿いにあり、四月は一面にサクラが満開だった。温順な気候で気分がウキウキしていた。

入学式では校長が「万朶のサクラが満開で云々」という言葉が耳に残り、終了後、こっそりと辞書で調べてみると「万朶とは多くの枝」との詩的表現であることを知り、爾来、校長に敬意を表することにした。

津和野町には私の親戚もなく、父の特に親しい親戚・友人もいないので、高校の寮にお世話になることにした。「青清寮」は男子寮で、女生徒には「ツワブキ寮」があった。この二つの寮はかなり離れていた。女子寮には同じ吉賀中学出身の椋木という名の女生徒がいたが、余り交流がなかった。「青清寮」は「喜楽園」と呼ぶ元城主のお屋敷の庭園裏手にあり、私達はここを横切って通学した。男子寮は定員二十名で、二人一部屋である。従って十室あった。私は一階の八畳の間が当てられ、寮長で三年生の田村先輩の同室となった。これが一号室で、一階は四部屋で四号室まであった。二階は五号室から始まり十号室まであった。この他に食堂、浴室、共同便所、そして舎監の部屋があった。舎監は東京大学を卒業したばかりの若い、そして小柄な白石教諭だった。天下の東大卒の教諭が何故こんな草深い山陰の奥地の高校に奉職したのか不思議だった。

田村先輩は六日市村出身だった。私の出身村の隣り村である。もともと彼は私と同じ七日市村出身なのだが、家庭の事情により、六日市村のお金持ちの田村家の養子となったらしい。田村先輩は私と中学で同じクラスの三浦君の実兄であった。三浦君は津和野高校には入学せず、岩国高校へ行ってしまった。三浦と同様に背が高かった。

何故私が田村先輩と同室になったのかは分からない。しかし、私は初対面でこの先輩が好きになった。体形は長身痩躯でかっこよかったが、何よりも魅力的なのは彼の愛くるしい笑顔であろう。笑うときは両頰にえくぼができ、それがチャームの度合いを高めた。丸坊主が大半の高校生の中では珍しく長髪で、何故かそれで通っていた。

入学式の夜に入寮式があり、私を含めて新しく入寮した生徒に対しての歓迎会が食堂であった。この初日に舎監の白石教諭が欠席したので、田村先輩が歓迎のことばを述べた。

入寮前は色々な怖い噂があり、それを警戒して、入寮を諦めて、下宿を選んだ学生もいたらしい。しかし、田村先輩は寮長として、全員で仲良く生活し、勉強に励もうと、温かい言葉を尽くして新入生を歓迎してくれた。他に三年生は二号室に二人、また、二年生は三号室と四号室にそれぞれ二人いた。

田村寮長は挨拶の中で、「酒タバコは厳禁」だと数回強調していたが、伝統行事の「肝試しは必ず実行するから新入生は心得ておくように」と真剣な表情で言った。私は緊張した。翌日から私達一年生の間では専ら「肝試し」が真剣な話題となった。私は田村寮長が同室であることを幸いに一体どんなことをするのか、と聞きたかったが、やはりフェアでないと思い断念した。しかし、私以外の他の一年生はやはり気になるらしく色々な情報を集めては流していた。

間もなく「肝試し」の行事は五月連休前に実行されると発表された。私達の入寮日から一週間後のことであった。三年生の三名が実行委員で、田村寮長が委員長だった。前日に夕食終了後、該当者へ次の回章が送られた。

「一年生諸君。来る四月二十八日から三日間にわたり、伝統の肝試しを実行するのでご了承して下さい。毎夜午後八時から順番に城山に上り、城門の入口に立つ三本松の根元にある石亀の中に自分の名前を書いたノートを入れて下さい。その際同時に石亀の中にある小石を持ち帰ってください。小石は白いペンキを塗っています。この小石は食堂で待機する実行委員に渡してください。なお、今回参加できなかった新入生は二学期開始直前に実施予定の機会を設けますのでこれに参加すること。雨天順延。以上。肝試し実行委員会」

さあ、大変とばかり私達新入寮生は慌てふためいた。ただ、多くの新入生が昼間の機会に寮の背後にそそりたつ城山に上っていたのでパニックにはならなかった。城山は津和野町随一の景勝地で人気があった。しかし、それは昼間のことであって、夜になると様相は一変しているに違いない、とだれもが考えた。既にくじ引きが始まっており、私は二日目の一番バッターの順番だった。一年生の寮生は十三人であったが、このうち八号室の大屋君が親戚の法事とかの事情で不参加となった。

いよいよ初日の四月二十八日となった。この夜の四名は森、山藤、岡本、石田だった。

まず、一番走者の森君が食堂に現れ、自分の名前を書いたノートを実行委員に提出して印を貰ってから出発した。午後八時のことである。私を含め一年生の全員が初めての走者に興味を持ち、森君を激励した。彼は心なし青ざめていたが、笑顔も浮かべていた。次の走者は山藤君で、彼は森君が無事帰って来次第、出発することになっていた。

食堂では田村寮長と他の三年生二人、それに今夜森君の後に続く予定の山藤、岡本、石田の三名が待機していた。三人とも沈黙していた。私の順番は明夜一番であるが、皆の様子を見るため、食堂で待機することにした。薬缶の番茶を呑みながら田村寮長達の様子を覗っていたが、普段と別段変わった様子もなく、談笑していた。その姿を見ているうちに何となく「ご苦労様」と呟きたくなる自分を発見した。

やがて食堂室が静かになった頃、急にザワザワという雑音が聞こえてきた。森君が出発し四十五分が経過していた。「スワ！」とばかり、食堂室の全員が色めきだって、寮の玄関口を凝視していると、顔を真っ赤にした森君の姿が突然現れた。見ると汗をぐっしょりとかいている。思わず、全員の間で拍手が起こった。

「ただ今戻ってきました」

森君はやや興奮した面持ちでそう叫んでから白ペンキのついたこぶし大の石ころを田村寮長に渡した。

「森君。ご苦労さん。浴室のシャワーで汗を流してから自室に戻り休みたまえ。では次の山藤君出発したまえ」

山藤君は大柄な体で自分の名前を書いたノートに寮長の印を貰うと直ぐ出発した。本音を言えば前走者の森君から往復途次の様子を聞きたそうにしていたが、そんな思いを振り切って勢いよく出発していった。彼も無難に役をこなした。この後の走者は岡本と石田だったが、問題はなかった。

いよいよ、翌日の夕べとなり、私の順番がきた。昨日の走者四人に密かに聞いてカンニングをすることもできない訳ではなかったが、同室の田村寮長の姿を見ていると、恥ずかしくてとうていそんな愚かなことはできかねた。

「頑張ってこいよ」

私が氏名を書いたノートを提示すると、寮長は私を見てニッコリと笑ってそう呟いた。肝試しルートは大体決まっているので、迷うことはなかった。寮の裏手から崖の間の小道をひたすら上って行くと自然に城山の旧大手門跡に辿りつくのである。しかし、何しろ漆黒の暗闇の中だ。これが最大の敵であろう。何も考えないで黙々と登攀すればよい筈だが、やはりちょっとした物音や黒い影にハッとさせられる。私はつくづく昨日の四人の度胸というか勇気というものに感動させられた。何しろ使命を終えた彼等は寮の食堂で待機する実行委員会の前に平然と現れて、白いペンキが塗られた小石を届けたのだから。私も果たして同じ態度でコトを成し遂げられるだろうか？　あれこれ思い描くと急に自信喪失の気分に襲われた。

「ニャー」

突然、藪の中から黒のまだらの野良猫が現れて私の前を横切った。暗闇の中からの椿事なので当然緊張して後ずさりした。

「ニャー」

またもう一匹が跳ねるようにして私の足元を掠めて、最初の黒斑の猫の後を追うようにして草むらの中に消えた。こちらは白と茶色の野良猫だった。

「この野郎！　驚かせやがって！」

その瞬間、私は呪うような言葉を吐いたが、何故か二匹の猫の出現にちょっぴりと感謝したい思いがしたので自分自身が奇妙に思えた。多分、暗黒の夜の静寂さに神経が耐えられなくなっていたのかもしれない。人間は闇夜とか静寂とかが苦手な動物なのであろう。

雲の端っこあたりに月の光がさすのが見えた。

「今宵は月夜なのか！　ありがたや！　神様、仏さま、イエス様」

私はブツブツそう呟いて登攀を続けた。やがて有名な三本松が目の前に亭々と佇立しているのを目撃した。風のせいか頭頂部の枝がゆっくりと揺らいでいる。何故か臆病者が戦々兢々としている様を嘲笑っているようだ。

「うわー！　三本松だ！」

これこそが目標地点なのだ。見ると三本松の足下に昔の大手門を彷彿とさせる石垣跡が見えた。

「では三本松の根元付近に約束の石亀がある筈だぞ！」

私は周りに誰も居ないのを幸いに声を出して、自分を鼓舞した。するとそれらしき小さな石亀が見えた。早速近づいて蓋を取ると中に四枚のノートの紙片があった。これは昨日、肝試しを実行した四人分の証文に間違いない。私はノート片の束を除けるとその下に白いペンキを塗った小石が並んでいた。私はそのうちの一個を拾い上げて大事にポケットの中に収めた。

帰路は楽ちんだった。幸い黒雲から三日月が現れてあたりを明るくしてくれた。私はこの夜の体験を六十年後の今日でもまざまざと思い出すのである。あの名状し難い恐怖感に包まれながらひたすら登攀する頼りない自分の肉体。突然雲間から現れた三日月。亭々と佇立する黒々とした三本松！　何と名状し難い恐怖感だったことよ。が、それでも矛盾した心境も漂った。何と美しい光景だったことよ、と。私の青春感動物語の一章だ。

帰路となった。風もなく野良猫にも遭遇しなかった。城山は高い所にあるので、津和野町の明るい灯がほのぼのと見えて急に温かみを感じた。

「ワレ、使命を果たせり！」

私は寮の黒い影を認めると、何故かゼロ戦のパイロットにでも変身したような気分になり、半分ふざけてそう呟いた。寮の食堂に入ると田村寮長など実行委員の人達が私を笑顔で迎えてくれた。私の後に続く加藤、川崎、細谷の諸君は私が白いペンキを塗った小石を寮長に渡すとき拍手をしてくれた。

「ご苦労さんだったね」

就寝前に寮長がニッコリと笑って声をかけてくれた。その何気ない言葉が忘れられない。

その夜、私は熟睡した。翌朝目が覚めると何故か自分が少し成長したような不思議な感慨に捉われた。寮長の田村先輩はまだ就寝中だった。

こうして翌日も四人が実行し、男子寮伝統の肝試し行事は無事終了した。ただ、大屋君だけが、家庭の都合で不参加となり、彼は二学期の始めに実行することが決められた。

二・芋泥棒

しかし、二学期になっても、八号室の大屋君の赤ら顔は見えなかった。彼は大食いで何時もひもじいひもじいと呟いていた。彼は山口県との県境に近い朝倉村出身の農家の長男である。私の七日市とも近いので親近感を抱いていた。それだけに私も心配した。

「何でも退寮したらしいぜ」

「何が原因なのかなあ。いじめはなかったとおもうけど」

当然、同室同級の山藤君に質問が集中した。しかし、彼も皆目知らなくて目をパチクリするだけだった。すると、夕食の時間帯にほぼ全員の寮生が集う中で、田村寮長がキッパリと言った。

「彼が寮生活を断念したのはこれ以上空腹に耐えられないということだ。他の事では満足していたようだ。皆、余り心配するな。ところで、そんな次第で、例の肝試しはしないことに決めた」

その後の噂では大屋君は津和野町郊外の親戚の農家に下宿することになったらしい。彼は学校のクラスでも会い、また、彼は寮にも時々遊びに来ていたので何だか安心した。

日本がまだ食糧事情が改善しなかった時代の話なので、山陰の片田舎の高校の寮生活での食事の量が不足がちなのはやむを得なかったのであろう。しかし、高校も、寮の賄い人も精一杯の努力をしていたことは事実である。

そんな訳で、毎夜、夕闇の立ち込めた後の八時か九時頃になると二十人の寮生のうち数人がこっそりと寮を脱出して、山田屋というパン屋に向かった。このパン屋は寮のある喜楽園を越えて、津和野川に沿って北上し、弥栄神社の大鳥居前にあった。有名な太鼓谷稲荷神社の入口にあたる。この付近は大きな杉が道の両脇に聳え立ち、あたりは真っ暗だった。パン屋もこの時間にはとっくに閉めている。しかし、寮生はお札や小銭を握りしめながらガラス窓の入口を叩き、店を開けさせた。太った愛嬌のよいマダムがニコニコしながら飢えた寮生に食パンを売り捌いた。私も一度だけ仲間と行ってみた。確かに飢えた胃袋には食パンのイースト菌の匂いがたまらない刺激で、大いに満足して夜道を歩いて帰った。同室の田村寮長は私を見て無言だったが、私は無性にきまりが悪かった。確かにお金のある寮生とそうでない人とがいるのは現実だった。私の父も余裕のない獣医だったので毎月の送金がギリギリだったと思う。そう思うと何だか寮長の前できまりが悪かった。

数日後のことである。今夜もパン買い食いグループはこそこそと姿を消した。若い育ち盛りの私達はやはり羨望のまなこで彼等の後ろ姿を見送った、と言ってよいだろう。

突然、田村寮長が寮に居残った全員に声をかけた。

「全員集まってくれ。今から食料特攻隊を募る。俺の指示についてきてほしい」

「寮長！　何をなさるのですか？」

「行けば分かる！　要するに食料調達だ！」

私達はキョトンとして寮長の意図を探った。その日の夜はたまたま舎監は不在だった。

「まさか！　食料を盗みに行くのではないでしょうね！」

臆病な一年生数名がそう叫んだ。二年生や三年生は沈黙を守り、何故かニヤニヤしている。私はなんとなく嫌な予感がした。で、すこし躊躇した。

「良心の咎めるものは残ってくれ。では、行くぞ！」

もう午後九時ごろである。全部で十人位の寮生が田村寮長の後に従って闇夜に寮の裏口から踏み出した。いつの間にか田村寮長はバケツに墨と刷毛を用意していた。アッと言う間に彼は両頬や額を黒く塗りつぶした。寮長の同行者もこれに従って顔を黒く塗った。その夜、私は気が引けて呆然としていたが、寮長や同行者が勢いよく外出したのにいつの間にか従ってた。

田村寮長はあぜ道に沿いながら、寮の南へ進んだ。タオルで顔を隠し、腰をかがめて暫く行くと津和野川に架かる橋桁が見えた。ここを渡ると森鷗外の旧宅や記念館に着く。しかし、田村先輩はこの橋を渡ることはしなかった。その反対側の城山の崖下の薄暗い地点を目指していた。彼が低い声で一行に停止を命令した。見るとそこは一面サツマイモ畑だった。私はここで初めて寮長の真意が分かった。しかし、今さら敵前逃亡するわけにはゆかない。幸い月も姿を見せず真っ暗な夜だった。犬の遠吠えが聞こえたが我々を警戒するものではなさそうだった。仲間の一人は途中で棒切れを拾い、犬に遭遇次第撃退させるのだと嘯いた。しかし、寮長は怖い顔をして軽挙妄動するなかれと、彼をたしなめた。

「全員止まれ。今から作業を開始する。作業時間は十五分間だけだ。作業終了後は丁寧に土を盛ってくれ。忘れるな！　丁寧にだぞ！」

誰も一斉に作業を開始した。寮長はこの芋泥棒作業には加わらず、中腰となって周囲を警戒していた。見張り役を演じているようだった。私は他の仲間と同じように「ここ掘れワンワン」を演じていた。あっという間に十五分が経過したようだ。

「ピー！」

寮長の引揚の口笛が鳴った。帰途はサツマイモの重さもあり、少々苦労したが、貴重な戦利品で体がほてり足取りは軽かった。あっと言う間に寮の黒いシルエットが視野に入った。幸い、帰途に向かってから寮に帰るまで誰にも目撃されなかったように思えた。私が感心したのは台所ではサツマイモを煮る用意が既にできていたことだった。これは芋泥棒に参加しなかった寮生数人が寮長に命じられて用意していたものだった。早速芋の泥を落とし、丁寧に洗い上げてから鍋に入れてふかした。

この夜は久しぶりにお腹いっぱい芋を喰った。腹がパンパンになった。明るい談笑が湧いた。突然、何人かの寮生がけたたましい声で笑いだした。何事かと思ってみると、出発前に顔や額に塗りたくった黒墨をまだ洗い落としていない者がいることにお互いが気が付いたからしい。芋泥棒の顔はさぞかし、滑稽だったに違いない。

翌朝の朝食時は奇妙な雰囲気だった。芋ほり組は何だかウキウキしていたが、パン買い食い組は沈んでいた。私はパン買い食い組が浮かない表情をしているのが奇妙に思えた。この組は小遣いが少なくて寂しい思いをしている私達を見下げていたのに、その優越感が昨夜の芋騒動で雲散霧消してしまったのであろう。そのため、悔しく思うようになったに違いない。他人の痛みを理解できない悪しき人間の心理だと、私は思った。私はそんな偽善性を感じ、軽蔑することにした。

ただ、この芋泥棒事件はその朝早速、サツマイモの農園主から学校に抗議された。農園主は直ちに警察に訴えたいと激昂していたらしい。校長は仰天し、早速舎監の白石教諭と寮長の田村先輩を呼びつけた。小柄な校長は体を震わせ、顔を真っ赤にして怒鳴った。同席した教頭は痩せた体をさらに細くねじってオロオロしていた。

「とんでもないことをしてくれたものだ。学校の名誉にかかわるではないか。一体どうしてくれるのだ。ワシもとんだ学校に赴任してきたものだ。全く情けないよ」

興奮した校長を眺めながら、白石教諭が静かな口調で発言した。

「農園主の処には早速今から田村寮長を向かわせて、深甚なお詫びをさせましょう。寮生は未成年でもあり、警察沙汰にすることだけは避けたいと思います。なお、この際、寮生の食事改善のため食事の量的補助のご検討をお願いいたします」

さらに田村寮長がこれに続いて毅然とした発言した。

「芋泥棒は弁解の余地がありません。ただちに農園主の処へ全員を引率して、三拝九拝してお詫びしてまいります。その際、お詫びの印に、将来の畑仕事のお手伝いをして埋め合わせさせて欲しいと申し入れます。雑草取りとか、種植え付けとか、収穫作業などなどです」

私は後刻この時の情景を知り感心した。白石教諭と田村寮長の人間性に感銘を受けた。

陳謝の行動は迅速に行われた。寮長と寮生十名が農園主の家を訪ねて、深甚なる詫び状の言葉を並べた。勿論、私も同行した。

農園主は大勢の若者が突然出現したので、最初は緊張していたが、次第に表情が変わり、穏やかな言葉を発してくれた。

「君達がお腹ペコペコな事情はよく分かっている。誠意に免じて今回は水に流そう。次の収穫や植え付けの時、手を貸してくれるなら大いに助かるよ。大いに期待しているよ」

今や温和になった農園主は私達の驚く表情を眺めながら土間の隅にうず高く積まれたサツマイモを無造作に取り上げて、私達にプレゼントしてくれた。

実はこの和解が契機になり私達の食事事情は大いに改善された。時々、農園主が事前の連絡無しにひょっこりと姿を現して芋や野菜や果物を届けてくれたのである。まさにハッピーサプライズだった。驚いたことにこの農園主の友人の農園主達も現れて仲間に加わってくれた。食糧がさらに豊富となったことは言うまでもない。逆に農園主達は私達の助っ人ぶりをこよなく珍重していた。私達はいつの間にか貴重な「人手」に変身していたのである。

勿論、白石舎監を通じて、教頭の寮の食事事情改善案は提示されたが、これはまさに雀の涙のような微々たるものであった。私達はもはや校長に陳情しなくても強力なスポンサーを確保したので余裕ができ、毎回寮の食事を楽しんだ。かつて敵対していた恵まれたパン買い食い組も、寮の食事に馴染んできて、だんだんと闇夜の外出もしなくなった。

三・火事の助っ人

私のクラスに中島という名の女生徒がいた。成績もよく、大柄で愛想がよくクラスの中心人物の一人だった。確かバレーボールの選手だったように記憶している。彼女の実家は津和野町の中心にあり、醤油醸造が家業だった。裕福な家庭である。

秋のある日。夕方の事である。食堂で夕食を済ませて、私達が談笑していると寮長が飛び込んできて叫んだ。

「おーい！　全員集合だ！　今から火事の現場で手伝いに行くぞ！」

私は仰天した。寮長に向かって誰かが叫んだ。

「火事の現場は何処ですか？」

「中島醤油だ。消防隊の放水を被るかもしれないからタオルを持参しろよ」

中島醤油は津和野町の中心にあった。既に黒い煙が駅の方角で立ち上っているのが見えた。喜楽園を過ぎ、津和野高校の校舎前から津和野川に架かる橋を渡り、本町通り沿いに現場に突進していった。背の高い寮長に続いて私達十名が後を駆けた。半分マラソンスタイルなので息切れがしたが、懸命に頑張った。だんだんと道の両側の群衆が増え、騒がしくなった。どこからか半鐘の音がジャンジャンと聞こえてくる。近隣の消防車も駆けつけてくる。そうこうするうちに私達は現場に到着した。真っ赤な炎がメラメラと燃え立っている。煙が凄まじい。まるで手が付けられないような修羅場だった。火元が消防隊の人達も心なし呆然としているように見えた。

よく分からないからだろうか。

寮長はどうしているかと見回すと、消防隊の隊長らしい人と話し込んでいる。そして直ぐ、寮長は私達十人に向かって叫んだ。

「我々は工場の中の品物の搬出を手伝う。まだ延焼していない倉庫の部分だ。しかし、もう熱で熱くなっているらしいから充分に気をつけろ。分からないことがあれば消防隊か工場の人かに指示を仰げ。現場は板がゴロゴロしている。特に板の釘に気をつけろよ。以上だ。全員かかれ！」

待機していた私達ははじけるように現場裏の倉庫の中に飛び込んだ。倉庫の中は全く無傷だった。大小の醤油の樽が整然と並べられている。倉庫には意味不明な色々な機械や原材料が沢山ある。どれにも確かに延焼の兆しはなかったが、どれも触れると熱を感じて思わず両手を放した。しかも、倉庫の隙間から薄い黒煙が天井や床を這ってきた。うかうかしておれない状況だ。寮長の指示に従って私達は一列縦隊になり色々な物品を手あたり次第に運び出した。だんだんと黒煙が増えてきたので気が気でなくなった。火事で一番怖いのは煙だ、と何時も父から口癖のように言われていたので、私はかなり焦燥感に捉われた。

しかし、寮長は依然として黙々と作業に従事している。その後ろ姿を見ていると。私の口から「そろそろ引き揚げましょう」とは言えなかった。

すると突然、若い消防士と中島醤油の幹部らしい人物の二人が飛び込んできた。

「皆さん。ご奉仕ありがとう。ここも危険ですから、どうぞお引き揚げ下さい。おかげでだいぶ片付いてきました。火事も鎮火に向かいつつあります。残りは私達で処理しますからご心配に及びません」

「分かりました。ではこれで引き揚げることにしましょう」

寮長がそう返事をして私達を促した。帰り支度をしようとしていると、幹部らしい人物が私達に向かい感謝の気持ちを表情いっぱいに浮かべながら言った。

「もしよろしかったら、建物の横の臨時休憩所におむすびや茶菓子を用意していますのでどうかお召し上がりください」

「それは大変ありがとうございます。ではみんなちょっとお邪魔させて貰いましょう」

寮長の言葉に納得した私達は臨時休憩所に立ち寄り、大小のおむすびを沢庵や梅干しをおかずにして頬張った。この休憩所には主婦や女性従業員やご近所の人達が沢山いて、接待にあたっていた。私達は作業中は無我夢中だったので、気が付かなかったが、相当に疲労していた。それだけにおむすびは実に美味しかった。頃合いを見て、寮長が立ち上がり寮に向かって出発した。

「隠岐さん。ありがとうございました」

私達が現場を出発する直前、背後からそんな言葉をかけられた。驚いて振り向くとあの中島嬢だった。現場のパニックで彼女は髪を振り乱して憔悴していた。

「どういたしまして。どうか頑張って下さい」

私はやっとこれだけの言葉を返して彼女を激励した。私はこんな奉仕にひっぱりこんでくれた寮長に心から感謝した。それにしても中島嬢に感謝されたことは嬉しかった。

寮では他の仲間が私達を凱旋将軍のように迎えてくれた。誰もが私達に対して、よくやってくれたと褒めちぎった。

翌日の学校がまた大変な騒ぎだった。全校の生徒が私達を英雄扱いした。田村寮長と私達十名が校長室に呼ばれ、あの小柄の校長から大げさに褒められてくすぐったかった。校長室には白石舎監と痩せた教頭がいた。

「諸君の英雄的活動には頭が下がる。よくぞやってくれた。ワシも鼻が高い。有難う」

また、午後には消防署長に呼ばれ、感謝状が授与された。この授与式には中島醤油で会った幹部と思われる人物も同席していたが、この人が社長、つまり中島嬢の実父であることが分かった。噂は美談として瞬く間に町内に広がった。あのサツマイモ農家の親父さんもしきりに褒めてくれた。この時もサツマイモのほか、キュウリやなすびをどっさりとプレゼントしてくれた。翌日の山陰合同新聞の地方欄にも、津和野発の記事として、中島醤油の火事と高校男子寮の美挙とが美文調で報じられていて却って恥ずかしかった。

中島嬢と私の中学同期の椋木嬢とが同じクラスで仲良しであったことから、私達は標高九〇八メートルの青野山登頂のピクニックをしたことがあった。この時代に女生徒とピクニックをすることなど大冒険に等しかったが、人生にチャンスは一度しかない、との青臭い格言を何かの哲学書で見つけて、感銘を受けた直後だったので、私は自分を褒めてやりたいほど勇気を出して実行してみた。登頂は簡単だったが、頂上付近は深い笹の茂みに蔽われて、下界は見えず落胆した。しかも、野生の鬼蜘蛛の糸が張り巡らされていたので、先頭の私がそれを取り払うのが厄介だった。しかし、彼女達が用意してくれたおにぎりが美味しくて感動した。ただ、卒業後、中島嬢は上京し、椋木嬢は故郷に戻り、私は九州の大学へ行った。三人の間には発展はなかった。やはり、「初恋は成らず」のジンクスどおりなのだ。

四・舎監の白石教諭

男子寮舎監の白石教諭はまだ若かった。小柄で、額が広く、頭髪をかき上げながら話すのが特徴だった。声が小さいので、教室の後ろ半分に座ると聞き取れないことが多い。うつむき加減な姿勢で、薄笑いを浮かべながらボソボソと呟くので気味が悪かった。

先生の受け持ち科目は一年生が対象となる科目の「一般社

会」であった。政治や社会など世の中の仕組みを扱うのが内容で、興味深い項目が多い。私は最初から興味を持ち、復習もよくしたので、一学期の中間試験の成績は良かった。しかし一学期後半に入ると俄然難しくなった。チンプンカンプンなのは私だけかと思ったらそうではなかったので、少し安心した。

寮の食堂などで雑談していると一年生のほぼ全員が同じ怨嗟を抱えていた。教え方は丁寧だったのだが概念というか思想的なものが入るので理解が中途半端になった。先生は「A」とか「B」とか「C」とかを板書して、それが別の板書の文字「X」、「Y」、「Z」と繋がり、その組み合わせが変化すると、革命が起きる、などと呟くので、たちまち私達は訳がわからなくなり、立ち往生してしまう。クラスで成績一番の浜田君のところに行って、聞いてみたが、彼ですら首をひねって、「サッパリ分からない」という。

これは今にして思うと、カール・マルクス著「資本論」の序論というようなものだったのであろう。序論だからそれほど深遠な学説の世界に踏み込んだ訳ではないのだが、要するにその背景の思想が、十六歳の少年レベルの私達の脳みそではまるで歯が立たなかったということなのであろう。

しかし、それが悔しくて食堂で一年生が集まって対策を練った。まず、この「一般社会」の科目は毎年一年生で履修することになっているのだから、現在の二年生や三年生の先輩に聞けば簡単に解決するのではないかという同級生がおり、それもそうだと全員が納得したが、いざこれらの先輩に聞いてみると、白石教諭は今年に初めて赴任されたので、この先生の講義は聞いたことがない、昨年までの先生の授業は選挙の裏話などが多くて、実に愉快だった、残念なことにこの先生は松江の方に転勤されてしまい、現在はこの津和野高校にはおられないという答えだったので全員ががっかりした。私も同室の寮長の田村先輩に聞いてみたが、答えは同じだった。

寮の私達一年生は食堂に残り、あれこれと対策を議論してみたが名案は出てこない。全体に嫌な雰囲気が漂ってきた。すると、二回の七号室にいる千代田と森の両君がおそるおそる口を開いた。二人は隣の山口県徳佐村からの越境入学者だった。大抵が山口高校に通うのだが入学試験に落第した者はやむを得ず、比較的近い津和野高校へ越境して受験したグループだった。徳佐村出身で運よく津和野高校への越境入学が認められた者は大半が汽車通学をしていたが、両君のように、実家が徳佐の奥にある者は入寮が認められていた。

「このまま試験を受ければ零点をとってしまいそうだ。だから、思い切った方法を考えようではないか？」

すると何人かの一年生が冷笑しながら反論した。

「思い切った方法だって？　冗談を言うなよ。そんな方法があればとっくにやってるよ」

すると徳佐村の二人は周囲を注意深く見渡してからささや

くように声をひそめて呟いた。

「それがあるんだよ。いいかい。担任が白石先生だろう。たまたまこの寮の舎監で、ここで生活している。だから、先生の部屋に問題そのものか、問題のヒントのようなものが机の引き出しの中にある可能性があるのではないか？　それを探るのさ」

この発言に一同唖然とした。私を含め全員が異口同音に叫んだ。

「驚いたな！　それじゃ盗みに入るようなものじゃないか。そんな大それたことが出来る筈がないよ」

すると徳佐出身の二人が反論した。

「じゃあ聞くけど他に方法があるかね？　幸い白石先生は寮ではほとんど夕食を取らない。何でも先生は駅前の居酒屋か千本鳥居前の美松食堂で夕食を済ませているようだ。だから午後六時頃から九時頃までは先生の舎監室は無人という訳だよ」

私は白石先生の舎監室に忍び込むというアイデアは奇想天外に思えたが、それよりも道義的に許せない行為だと思ったので、とても賛成する気にはなれなかった。しかし、一週間が経過すると事態は急変した。試験の前日でのことである。

夕食が終わった午後六時頃に怪しい動きが始まった。徳佐村の二人が一年生全員にこっそりと呼びかけて、七号室に至急集合してくれという。何事ならん？　と、私も不安な気持ちを抱きながら駆けつけてみると、千代田君が、声を殺して、かつ、青白い顔を緊張させて言い放った。

「今晩、八時にあのプランを実行する。時間は約十分を限度とする。是非協力してくれ。成功してもしなくても、今夜の行動は絶対に秘密としたい」

何だか悲壮な雰囲気が漂っていた。私は勿論反対だったが、カンニングで得られるメリットよりも、全員の執念と熱気に負けてしまった。今でも私は心から恥ずかしいことをしたと思って反省している。私の人生の恥部と言っても過言ではない。

午後八時になった。早速、罪深い行動が開始された。千代田君以下十二人の一年生が舎監室に向かってぬき足さし足で接近した。森君を先頭に泥棒さながらの忍び足である。殿は千代田君で万が一異変を発見したら合図の口笛を鳴らして警告をする手筈となっていた。森君が前から調べていたとおり、部屋に鍵はかかっていなかった。中に入ると六畳の間に、机と椅子と本棚とちゃぶ台が見えた。暗闇を徳佐村の二人がかざす懐中電灯を頼りに机や引き出しを中心に試験問題の原稿がないかとくまなく探した。しかし、結局徒労に帰した。この間の捜索時間は十分位だったと思う。

私達はすっかり憔悴して、また、目的を果たせなかったので絶望して、全員が無口のままそれぞれの部屋に戻った。私も一号室に戻ったが、寮長の田村先輩はまだ起きていて、何やら盛んに試験勉強をしていた。私をチラッと見ると何も言わずに目を反らした。

「先輩。お休みなさい」

「お休み」

　私は何時もの就寝前の挨拶をして、布団にもぐりこんだが、先輩の視線から判断して、何となく今夜の私達の悪行を知っているような気がして、心が重々しかった。

　翌朝から、全科目の定期試験が行われた。果たせるかな、白石教諭の「一般社会」は難渋を極めた。問題の意味も出題の意図も皆目把握できなかった。私はこれでは、ゼロ点間違い無しと絶望的な気分になった。他の寮生もほとんど同じくしょげていた。一週間後、成績発表があった。私とクラス最優秀の浜田君とが五十点だったが、他の十名は全員ゼロ点であった。しかし、このお粗末な成績は却って校長の目に留まり、白石教諭はかなり厳しい評価を与えられたらしい。

　しかし、それよりも試験前日に舎監室に忍び込んだ悪行が何故か露見し、私達一年生は寮長の田村先輩の前に呼び出され、こっぴどく叱責を受けた。更に、寮長の引率の下に私達十二名は暮夜秘かに舎監室を訪ねて、文字通り三拝九拝して陳謝した。

「私の教え方が難しかったようだね。今後は私に率直に意見を言ってくれ給え。いずれにせよ、承諾なしに他人の部屋に入ることはよくないことだよね」

　私達は先生の温和な口調に却って恐縮し、深く反省した。この事件以来私達は白石舎監に前より一段と親しみを感じるようになった。先生の外食回数もかなり減って、時々夕食後に学校のプールサイドまで散歩して自由討論をした。先生と交わした会話や質疑応答は私達の教養の肥やしになった。この夜、夜空を仰ぎ見た時の北斗七星の神秘的な美しい輝きは私の生涯を通じて何度も何度も回想された。よほど印象的だったのであろう。プールサイドでは日原出身の山藤君が先生に率直な質問をした。

「先生は大学卒業後、何故教師の道を選ばれたのですか」

「実はね。大手のメーカーを数社受験したのですがね。最後の面接試験でどこでも落第とされてしまったのだよ。大学の専門がマルクス経済だったものだから、日本の会社から敬遠されやすいのでしょう。何となくアカの極印を貼られてしまったのかもしれませんね」

　私は先生の返答ぶりが余りにも率直だったので仰天したが、当時の日本社会の風潮の一端を知ることができた。その後、私が実社会に出てからも、有名な「三菱樹脂受験訴訟」がマスコミで喧伝された時、私は白石舎監の言葉を思い出して感慨深いものを感じた。

　また、別の夜、プールサイドで、寮長と同じ六日市町出身の細谷君が先生に実にデリケートな質問を発した。その内容に私達は思わず顔を赤らめたほどである。

「先生は何時ごろ結婚なさるのですか。失礼ですが、もう婚約者がいらっしゃるのですか。見合いと自由恋愛とはどちらがよいのですか?」

「これは難問だね。勿論、私もいずれは結婚しなければならないでしょう。よい出会いがあればなと思っていますよ。見合いもよい制度だし、自由恋愛も男女間の自然な姿で、君達のような若い世代には向いているね」

　雰囲気が随分と砕けてきたところで、柿木村出身の川崎君が強烈な球を投げた。

「先生、駅前に食事喫茶店〝小京都〟があるでしょう。あの近くに津和野名物のお菓子〝源氏巻〟を売っているお店があります。そのお店のお嬢さんで三浦という二十歳前後の女性がいます。この女性はミス津和野と言われるほどの美人です。是非一度偵察されてみては如何でしょうか?」

「いや、いや、これは驚いた。君達は全員で私を無理矢理に結婚させようというのかい?」

　この川崎君と白石舎監の艶っぽい会話に全員が爆笑した。真に楽しい夕べだった。最後に舎監は私達が仰天するニュースを吐露した。

「内緒だけどね。春には東京の北区にある国立印刷局滝野川工場に就職する可能性があるのだ。実家が同じ区の飛鳥山公園の近くなので通勤に便利なんだ」

　滝野川工場は知る人ぞ知るの施設で旅券や紙幣を印刷しているることを知り私は魂消た。

五・トロッコ事件

　二学期の終りごろのある夕べ、寮にあのサツマイモ農家のオジサンが姿を見せた。このオジサンは必ずお土産をどっさり持参するので、今日は何だろうか、と皆の関心を集めていた。オジサンは田村寮長の一号室に上がり込んで胡坐をかいていた。私が挨拶を済ませて、部屋から出ようとすると、寮長が私に声をかけた。

「おーい。隠岐君。オジサンが面白い話を持ち込んできたから、君も一緒に聞き給え」

　私はすぐ承諾の返事をして、先輩の後ろで胡坐をかいて耳を傾けた。何でも山から薪を麓まで背負子を使って運んで欲しいというアルバイトの相談だった。場所は津和野から南へ下がり、鷲原村を過ぎ、県境の野坂峠付近の小山での作業らしい。片道徒歩で約一時間の距離である。国道九号線と県道十七号線が三叉路を成しており、まぢかに津和野川に架かる鷲原橋があるので、そこで日曜日の午前九時に会おうと言う。人数は多ければ多いほどよいらしい。作業は一日では終わりそうもないので、数日に及ぶかもしれないらしい。寮長は乗り気だった。私も日当千円という額に興味を覚えた。これは当時としては大金である。

「とにかく希望者を募ってみよう。今日中に結果をお知らせします」

寮長がそう答えるとサツマイモ農家のオジサンは破顔一笑して席を立った。時期的に二学期終了後なので学業に与える影響はない。田村先輩は一年生を中心に声をかけた。その伝令役は私が勤めた。私はもし田村寮長も行くなら参加しようと、決意を固めていた。

結局、参加の約束をしたのは全員で六名に終わった。私は寮長の動きを観察していた。

「俺も行くよ」

先輩の力強い言葉を確認してから私は手を挙げた。すると田村先輩は私へ視線を投げて微笑んだ。次の週の朝八時半、アルバイト参加希望者六名が寮の玄関前に集合した。寮長田村及び一年生五名、すなわち、岡本、石田、千代田、福田と私とである。

サツマイモ農家のオジサンは郊外の鷲原橋の上で、十時ごろに待機しているというので、私達はピクニック気分でゆっくりと歩いた。季節は師走中旬にさしかかっていたが、幸い日本晴れで、空は青々と澄み渡っている。東の方角を見ると山々を抜いて海抜九百八メートルの青野山が聳えている。私達は津和野川に沿い、県道十三号線を南下した。川を挟んで向こう側には国鉄山口線が走っている。日本海側の益田駅と瀬戸内海側の新山口駅とを結ぶ鉄路である。

私達は寮を後にして、右手に聳える城山を眺めながら進んだ。やがて、対岸には森鷗外や西周の旧宅が視野に入ってきた。いずれも記念館として保存されている。やがて道は川沿いに右手に大きく曲がり、間もなく鷲原橋に到着した。橋の手前には鷲原八幡宮が見える。ここは流鏑馬の馬場として知られている。

橋の上に人がいる。近づくと、例のサツマイモ農家のオジサンで、ニコニコしながら、私達に手を振っている。いつもながら人懐っこいオジサンだ。時計を見ると、午前九時半だった。つまり、約一時間弱歩いたことになる。橋を渡り、オジサンに案内されるまま、進むと国鉄山口線の線路があり、これが三つの小さなトンネルを抜けて、県境先の徳佐村へと続いている。

この鉄路は歴史があるが、自動車に押されて、少しづつ本数を減らしていた。それでも一時間に上下線が一本づつ位は運航されていたようだ。さらにオジサンの後について作業現場まで行ったが、そこまでは約三十分ほどかかった。

「やあ、皆さんお早う。ご苦労さん。この小山の上に薪が沢山あってね。これを麓まで運ぶのが皆さんのお仕事じゃ。最初は足元や腰がふらつくでしょうが、それも直ぐ慣れますよ。一時のお昼は頂上で昼飯を用意していますからな。それで力をつけて下さい」

「どうやって運ぶんですか？」

田村先輩の質問に答えてオジサンが答えた。

「今から山頂に登ります。高さ三十メートル、石段で五十段ぐらいかな。山頂に皆さん、各人用の背負子を用意してます。これを担いで麓まで降ろしてください」

「何時に仕事が終わるのですか?」

「午後四時に上り列車が通るので、それを目途に解散にしましょうや。お礼はその時、麓で各人に渡すけん。それでよかたいな?」

オジサンが最後に妙な博多弁を使ったので、私は可笑しかった。背負子は直ぐ使い慣れて問題はなかった。この日は天候に恵まれて終始快適な雰囲気だった。昼ごはんもオジサンの奥さんと娘さんとが奮発してくれ私達は大満足だった。時々作業中の私達の目の前をSL機関車が煙を吐きながら勢いよく通過していった。機関車は三つの小さなトンネルを通過する直前に必ず、汽笛を鳴らしていた。私達は背負子にも慣れて山頂から麓まで十五回位は往復した。やがて、午後四時近くになったので、オジサンから寮長を通じて作業中止の連絡があった。各人がオジサンから謝礼の袋を貰い、寮への帰途に就いた。この時、寮長の田村先輩が私達の方を向いて、さも済まなさそうな表情を浮かべて言った。

「君達にお願いだ。俺だけはひとまず先に失礼したい。実は五時に寮で会う人がいるんだ。遠い所から来る人なので余り待たせられない事情がある。諸君。気をつけて寮に帰ってこいよ。俺がいない時のリーダーは隠岐君に任せる。では、バイバイ」

田村先輩はそう言うが早いか、マラソンの構えで、私達の前から消え去った。残された私達はのんびりした気分になった。ただ、私は突然サブリーダーに任命されたので緊張した。私達は来た時の道を辿らず、国鉄山口線の単線の鉄道沿いに歩いた。この方が近道だろうと見当をつけたからだ。この単線鉄道は平地の上ではなく、十メートル位高い盛土の上に敷設されている。とにかく、時々SL機関車が通過するので危険なところであることは間違いなかった。しかし、私は一時間に一本または二本位の割合だろうと思った。

「ゆっくりと帰ろうぜ。寮の夕食の時間まで、辿りつければいいのさ」

「そうだ、そうだ」

すると、千代田と同じく徳佐村出身の福田の両君が不思議な提案をした。

「さっき、小山の上から見えたのだが、トンネル前に、トロッコが線路側にあったぜ。きっと、保線の鉄道マンが置きっぱなしにしておいたものだろうよ」

「俺にいい考えがある。あれに乗って行けばラクチンで帰れるよ。それにもっと早いしさ」

私はこの唐突なアイデアに度肝を抜かされた。が、面白そうだ、との気持ちもした。それに私達は今日の労働でさすがに疲労が溜まっていた。腹も空いたし、シャワーも浴びたい。だから、早く寮に帰りたいという思いが募っていた。

「トロッコ？　大丈夫かい？　徳佐村の諸君は慣れているのかい？」

その途端に千代田君が顔を輝かせて、私の質問に答えた。

「保線夫のオッサンがよく工事に使っていましてね。中学時代に現場に遊びに行くとオッサン達が、よく乗せてくれたのですよ。結構早いし、気持ちがよいのさ」

こんな会話を重ねるうちに、私達はいつの間にかトロッコが線路脇に置き捨てにされている現場に到着した。目の前に三つのトンネルのうち、最初のトンネルがポッカリと黒く暗い穴を見せている。

トロッコは三台あった。どれも車輪を上向きにされたまま、線路脇に放り投げられていた。その姿がまるでゴキブリをひっくり返したように見えたので滑稽だった。

すると、日原町出身の岡本君が抗議めいた口調で発言した。

「トロッコなどとはもってのほかだよ。慣れないことをすると、怪我の元だ。僕は絶対に参加しないよ」

岡本君は正義感の強い男で、実家は寺の住職らしい。彼はそう言うが早いか、まるで悪童とは付き合わないとでも言うようにすたすたと一般道路に降りて、寮長がマラソン・スタイルで走り去った後を追った。これで二人減り、人数が六人から四人となった。

徳佐村出身の二人はもうこのトロッコに取りついて動かし始めていた。まるで玩具にありついた幼児のようである。私もこのトロッコを見ているうち、何だか操作が簡単なように思えてきた。

「サブリーダーさんよ。手を貸してくださいな。まずトロッコを線路まで運ぶんですよ」

私もいつの間にか二人の徳佐村出身者と一緒にトロッコを引き上げていた。柿の木村出身の石田君もいやいやながら渋面を作ってはいたが加勢した。四人全員で、何とかトロッコをレールの上に乗せることができた。その時、遠くから機関車の汽笛の音が聞こえたので、私達は仰天した。私達は狼狽した。口々に叫んだ。

「何だろう？　あの汽笛は？」

「機関車だろう」

「前方からなのか、後方からなのか、いったいどちらからだ？」

その時、再び同じ汽笛が鳴った。今度は少し長めだった。

「この汽笛は前方からに違いないよ。津和野駅発新山口駅行きだ」

三人が私を凝視した。私はいつの間にかサブリーダーにされていた。咄嗟に私は叫んだ。とにかく衝突は避けねばならない。

「全員トロッコからすぐ飛び降りよう。直ちにトロッコをレールから外さにゃならない。このままだと機関車と衝突してしまうぞ！」

もはや誰も沈黙をしたまま、黙々と作業をした。やがて、機関車のシュッポ、シュッポという音が高くなり、その巨体を私達の眼前に曝し、あっと言う間に通過していった。それはまるで一陣の突風が過ぎ去ったような感じだった。この機関車の小窓から外を覗いていた機関士が私達が線路脇にたむろしている姿を見て、一瞬怪訝な表情を浮かべていたような気がした。

私達は暫し呆気にとられていたが、私は気を取り直して叫んだ。

「おーい。みんな！　トロッコをレールの上に乗せようぜ！時間が無いんだ！」

直ちに四人が力を合わせて、トロッコを担ぎレールの上に何とか乗せることができた。

作業をしながら私は汽車の時刻に詳しいであろう、と思って、徳佐村出身の二人に質問した。次の汽車が前後何れから来るかを見極めることが重要だと思ったからだ。

「山口線は単線だから今度は新山口駅発津和野駅行きの筈だと思うがどうかね。つまり、私達の後ろから突進してくるという可能性が高いのではないかい？」

「確かにそうだと思うよ。だけど時々臨時の貨車が通過することもあるからね。油断は禁物だ」

「臨時の？　しかし、臨時の貨車がそんなに通過するとは思えんがね」

「そのとおりだ。滅多にないことだ。普通の汽車も、上下線とも一時間に一本だ。さっき下り線が通過したばかりだから今後は背後から来る上り線だろう」

私は唖然としたがサブリーダーが臆病な雰囲気を出してはならないと思った。この時、偶然、柿木村出身の石田君と視線が合った。彼は何となく、瞳の中に怯えたような目つきを示していた。しかし、私は何故か既に突撃精神に燃えていたので、全員を叱咤する声を挙げた。まずは目前の三つのトンネルが不気味に見えた。

「よーし、これからトロッコに乗って三十分だけ漕いでみよう。この時間が経てば寮が遠くに見える場所にまで着いているだろう。そこでトロッコから降りることにしよう」

「合点だ。」

「OKだ」

徳佐村の二人は私の誘いに直ぐ同意したが、石田君は無言だった。トロッコは簡単なようで私はいままで運転したことがなかった。私は徳佐村の二人が当然知っていると思ったが念のために聞いてみた。しかし、二人の答えは唖然とするものだった。

「君たちはトロッコの扱いに慣れているのだろうね？」

「いいえ、実はそばで見たことはありますが、実際に運転したことはないのです。ですが、簡単なように思いますがね」

「私も同じ意見です。ごく簡単な構造ですから何とかなりますよ」

この瞬間、私はもはやトロッコを使って、帰寮するのは断念すべきではないかと思ったが、そうしなかった。何故だか自分でもよく分からないのだ。本来、私は慎重な性格なのだが、この時の判断は実に奇妙なものだった。今でも、回想してみて、いわく不可解なのである。人間には時としてこんなドン・キホーテ的な突撃の妄想に駆られるものなのであろうか？　虚栄心からか？　安価なヒロイズムからなのか？　要するに付和雷同な判断であると批判されても弁解の余地はないと思った。

四人がトロッコの上に立った。よく見ると確かに簡単な構造だった。座席が四つある。中央に消防ポンプを使うときのような太くて、頑丈な板棒のような、または櫓のような太い竿がある。太い棍棒のようだ。それを前後の二人が交互に上下に押すとそれがトロッコの四輪を駆動する動力となって、トロッコを前進させる仕組みとなっているらしい。私は千代田と福田の二人を睨みつけて叫んだ。

「このトロッコは前進はするが、後進はしないのかい？　それよりもどれがブレーキなんだろう？」

「サブリーダー。ワシ達は実は構造のことも、操作のことも知らないのです。自宅近くの鉄路で仕事中の保線のオジサンにトロッコに乗せてもらったことがあるだけなんです」

私はもう驚かなかった。いざとなれば飛び降りればよいのだと、腹をくくっていた。

「じゃあ、みんな、とにかく出発しよう」

「全員で頑張ろう」

私は自分でも、自信がないまま、出発の号令をかけた。最初は私と千代田君が棒状の竿を前後に担いで、上下に動かすとトロッコは静かに前進した。この時はさすがに嬉しさが込み上げた。実はレールの勾配が前方で下方に向かって傾斜しているので、トロッコにちょっと力を与えると自然と前方に向かって動き出したのだ。ここからはレールが下り坂となっていたのだった。少し寒くなった。夕刻が迫っていたがまだ十分明るかった。

まず、目の前で大きく口をあんぐりと開けた第一のトンネルに突入した。短いトンネルだった。恐怖感はなかった。幸いレールの下り勾配が続いた。暗いトンネルがあっと言う間に明るくなった。ここでは三つのトンネルが津和野駅に向かって続いている。

第一のトンネルがあっけないほどの距離だったのでほっとしたが、直ぐ二番目のトンネルが迫っていた。私の前には徳佐村出身の二人が私達と向かい合って櫓をこいでいた。私の横は石田君である。彼は気が弱そうでトロッコによじ登った時からオドオドしていた。最初から不参加を表明して坂を下りて行った岡本君の後ろ姿を恨めしそうに眺めていた。

第二のトンネルは案外と長かった。真っ暗だったので、私も不安になった。しかし、汽車はトンネルに差し掛かるときは必ず汽笛を鳴らす習慣があるので、それが聞こえてこない以上まだ大丈夫だと自分に言い聞かせて、櫓を漕いだ。しかし、隣の石田君は落ちつきがなく、出発時の時より、もっとオドオドしていた。彼と対照的に私達の前の二人は太平楽に一生懸命に無心に櫓を漕いでいる。

緊張しながらも、トンネルの中の両壁に取り付けられたランプが一瞬、トロッコと周囲の状況を浮かび上がらせたので、ホッとさせられた。その明かりの部分を過ぎると、再び暗黒の闇夜に突入して恐怖感が蘇った。幸いまだ、汽笛は聞こえてこない。すると突然、前方に明るい空間が浮上した。

「やあ、やっと　トンネルの出口だ！」

私は喜びが湧いたが、同時に一途の不安が湧いた。それはレールの勾配が緩やかになったように感じたからである。トロッコのスピードが明らかに落ちた。出口を出るとあたりは夕暮れの景色に覆われていた
「どうかね？　レールの勾配が緩くなったように思うがね？」

「確かにそうだ」

「この櫓も重く感じられるようになってきたぞ」

前の二人が異口同音に私のコメントに同調した。しかし、私は何か重大な異変を感じた。隣にいる筈の石田君の姿が忽然と消えているのだ。

「石田君はどうした？」

「いないな？　どうしたのだ？」

「あそこだ？　トンネルの出口だ！」

私は反射的に振り返った。すると石田の姿が出口の草むらから下の方へ降りてゆくのが見えた。トロッコのスピードが落ちたので、チャンスと考えた石田は私達には何も言わずに飛び降りたに違いない。それにしても、前の二人がその動作に気づかなかったのが不思議でたまらない。二人が一生懸命に櫓を漕いでいたことは認めよう。しかし、目を瞑っていない限り、石田の逃亡ぶりは気が付いていた筈なのだが。これも異常事態における不思議なミステリーという他ないのであろう。

「あいつ、怖くなって逃げたな！」

「敵前逃亡だ！」

やがて、第三のトンネルの姿が見えてきた。入口がだんだんと近づいてくる。幸い、まだ汽車の汽笛は聞こえてこない。私は何となく、この第三の、そして最後のトンネルも通過できそうな気がした。私は自分の楽観主義に苦笑しながらも、いまや、その楽観主義に賭けてみようという気分になった。この時点で、私は半ば破れかぶれというか、糞度胸がついたというか、とにかく、最後まで貫徹するんだ、という奇妙な

気分に蔽われていた。

　私は最後のトンネルを抜けたら、トロッコから降りようと覚悟していた。理由はもうそろそろ汽車が通過する時間帯であること、また、レールの勾配がゼロに近づいていたので、自分達の力で漕ぐ以外には前進しなくなってきた、と思ったからである。前の二人にそう伝えようと考えているうちに、トロッコは最後のトンネルに突入した。前の二人は体力があるのか糞真面目に櫓を漕いでいる。私はもう夕刻の五時ごろだろうと思い時計を見たが暗くてよく見えない。幸い、第三のトンネルは第二トンネルほど長くはなかった。やがて出口が明るくポッカリと見えた。

　私は直ぐ腕時計を見た。午後五時を示していた。ところが、奇妙なことが起こった。出口を出ると、ほぼ同時に懐かしいメロディーがスピーカーの音に乗って流れてきた。私はその瞬間、背後に汽車が迫っていて、その汽笛が聞こえてきたのかと錯覚した。

　夕焼け小焼けで日が暮れて／山のお寺の鐘が鳴る／

　　お手々つないで皆帰ろう／烏と一緒に帰りましょう
　私は一瞬、おどろいた。前の二人も目をパチクリさせた。この近郷にきっと小学校があるのであろう。日本のどこへ行っても夕刻五時になると大抵この懐かしいメロディーが鳴るのであろう、と思った。急に私達は忙しくなった。

「君達、もうそろそろ私達の降りる時だね。もう汽車が第一のトンネル近くまで来ているに違いないぞ」

「そう言えばレールにカチカチという金属製の音がだんだんと高く響いてきたよ。きっと背後から汽車が接近しているのだ」

「よーし、では降りよう。そして直ぐトロッコをレールから外そう」

　私と前の二人が同時に飛び降りた。レールの傾斜はほぼゼロだったので、トロッコの前進は殆ど無かった。その時である。まさに地獄のような機械音が鳴り響き、周囲の小山や谷間に木霊した。それと同時に目の前のレールがカチカチ、キーンキーンという金属製の奇妙な音を発し、それがだんだん大きくなってきた。遂に魔の汽笛が鳴り響いた。

「ボーッ、ボーッ、ボーッ！」

「ボーッ、ボーッ、ボーッ！」

「ボーッ、ボーッ、ボーッ！」

　どうやら汽車は三つのトンネルに入るたびに汽笛を鳴らしているらしい。私達はトロッコをレール脇に置いてから、草むらに隠れて、汽車の通過を見守った。やがて、巨大な鉄の塊が白煙を吐きながら、第三のトンネルから姿を現した。六連結の客車だった。先頭の機関車は恐ろしく威厳があった。

「シュッ、シュッ、シュッ」

「ガタン、ゴトン、ガタン、ゴトン」

「ボーッ、ボーッ、ボーッ」

「こいつはきっとデゴイチ（D51）に違いないよ」

「そうだろうな」

千代田君がそう呟き、福田君が同意した。二人は汽車通なのだろう。ここから鉄路は東の方角へ湾曲し、津和野駅を目指すのである。つまり、私達は帰寮には最適の地点で降りたことになる。

「何と！　ここから寮が見えるじゃないか。驚いたな」

「さあ、寮に帰ろう。とにかく帰りは随分時間的にトクをしたね」

「最初は怖かったけど大成功だったね。これもサブリーダーのおかげだな」

私は褒められてもあまり嬉しくなかった。あのトロッコを乗り捨てしたことが心に残ったのだ。せめて、津和野駅に電話をするべきではないのか？　私は何度もそう反問したが、自分の臆病のせいか遂に決断しなかった。寮長に相談してみようか？　そうすれば寮長にかえって迷惑をかけることになってしまうのではないか。その良心の呵責は何時までもいつまでも私の心に残った。忘れてはフトまた思い出すのである。

間もなく私達三人は寮に無事到着した。食堂ではもう夕食の準備ができ、何人かの寮生が箸をつついていた。その中に寮長もいたので、私達は近づいて挨拶した。

「おう、君達無事に帰って来たか。案外早かったなあ。とにかく疲れているだろうからメシを喰ったら、今夜は早く寝たまえ」

寮長は最後に私を見てニヤリと笑った。彼は私に何の質問もせず、私もトロッコのことは何も喋らなかった。仲間の岡本君は最初からトロッコ搭乗には参加せず、また、臆病者の石田は第二のトンネルの出口で飛び降りたのだが、私達の姿を見ても、悪びれず、うつむいたままだった。私達もこの二人を終始無視した。

私はこのトロッコ事件のほとぼりが冷めて久しく経ってから、このトンネルのことを調べてみてショックを受けたことがあった。それはトンネルの数は三個ではなくて、五個もあったのである。一つは山口県と島根県の県境がトンネルの中にあることが分かった。他は津和野駅に到着する直前にある。しかし、とにかく私達は三つ以外のトンネルには遭遇しなかったことになる。運命の悪戯でトンネルの数は私達の若い命を左右したのかも知れない。人生行路を振り返ると、ゾーッとするような「ＩＦ」が存在する。例えば航空機の予約を変更して、事故に遭ったような場合であろう。

過日、孫を連れて、京都の梅小路にある鉄道博物館を見学した際、展示場の片隅に旧式のトロッコが陳列されていた。私は無性に懐かしくなって、何時までもそのそばを離れがたかった。ただ、あの一抹の良心の呵責は心の中に浮かんでいつまでも消えなかった。

寮歌

添田 孜

寮歌と言っても最近の若い人はぴんと来ないかもしれない。一時期「全国寮歌祭」などが開催され、日本じゅうから大勢のオールドボーイや、ややもの好きなオールドガールも参加して盛大に、寮歌を歌い上げたものである。

寮歌とは原則として旧制高校生が作詞作曲した歌を指す。学校は全寮制がたてまえであったため生徒は寮生とも呼ばれていた。ある先輩は「寮こそは清純な人間精神を育んでくれる聖なる岡であり魂の故郷である。感激と感動とに満ちた寮生活からほとばしり出たのが寮歌である」といっている。

その旧制高校そのものが学制の変更により、昭和二十五年に廃止され、新制度に変更されてからすでに六十年以上たっている。新しい歌も出来ず、歌も歌われなくなったのも無理はない。九十才を越えた今、書いておかないと、だんだん忘れられてしまうと言う焦りのようなものにけしかけられて筆をとった次第である。

近代化を急いだ明治政府は洋風音楽の導入についても積極的であり、音楽取調掛（のちの東京音楽学校）を設立し、海外から優秀な人材を招くとともに、有能な若手を留学させた。「荒城の月」の滝廉太郎や山田耕筰、ピアノ部門での幸田延、その妹の幸のヴァイオリンなどは、その一例である。また音楽の勉強は子供からと小学校唱歌を多数作曲し、音楽の時間をもうけ生徒に歌わせた。唱歌集には文部省唱歌と記載されているのみで作者の名前はない。

寮歌の制作もあるいはこのような為政者の思惑の一環と思われないこともない。旧制高校生は当時一流の知識人とみなされていたから、期待されるのも無理はなく、多くの寮歌が作られ、寮生のみならず、一般の人々にも口ずさまれるようになった。約三千曲つくられたと言われている。

今手元にある唱歌集（岩波文庫版）を見ると、「嗚呼玉杯に花うけて」「春爛漫の花の色」（一高）「紅萌ゆる丘の花」（三高）と三つのっている。それより厚い他社の唱歌集にはそのほかに「琵琶湖就航の歌」（三高ボート部）「都ぞ弥生」（北大予科）がある。「琵琶湖」は加藤登紀子さんが歌いだしてから人気がでたようだが、我々の頃は寮歌にいれるには作曲の経緯に難点があると言われ、三高でも正式の寮歌とは認めていなかったようだ。

現在私の手元にある資料はいずれも一高同窓会編の「寮歌集」と「第一高等学校寄宿寮寮歌解説」。いずれも寄贈歌、部歌なども含め約四百歌収録している。その他市販の全国旧制高等学校寮歌に関する印刷物である。

寮歌は一高では紀念祭ごとに作られているようであり、第五回祈念祭（明治二十八年）に最初の寮歌が作られたようだ。その時代に作られた日本の歌をさがして見ると滝廉太郎の「花」「荒城の月」以外今日歌われているものは見あたらず、大多数の歌は外国のメロディを借りたものであった。寮歌は数少ない日本で作詞作曲される物であり、一般人も教養のある人は深い関心を持って注視していたに違いない。

一高の第十一回紀念祭に発表された「春爛漫の花の色」は人気を博した。「春爛漫の」の詩は春秋の季節の美しさを歌い優しく心に訴える。また歌いやすい曲調で、女学生に好まれ一般の家庭でも歌われるようになったと聞いている。また自治の大切さを歌うことによって寮生の心をつかんだともいわれている。歌詞の一部を抜粋する。

作詞／矢野勘治
作曲／豊原雄太郎

一、春爛漫の花の色　紫匂う雲間より
紅深き朝日影　長閑けき光さし添えば
鳥は囀り蝶は舞い　散り来る花も光あり
二、秋玲瓏の夕紅葉　山の端ちかくかぎろえる
血潮の色の夕日陰　岡の紅葉にうつろえば
錦栄えある心地して　入相の鐘暮れて行く
六、自治の光は常闇の　国を照らせる北斗星
大和島根の人々の　心の舵を定むなり
若し夫れ自治のあらずんば　此の国民を如何にせん

翌年の第十二回紀念祭寮歌として寮生矢野勘治は「嗚呼玉杯に花受けて」を発表し大好評を博した。作曲は楠正一である。矢野は前年の「春爛漫の花の色」が女性的である批判に応えるべく構想を練った。当初はさほど評判が高くなかったが、明治の末頃から一高精神の神髄をもっとも的確に歌い上げた寮歌として評価されだし、やがて全寮晩餐会や三高戦の凱歌など重要な場面で歌われるようになった。以下抜粋。

一、嗚呼玉杯に花うけて　緑酒に月の影宿し
治安の夢に耽りたる　栄華の巷低く見て
向ヶ岡にそそりたつ　五寮の健児意気高し
二、芙蓉の雪の精をとり　芳野の花の華を奪い
清き心の益良雄が　剣と筆とをとり持ちて

一たび起たば何事か　人生の偉業成らざらん
五、行途を拒むものあらば　斬りて捨つるに何かある
破邪の剣を抜き持ちて　舳にたちて我よべば
魑魅魍魎も影ひそめ　金波銀波の海静か

この歌は当時の高校生の気概を端的に表現し人気が高く一高を代表する寮歌であったが、また全国的にも評判が高く、多くの人々が愛唱するようになった。

後日、玉杯で緑酒を飲むのは誰なのか、向ヶ岡の住民か栄華の巷にすむ人々かと言う疑問がもちだされた。どちらともとれそうである。また魑魅魍魎とはなんなのか全く分からないと言う人が多い。魑魅とは山林の異気から生ずる怪物をいい、魍魎は山・水・草木などの精気から生ずる怪物でいずれも人に害をなすとされている。さらに読めても字が難しすぎて書けないという人が圧倒的に多い。意地の悪い試験官がそれを見越してテストにだしたりする。

この曲は当初ハ長調で作られたがだんだん寮生好みの短調で歌われるようになった。最新の楽譜はハ短調になっている。

矢野勘治は大学卒業後横浜正金銀行に入行し、役員にまで出世し故郷の兵庫県竜野に隠棲した。その屋敷は記念館として保存されている。楠は一高を中退し一時行方が分からず、三浦環さんに失恋したのではないかとの噂が飛んだことがある。真偽のほどは分からない。

三高に飛ぶと「紅萌ゆる丘の花」は中々良い歌で「三高逍遥の歌」と注釈がついている。この歌詞の一部も抜粋する。

一、紅萌ゆる丘の花　早緑匂う岸の色
都の花に嘯けば　月こそかかれ吉田山
二、緑の夏の芝露に　残れる星を仰ぐ時
希望は高く溢れつつ　我等が胸に湧き返る
四、ラインの城やアルペンの　谷間の氷雨なだれ雪
夕は辿る北溟の　日の影暗き冬の波

この歌は調がよく歌いやすい。ただし歌が長く十一番まである。崑崙、ゴビの原、ライン、アルペンなどを歌い込み、当時の寮生の知識と憧れを示している。三高を代表する寮歌といわれ一高との対抗戦には必ず歌われる。私も何回か聞いたことがあるが、幹事が気を遣って、一部省略しましょうかと言い出すことがある。

さて多くの寮歌の中で一番大勢の人に歌われたのはどれだろうか。私見によれば明治三十四年の一高寮歌、「アムール川の流血や」である。

一、アムール川の流血や　氷りて恨み結びけん
二十世紀の東洋は　怪雲空にはびこりつ

（塩田繯作詞、栗林宇一作曲）

この歌は義和団による北清事変をおもなテーマとしているが、寮歌にしては珍しく行進曲風であり、歩きながら勇ましく歌うのに最適であった。

メロディを記すのは非常にむつかしいが、当時の数字による音譜で示すと、ト長調「5.11.1　/1.11/　2.21.2/3.」である。付点なしは八分の一音符、付点付きは八分の二音符である。すこしわかりやすく書くと「ソドドド・ドドド・レレドレ・ミ（音符の長さは省略）」。口ずさんでみると誠に調子がよい。これに目をつけた陸軍が早速盗用して明治四十四年に「歩兵の本領」という軍歌をつくった。もっとも著作権などという概念は当時なかったから、良い物は何でも使えという気持ちだったと思う。

一、万朶の桜か襟の色　花は吉野に嵐吹く
　大和男子と生まれなば　散兵線の花と散れ

私も子どもの頃この軍歌を歌った記憶があるが、オリジナルが一高の寮歌とは知らなかった。

この曲はさらに大正十三年第三回のメーデーで日本共産党によってメーデーの歌に衣替えされた。

聞け万国の労働者　轟き亘るメーデーの
示威者に起こる足取りと　未来をつぐる鬨の声

つまりこの歌は寮歌、軍歌、労働者の歌として歌われ、数千人を超え、数万いや数十万の愛唱者をもったことになる。世界中探してもあまり例がないと思う。

さてここで一、三高以外の高校の代表寮歌を挙げておこう。

二高　山紫に　　四高　北の都
五高　武夫原頭に　　六高　新潮走る
七高　北辰斜に　　八高　伊吹おろし

地名高校については数も多く、残念ながらここに述べるだけの知識もなく省略させてもらう。

寮歌の歴史と将来
旧制高校と寮歌

正保富三

旧制高校と言ってもピンとこない人もあるかも知れないが、戦前中学五年または四年修了で入り、三年間で卒業して大学に進んだ制度である。そこでは生徒は原則として寮に入ることになっていた。寮での生活が若者の精神形成に寄与した面は大きい。寮は共同生活で切磋琢磨し、自由と自治の精神が重んじられた。そこで歌われた歌が寮歌である。「嗚呼玉杯に」「都ぞ弥生」「琵琶湖周航歌」などが有名だ。旧制高校の数は終戦時には約四十校あり、それらが皆数多くの寮歌を持っていた。

これらの歌はほとんどが寮生自身によって作詞・作曲されたものだ。このような曲を学生が作り上げたことに感嘆する。歌詞は壮大なものが多く、当時の学生が広く国内外に羽ばたこうとした気風が感じられる。

声楽家の長野安恒氏は次のように言う。

明治政府は日本独自の音楽文化を創り出すことを目標の一つとして音楽教科書「小学唱歌集」を編纂した。歌詞のほうはと言えば、正しい日本語を身に着け、礼儀正しい心を育てられるよう厳選されていた。いわば大人が子供の教育のために作成した歌曲集は、諸外国には見られないという。やがて「小学唱歌集」を学んで育った各分野の専門家たちが、今度は作詞作曲とも日本人の手で、「故郷」「紅葉」等で知られる「尋常小学唱歌」を製作することになる。そして、「尋常小学唱歌」と相前後するようにして、旧制高校生たちが自分たちの思いや信念等を綴ったのが「寮歌」にほかならない。

寮歌の歌詞には古典や漢籍からの引用が多く、読むのに苦労する作品もあるが、若者の意気込みが溢れており、微笑ましくもある。ドイツには「学生歌」と呼ばれるジャンルがあるが、あくまで学生たちが歌っていたという意味であって、学生が自作したということではない。学生たちが自作した「寮歌」は、これまた日本以外に例を見ないそうである。唱歌と寮歌は日本の音楽教育が育んだ一対の花とも言えるだろう。

寮歌が作られたのは、明治三十四年から昭和二十五年に至る約五十年間。日露戦争、両世界大戦を経験する激動の時代である。歌詞には折々の若者たちの思いが溢れている。

古典・中国古典籍に関する生徒たちの驚嘆に値する知的教養は、寮歌の大きな特徴になっている。そのレベルの高さゆえに、現在では歌詞の理解のみならず、歌詞を読むことすら困難だ。

旧制高校、またそれに類する学校は一高・二高・三高から名古屋の八高、弘前高、新潟高など高知高に至り、さらに北大予科、大阪商大予科など、そして外地の京城帝国大学予科等、それぞれに寮歌があり、その数は驚くべき多数に上る。私が所有している富山高校の歌集でも寮歌、応援歌、山岳部部歌、記念祭の歌など合わせて五十幾つある。ほかの学校でもそれぞれこれに類するものを有しているはずだ。これらの寮歌の総数は約三千曲に上る。

作詞者は無名の人が多いが、第二高等学校校歌「天は東北」は寮歌ではないが土井晩翠の作である。中には静岡高校の「嗚呼悠々の」を作詞した中曽根康弘もいる。中曽根氏は旧制静岡高校の出身だった。松江高校の「端艇部歌」の作詞者は花森安治だ。この学校に通っていたらしい。

作曲も多くは無名の寮生だが、水戸高校の寮歌「時乾坤に」は近衛秀麿の作曲、浦和高校の「武蔵が原」を書いた諸井三郎、浪速高校の寮歌「浪速の友に」の弘田龍太郎、甲南高校の「沈黙の鐘」の岡野貞一など有名な作曲家の曲もある。

主な寮歌を見る

以下に有名なものを中心に尾崎良江氏の記述を参考に寮歌をたどってみることにする。歌詞が難しく、ふりがなに頼って読まなければならないものも多い。

第一高等学校　寮歌　嗚呼玉杯に　明治三十五年に作曲された、日本の寮歌の代表曲というのがふさわしい有名な寮歌だ。「嗚呼玉杯に花受けて」で始まり、漢語風の詩の中に「栄華の巷低く見て」と世を憂い、護国の使命に燃えている純粋な青年像が浮かび上がる。

第一高等学校　アムール川の流血や　明治三十四年。清国・露西亜国境のアムール川（黒竜江）左岸に混在していたロシア人と清国人との間で起こった紛争。このメロディーは軍歌「歩兵の本領」、メーデー歌「聞け、万国の労働者」などに利用された。

寮歌の歌いだしには掛け声でドイツ語の「アインス・ツヴァイ・ドライ！」と言って始めるが、ここ一高と三高では日本語で「いち・に・さん！」で通している。

第二高等学校　明善寮　寮歌　山紫に　「山紫に水清き郷(さと)は名に負ふ五城樓」二高の寮歌で最もよく歌われた曲。後に書く「校歌」も寮歌に当たるものとしてよく歌われた。

第三高等学校　紅もゆる　「自治」を重んずる一校に対し三校は「自由」の校風であったためか、三高の寮歌はみな一高のそれよりもソフトな印象を受ける。吉田山から見る四季の移ろいを世界の絶景になぞらえながら細やかに歌っては古都の歴史に思いをはせ、再び吉田山の情景に戻ってくる。十一番もあるが、この曲には長さを感じさせない見事な「ドラマ」がある。

第三高等学校　琵琶湖周航の歌　森繁久彌をはじめ加藤登

紀子など多くの歌手によるレコードが発売されている。本来、琵琶湖周航とは、明治二十六年以来三校に伝わる漕艇の行事であった。大正六年、当時三高ボート部員だった小口太郎が琵琶湖周航の際に作詞し、今津の旅館で仲間の部員に披露した。作曲は吉田千秋、当時流行していた「ひつじ草」のメロディーによる。高島市には琵琶湖周航の歌資料館がある。

第四高等学校　南下軍の歌　「南下軍」とは四高が北の金沢から南下して京都に攻め込むスポーツ遠征軍の名称だ。大正十五年からは八高との対抗戦が定期化し、敵陣は名古屋へと移った。現在各地の寮歌祭では、四高はかつての宿敵八高とペアを組み、「南下軍の歌」と八高の「伊吹おろし」は一体の感がある。

第五高等学校　武夫原頭に　熊本にあって「武夫原」という運動場にしばしば七高からの遠征軍を迎え、野球の熱戦を繰り広げた。

第六高等学校　北進歌　四高の「南下軍」に対抗して、昭和二年の京都インターハイの際に作られた遠征歌。「操陵のもと春ゆかば　游楽の宴かげ失せて　征馬鞭打ち南海の　益良雄北に進むなり」

第七高等学校　造士館　寮歌　北辰斜めに　（鹿児島の旧藩主の居城）造士館で歌われた。「北辰斜めにさすところ　大瀛（たいえい）の水洋々乎　春花薫る神洲の　生気は罩（こも）る白鶴城」と続く。熊本の第五高等学校と野球の定期戦があり、それを題材にした「北辰斜めに」という映画が三国連太郎主演で公開されたのは圧巻だった。

第八高等学校　大正五年度寮歌　伊吹おろし　明治四十一年、名古屋市に最後のナンバースクールとして八高が開校した。「伊吹おろしの雪消えて　木曽の流れに囁けば」で始まる。メロディーは覚えやすく八高の代表歌となった。

弘前高等学校　寮歌　都も遠し　「都も遠し津軽野に　あふるる生気若人の」半年余りも雪に閉ざされる厳しい風土の中、勉学に励む寮生を歌っている。寮の名は「北溟寮」と言い、荘子の文句からとっている。

新潟高等学校　頌春の歌　生誕ここに　「生誕ここに一年（ひととせ）と春は再び廻（めぐ）り来ぬ」創立一周年を迎えた記念に作られた。雪国の厳しい冬から春が再び来た喜びを歌っている。

松本高等学校　寮歌　春寂寥（せきりょう）　大正九年「大正浪漫」のなかで作られたこの歌は山紫水明の高原の自然を背景に、四季のうつろいを美文調に歌っている。「春寂寥の洛陽に　昔をしのぶ唐人の」と言って信濃の地名を読み込んでいないのがひとつの特徴で、他校の人にも愛された理由だ。

水戸高等学校　夕べの丘に　「夕べの丘に来て立てば　千波（せんば）の湖（うみ）の霧白く」満ち溢れる抒情性が好感を呼び、近年女性コーラスにこの歌が取り上げられているとか。

浦和高等学校　寮歌　武蔵が原　「武蔵が原の末遠く　櫟（くぬぎ）

林に闇落ちぬ　世は陰惨と暮れ行けど」という歌詞は、太平洋戦争下では時局にふさわしくないとして自粛させられたこともあるという。

静岡高等学校　代表寮歌　地のさざめごと　「地のさざめごと秘めやかに　阿倍の川瀬の奏れば　芙蓉の峰は厳かに天の黙示をもらすなり」霊峰富士を朝な夕なに眺めつつ学園生活を送ることは静高健児の誇りであったと推察する。

富山高等学校　丘の團欒に　「丘の團欒にあくがれて　ふるさと遠くわかき子が　青冥寮に三年の」富山高校の寮歌は極めて情緒的・抒情的なものが多い。そこでは友情や女性に対するひそかな思慕が歌い上げられている。以前アンケートで調べたら、女性の好む寮歌、いわゆるメッチェン泣かせの寮歌のトップは「丘の團欒に」だったとのこと。（後は水戸高校の「夕べの丘に」、松山高校の「若葉の古城」、松江高校の「青春の歌」）

浪速高等学校　浪速の友に　「麦生の床に百鳥の　声は平和をなのれども　ベルダンの野に夏草や　強者どもの夢の跡」と同校の教授・辻村鑑が作詞した。ベルダンはフランス北東部・第一次大戦で独仏の激戦地だった。弘田龍太郎が作曲した。

大阪高等学校　全寮歌　嗚呼黎明は　「嗚呼黎明は近づけり　侃諤の弁地をはらひ　哲人の声消えんとす」侃諤とは侃侃諤諤（何の遠慮もせず盛んに議論すること）の意。「嗚呼玉杯」の流れを受け継いだ青年の意気を歌った歌だ。

姫路高等学校　白寮歌　「ああ白寮　潔きをさとす白鷺城　月光斜めに照りそひて」誇りとする白鷺城が月光に照らされてさあらに光り輝くさま、そのもとに集う情熱の健児らのロマンを歌いこんだ抒情的な寮歌だ。

松江高等学校　青春の歌　「目もはろばろと桃色の　春のくも行く大空を」この歌は松江高校の寮歌の域にとどまらず、広く松江市民にも親しまれたという。

松山高等学校　若葉の古城　「若葉の古城上り来て　空しく更くる青春を」遠い故郷を思いながら酒を酌み交わす青春の喜びを歌っている。

山口高等学校　鴻南に寄する歌　詩の冒頭「柳桜をこきまぜて」は古今和歌集の「見渡せば柳桜をこきまぜて都ぞ春の錦なりける」にちなんでいる。「チベル河畔にそそり立つ　七つが丘のロオマの府　思へば若き創業の　われらが日にも似たりけり」という個所もある。同校出身にはベルリンオリンピックで三段跳びで優勝した田島直人もいる。

福岡高等学校　ああ玄海　「ああ玄海の波の華　銀蛇の舞に似たる哉」スポーツの対佐賀高戦に備えて作られた。

佐賀高等学校　暁近き　「暁近き野に出でて　光を待ちて佇めば」茫洋たる大地の春の風景と、そこに集える若人の喜びを歌いこんだ。

高知高等学校　寮歌　人絢爛の　「人絢爛の美にただれ

世は混沌の夢を追ふ」寮の名は「南冥寮」と言い、荘子の「南冥ハ天ノ池也」から、南海の鯨のように奔放に育つことを祈って命名された。

大阪商科大学予科　逍遥歌　桜花爛漫　東京商大、神戸商大と並んで「三商大」の一つとなる。新制大阪市立大学に伝承され、同窓集うところ必ず歌われている代表歌だ。「桜花爛漫月朧ろ　胡蝶の舞をしたいつつ　人や南柯（なんか）に迷う時　雄飛の壮途を胸にして」と続く。

甲南高等学校　校歌　沈黙の鐘　「沈黙（しじま）の鐘の鳴り響きほのぼの明くる朝ぼらけ」私立学校も数校あったがその一つ。英国風の個性尊重の独特な気風が代々受け継がれた。この歌は作曲家の岡野貞一による曲で流麗なメロディーである。

北海道帝国大学予科　恵迪寮（けいてきりょう）　寮歌　都ぞ弥生　一高の「嗚呼玉杯に花受けて」、三高の「紅もゆる」とともに三大寮歌と呼ばれる。詩は北海道の風物が美しく読みこまれている。

第二高等学校の校歌　旧制高校で校歌があまり歌われなかったのに対して別格によく歌われた曲だ。「天（そら）は東北―山高く　水清き郷（さと）七州の」で始まる。「七州」とは今の奥羽地方が昔七つの国だったことを言う。土井晩翠の作による。

早稲田高等学院　校歌　都の西北　大正九年早大の一機軸をなす付属高等教育期間として、早稲田高等学院は大学の隣地に開校した。明治四十年、卒業したての詩人、相馬御風が作詞した。この歌は日本の「校歌」のなかで最も知られる歌だろう。外国で、日本人のグループが何か日本の歌を歌ってほしいといわれたとき、この歌を思いついたという話がある。

外地の寮歌

外地にも哈爾浜学院、満州医大予科、京城大予科、台北大予科、旅順高、東亜同文書院などがあり、それぞれ寮歌を持っていた。

旅順高等学校　北帰行　若い世代の人の中にはこの歌を昭和三十年代の日活映画「北帰行。渡り鳥北へ帰る」のテーマ曲として認識している人も多いかもしれない。この歌を作った宇田博は、常に校則に逆らい「性行不良にして、改善の見込みなしと認めたるもの」で昭和十六年に退学処分になる。宇田博は、自分のデカダンスが入れられなかった痛恨と絶望を込めた反抗の歌としてこの歌を友人に残した。旅順から、北の奉天にある自宅に帰るので北帰行と名付けたのだという。

本稿の最初にある寮歌の総括は声楽家の長野安恒さんの論考によっている。

この論考のきっかけは、長野さんにある時ウイーン郊外の空港で声をかけてこられたのが「北帰行」の作詞・作曲者の宇田博さんだった。この曲が好きな彼は帰国後宇田さんをお訪ねし、「北帰行」が寮歌であることを知り、にわかに寮歌の魅力に取りつかれたのが論考を著すきっかけだったという。

京城帝国大学予科　校歌　紺碧遥かに　大正十三年に開校した。朝鮮人学生も多く入学し、共に大陸の文化発展のために勉学にいそしみ、そして国の域を超えた深い友情が芽生えた。「紺碧遥かに鶴舞ふ高麗野（こまの）」と歌う。同校の卒業生が自分たちの「嗚呼玉杯」を作りたいという一心で寮歌を作って歌ったと言われている。

満州医大予科　草また草に　満州医大は奉天（現瀋陽）にあった。明治四十四年に開校したこの医大は多くの医師を輩出した。「草また草に露しげき　満洲野（ますの）ヶ原の只中に　希望は通へアルタイに　静思は響けアムールや」平成三年に開かれた開学八十周年記念式典には李香蘭女史が来賓として祝辞を述べたという。

哈爾浜学院　寮歌　哈爾浜学院は大正九年に開校した。「松花の流れ手に汲みて　東亜の淵にいざつらむ」松花は松花江である。歌いだしの掛け声はロシア語で「ラス・ドヴァー・トリー」という。

東亜同文書院　寮歌　長江の水　東亜同文書院は明治三十四年に開校した。歌いだしの掛け声は中国語で「イー・アール・サン・スー！」と言う。「長江の水天をうち　万里のながれ海に入る」雄大な揚子江のほとりに立って、祖国の使命を誓う。

台北高等高校　獅子頭山に雲乱れ　「七星が嶺（ね）に霧まよう」当時台湾は日本の植民地で、学生の二割は台湾出身者だった。愛すべき学舎に共に学び、台湾と日本に離れていても今なお同窓の結束は固いという。

寮歌の成り立ち

これらの寮歌の歌詞は古典を引用したのが多く、例えば七高の「大瀛の水」、大阪高の「侃諤の弁」、福岡高の「銀蛇の舞」、大阪商大予科の「南柯に迷う時」などは中国の故事を知らなければわからない。このような和漢の事物に詳しい寮生の実力は驚嘆に値する。

また「千里こほれるシベリアの」「ガンジス河に咲く花の」「アテネの街の春の色」「ローマの古都に月高し」など、これは寮生が行くこともかなわなかった外国の風物を散りばめている。

初期の「嗚呼玉杯に」など、多くは音符が整備されていないので、当時の人がもっぱら使ったハーモニカによる数字譜だった。この数字による楽譜を読める人は明治・大正のころは十人に一人ぐらいだった。これを見てメロディーを覚えられるお茶の水あたりの女学生が歌って広まった。

寮歌は作曲されたのは単旋律だが、これにハーモニーをつけて歌おうという人が増えて、二部・三部なかには四部の編曲を付けたものが次々にできた。昭和六十一年に関西寮歌振興会合唱団という会ができた。ピアノ伴奏もある。現在八〇曲を録音したのがある。

寮歌の将来

第6回大阪寮歌祭（平成28年3月6日　大阪ガーデンパレス）

現在寮歌は脈々と続いていて、各地で開かれる「寮歌祭」で歌われる。それは多い時には数百人を擁して歌われた。東京では武道館、関西では中之島の中央公会堂が舞台だった。最近数は減少しつつあるが、今、全国に二十ほどの「寮歌祭」がある。東京の中央寮歌祭には四百人が集まる。昔の羽織を着て、白線の入った帽子をかぶり、調子はずれでも構わず歌う。女性も、寮歌を歌う人に交じって歌う。全員八十歳台の後半から九十歳台の会員が声を張り上げて歌うのは壮観だ。

私は旧制富山高校の出身だ。旧制高校が廃止になり、その最後の学年に在籍した。これらの寮歌祭にはできるだけ出席するようにしている。寮歌祭の最後には「琵琶湖周航の歌」を歌うのが常で、全員が輪になって歌う。これが近い将来なくなることは考えにくい。将来いつの日にか、これらの会が一つまた二つと姿を消す日が来ても、各校の思いがこもった寮歌の数々は一人ひとりの胸に刻まれるにちがいない。

〈参考文献〉

長野安恒『熱唱の架け橋』春秋社「春秋」２０１６年
尾崎良江『平成の愛唱寮歌八十曲選』国書刊行会　１９９７年
ことのは会『全国旧制高等学校　寮歌名曲選』２０１５年
ことのは会『全国旧制高等学校　寮歌名曲選』Part2　２０１７年
金田一春彦・安西愛子編『日本の唱歌（下）』講談社　１９８２年

シャルロット・コルデーを焦点に
――前稿で「不明」とした個所の解明をめざして――

秋間 実

本誌前号（40号）に寄せた編訳稿「ホイス大統領とユダヤ人たち（二）」の6「ラーテナウ暗殺に想う」のなかに（213ページ）、こういう記述があります――

「政治家殺害はドイツで社会的慣習になった。この点で、ドイツ革命の経過と終わりとは、フランス大革命と、それどころかロシア革命とさえ、異なっている。シャルロット・コルデーは個別現象〔Einzelerscheinung〕である〔不明〕。フランス革命とロシア革命とは、血なまぐさい国家テロの技術をつくり出した〔のであった〕。…」。

以下、右に「不明」とした個所をめぐって、また、ホイスがこのように言っている意味について、すこしわかってきたと思えることどももがあるので、書きとめます。

× × ×

このほど、セレスタン・ギタール『フランス革命下の一市民の日記』河盛好蔵・監訳（中公文庫、一九八六年）という分厚い記録を古書店から取り寄せて読む機会がありました。その一七九三年七月十三日の項（354ページ）にこうあります、――「『人民の友』紙の発行で広くその名を知られる傑物、国民公会議員マラーが、きょう午後六時、ひとりの女性に殺された。女性の名はコルデー嬢といい、貴族である。マラーは入浴中、左胸を短刀で一突きされ、即死した。犯人は〔ノルマンディーの〕カン出身の若い娘〔二十五歳〕だそうだ。暗殺の詳しい様子はあとでわかるであろうが、とにかく大事件である。

こんな風に何が何だか理由もわからぬまま死んでゆくのは遺憾千万なことだ」。

七月十七日の項（356ページ）には、続けてこうあります、――「きょうの夕方六時頃、マラーを殺害したシャルロット・コルデーが斬首された。彼女は罪状をすべて否認した」。

これが、この女性についての記事のすべてです。ここでわたしたちにとって肝要であるのは、この人によるマラーの殺しかたが当時にあってまったく独特で珍しいものであった、ということです。『日記』を通読すると、このことがよくわかるのです。なにしろそれの小さくはない部分が、ギロチンという効率のよい首斬り機械の連日のフル稼動による大量処刑の克明な記録にあてられているのですから。

膨大な数に及ぶ犠牲者たちのうちから、多かれ少なかれよく知られていると言える五人だけを選び出して、処刑の日付とともに掲げることにしましょう――

国王ルイ十六世（一七九三年一月二十一日）、

王妃マリー・アントワネット（同年十月十六日）、

化学者ポール＝アントワーヌ・ラヴォアジエ（一七九四年五月八日）、

文士アンドレア・シェニエ（同七月二十五日）(注)、

政治家マクシミリアン・ロベスピエール（同七月二十八日）。

（注）シェニエには「シャルロット・コルデーへ献げる歌」と題する文章もあるそうです。（『日記』564ページの注（2）、参照）。――なお、老生が「シェニエ」という名を知ったのは、イタ―リアのロマンティック歌劇の最後の大作曲家ウンベルト・ジョルダーノ（一八六七―一九四八）が書いて一八九六年にミラーノのスカラ座で初演されたオペラ『アンドレア・シェニエ』の東京での公演（いつのことでしたか）によってです。

ホイスは、ギロチンによる当時のこのような大量殺人と対比して、短刀を使ってのマラーの刺殺というシャルロット・コルデーのあの行為を、要人の殺しかたとしてはまったく異例な例外的なものであったと認定し、これを「シャルロット・コルデーは個別現象である」と言いあらわしたのではないでしょうか？　Einzelerscheinung は「孤立現象」ないし「孤立事象」と訳したほうがよかったのかもしれません。

（二〇一九年　七月二十八日）

文庫を読む⑧　辻邦生『安土往還記』

斉田睦子

わたしの文庫の棚にはいずれ読むだろうと思いながら、何年もそのままにしているものが何冊かあります。表題の本もその一冊です。それは「辻邦生」という著者に曰く言いがたいイメージがあってのことだと思うのです。

三十年も前のことになりましょうか。わたしは信濃町にあった上智大学の女子寮で辻さんをお見受けしたことがあります。その日はフランス文学の読書会で辻さんから教えを乞う幾人かの寮生が集まっており、わたしはそのうちの一人に用事があって訪ねた折のことでした。

「白皙の文学者」というのはこのような方を表現するためにあるのだろうか、とその横顔を見つめた思い出とともに、近寄りがたい存在としてわたしのなかに生き続けてきたのですが、何となく気になっていたタイトルは安土地方の紀行だろうかと軽い気持ちで読みはじめました。

ポルトガルのならず者の船乗りが遺した記録（匡底深くした古文書）を著者が読み解くというかたちで始められるこの物語は、信長に謁見し、その後、信長のなかに言い知れぬ孤独な内面を見出し、異質な孤独感を漂わせる光秀によって討たれるまでを、じつに小気味よく描いています。饗庭孝雄さんはこの作品を「歴史小説」の枠には収まらない、と解説で述べていますが、まったく同感です。偏見畏るべしもまた。

ことばの雑記帳・第十三

秋間　実

その一　なにを根拠に「…師」と「…士」とが区別されるのか?

一定の専門的な知識と技能との習得・保持を国家ないし地方自治体に認証されて（つまり、免許を得て）日々の仕事にいそしんでいる人びとに、わたしたちは、「人生の師」・「恩師」・「老師」・「師匠」などと感謝・敬意をこめて書くときに使う「師」という字で終わる職名を充てています、——「医師」・「看護師」・「技師」・「教師」・「講師」・「歯科医師」・「獣医師」・「調理師」・「美容師」・「保健師」・「薬剤師」・「理容師」など。ところが、資質・能力を国家ないし自治体に認証してもらう必要がない請負師・庭師・漁師・猟師にも、また、占い師・占星術師・辻音楽師・道化師・魔術師・錬金術師にも、かてて加えて、明らかに人びとに敬重される資格などないいかさま師・詐欺師・地面師・ぺてん師にさえ、同じように「…師」という名を進呈しているのです。

どうしてこのようなでたらめな事態が同じ「…師」について起きてしまっているのでしょうか？　これが老生のかねてからの疑問です。が、いまはこのままにしておくことにしましょう。

他方では、par excellence に「…師」と言われてよいと老生には考えられる計理士と弁護士と弁理士とをはじめとして、一級建築士や栄養士や介護福祉士や気象予報士や歯科衛生士や児童福祉士や社会福祉士や保育士や臨床心理士などが、「…師」の仲間に入れられていないのはなぜか、という疑問があります。そもそも、「…師」と「…士」との区別——差別とまでは申しませんが——には、なにかわけがあるのでしょうか？　その解明こそ当面のいちばんの課題でしょうが、老生には、正直なところ、なんとも答えようがありません。どなたかお教えくださると（せめてなにか示唆なりとお寄せくださると）、ありがたく存じます。

その二　職業・属性・地位・身分などの表記は、どのようなグループに分けて行われるか?

以下、右のようなことを問題としたい、と思います。なお、この先も日本語の語の配列は、どこでもアイウエオ順とします。

まず、「…員」と表記される語が複数あることに着目して、これを一つのグループにまとめてみることにしましょう。さしあたり、「委員」・「運動員」・「会員」・「海員」・「会社員」・「館員」・「議員」・「教員」・「銀行員」・「構成員」・「公務員」・「裁判員」・「事務員」・「社員」・「所員」・「職員」・「乗務員」・「人員」・「審査員」・「船員」・「隊員」・「団員」・「通信員」・「鉄道員」・「党員」・「店員」・「部員」・「兵員」・「吏員」などを、メンバーとして挙げることができるようです。

つぎに、世間で〈…家〉と言われている人たちを取り上げて、その呼び名を並べていくことにします。このグループのメンバーは、当面、つぎのとおりです、――「愛煙家」・「愛好家」・「愛妻家」・「園芸家」・「演出家」・「演奏家」・「音楽家」・「画家」・「科学史家」・「革命家」・「活動家」・「企業家」・「恐妻家」・「金満家」・「作家」・「作曲家」・「資産家」・「実業家」・「資本家」・「社交家」・「写真家」・「書家」・「小説家」・「声楽家」・「政治家」・「専門家」・「大家」・「彫刻家」・「投資家」・「登山家」・「努力家」・「農家」・「発明家」・「版画家」・「批評家」・「冒険家」・「法律家」・「夢想家」・「野心家」・「落語家」・「酪農家」・「歴史家」・「浪費家」など。

続いて、「教官」・「警官」・「検査官」・「検察官」・「裁判官」・「次官」・「指揮官」・「試験官」・「事務官」・「司令官」・「長官」・「秘書官」・「副官」・「面接官」など、「…官」をメンバーとするグループが一つつくれましょう。

つぎには、サ行にはいって、まず、「悪妻」・「愚妻」・「賢妻」・「夫妻」・「良妻」・「老妻」あたりをメンバーとして、ごく小さなグループがつくれましょう。

そのつぎの、同じ音の「異才」・「偉才」・「鬼才」・「奇才」・「秀才」・「天才」・「鈍才」・「能才」・「凡才」などとして括れる語のグループも、小さめです。

このあとは、これまでのいくつもの「…士」のあとを継いで、さしあたり、「運転士」・「学士」・「機関士」・「棋士」・「騎士」・「義士」・「国士」・「策士」・「志士」・「修士」・「修道士」・「消防士」・「紳士」・「戦士」・「壮士」・「操縦士」・「闘士」・「名士」・「博士」・「武士」・「文士」・「兵士」・「弁士」・「勇士」・「力士」・「浪士」、以上を挙げておくことにします。

つぎに、「…使」として括れることばがいくつかあります。主なものは、「遣隋使」・「遣唐使」・「遣明使」・「朝鮮通信使」といった、昔の日本のまた外国の外交使節に付けられた職名で、これに、「公使」・「大使」・「勅使」・「天使」・「特使」・「密使」が加わります。あれこれ取り集めてもやっと一〇語、というところです。それでもこれを小さなグループの一つとすることはできましょう。

続いては、〈し〉と〈じ〉とが入りまじった「王子」・「君子」・「公子」・「皇太子」・「嗣子」・「次子」・「庶子」・「女子」・「男子」・「嫡出子」・「天子」・「遊子」・「養子」といった語をまとめて、小さめのグループを一つつくることができます。

つぎには、同じく〈し〉と〈じ〉とが入りまじった「行司」・「国司」・「祭司」・「上司」を一括して、ごく小さなグループとすることができます。古代の職名（「国司」）を併せてもわずか四語ですから、たぶん最小のグループということになるでしょう。

続いては、「嬰児」・「園児」・「球児」・「麒麟児」・「健児」・「孤児」・「三歳児」・「死児」・「女児」・「男児」・「豚児」・「乳児」・「風雲児」・「幼児」などをまとめて、一つの小さめなグループとすることができるでしょう。

つぎには、同じ〈じ〉の音（おん）を持つつぎの語をまとめて、これまたごく小さなグループが一つつくられましょう、――「幹事」・「監事」・「刑事」・「参事」・「執事」・「知事」・「判事」・「理事」・「領事」。

ついで、「…者（しゃ）」（また「…者（じゃ）」）として括れる語を挙げていくことにしますと、「愛国者」・「医者」・「隠者」・「易者」・「演技者」・「縁者」・「演奏者」・「王者」・「回答者」・「該当者」・「加害者」・「科学者」・「学者」・「関係者」・「観察者」・「監視者」・「患者」・「鑑賞者」・「観測者」・「気候学者」・「記者」・「技術者」・「気象学者」・「犠牲者」・「起草者」・「喫煙者」・「希望者」・「教育者」・「競技者」・「強者」・「業者」・「行者」・「共犯者」・「キリスト者」・「勤労者」・「求道者（ぐどうしゃ）」・「経営者」・「経済学者」・「芸者」・「見学者」・「研究者」・「健常者」・「購読者」・「候補者」・「高齢者」・「妻帯者」・「作者」・「搾取者」・「殺人者」・「参加者」・「参列者」・「司会者」・「指揮者」・「識者」・「思索者」・「自殺者」・「死者」・「使者」・「自然科学者」・「視聴者」・「質問者」・「社会科学者」・「社会学者」・「宗教者」・「実務者」・「指導者」・「支配者」・「弱者」・「主権者」・「主催者」・「出演者」・「出資者」・「受賞者」・「殉教者」・「障がい者」・「勝者」・「消費者」・「信者」・「数学者」・「聖者」・「生存者」・「生物学者」・「生理学者」・「創始者」・「走者」・「第一人者」・「打者」・「地質学者」・「地震学者」・「地理学者」・「著者」・「諜者」・「通学者」・「通勤者」・「哲学者」・「天文学者」・「当事者」・「統率者」・「統治者」・「同伴者」・「読者」・「忍者」・「年金者」・「納税者」・「敗者」・「歯医者」・「覇者」・「被害者」・「筆者」・「評者」・「仏教者」・「物理学者」・「編者」・「法学者」・「傍観者」・「亡命者」・「保菌者」・「保持者」・「眼医者（めいしゃ）」・「亡者（もうじゃ）」・「役者」・「訳者」・「藪医者（やぶいしゃ）」・「容疑者」・「落伍者」・「利用者」・「列席者」・「旅行者」・「労働者」など、うんざりするほどたくさんあります。

続いては、「…手（しゅ）」として括れる語のグループの仲間として、さしあたり、「運転手」・「歌手」・「外野手」・「旗手」・「騎手」・「技手」・「国手」・「鼓手」・「射手」・「助手」・「信号手」・「選手」・「舵手」・「敵手」・「転轍手」・「投手」・「内野手」・「捕手」・「名手」などを挙げることができます。

なお、同じ〈しゅ〉の音を持ってはいるがそのつど別の漢字で記される、「看守」・「元首」・「戸主」・「祭主」・「社主」・「船主」・「当主」・「党首」・「馬主」・「楼主」、といった語の小グループを設けることもできましょう。

つぎに、「…人」（また「…人」）として括れる語のグループをつくってみると、メンバーとして、「愛人」・「悪人」・「案内人」・「偉人」・「異人」・「依頼人」・「受取り人」・「宇宙人」・「猿人」・「恩人」・「怪人」・「外人」・「佳人」・「家人」・「歌人」・「火星人」・「閑人」・「鑑定人」・「管理人」・「奇人」・「義人」・「貴婦人」・「旧人」・「狂人」・「苦労人」・「軍人」・「芸人」・「芸能人」・「下手人」・「県人」・「原人」・「見物人」・「言論人」・「公人」・「行人」・「黒人」・「古人」・「故人」・「個人」・「才人」・「差出し人」・「参考人」・「散人」・「賛同人」・「詩人」・「私人」・「支配人」・「主人」・「囚人」・「使用人」・「証人」・「商人」・「商売人」・「職人」・「新人」・「推薦人」・「成人」・「聖人」・「西洋人」・「世話人」・「先人」・「仙人」・「善人」・「相続人」・「大人」・「立会人」・「代理人」・「他人」・「知識人」・「知人」・「超人」・「著名人」・「付添人」・「哲人」・「党人」・「同居人」・「同人」・「当人」・「同人」・「東洋人」・「読書人」・「渡来人」・「仲買人」・「日本人」・「俳人」・「白人」・「犯人」・「番人」・「被告人」・「暇人」・「病人」・「夫人」・「婦人」・「武人」・「文人」・「別人」・「弁護人」・「変人」・「補佐人」・「発起人」・「本人」・「未亡人」・「未来人」・「民間人」・「名人」・「役人」・「野人」・「野蛮人」・「友人」・「有名人」・「要人」・「余人」・「呼びかけ人」・「料理人」・「両人」・「隣人」・「麗人」・「令夫人」・「老人」・「浪人」など、けっこうたくさん挙がります。

つぎには、タ行へ進んで、「…長」として括れる語の仲間として、さしあたり、「委員長」・「医長」・「院長」・「駅長」・「園長」・「会長」・「家長」・「課長」・「係長」・「学長」・「楽長」・「館長」・「幹事長」・「艦長」・「気象台長」・「機長」・「議長」・「級長」・「局長」・「区長」・「組長」・「検事長」・「校長」・「裁判長」・「座長」・「自治会長」・「市長」・「次長」・「事務長」・「首長」・「所長」・「船長」・「総長」・「村長」・「隊長」・「団長」・「町長」・「艇長」・「店長」・「天文台長」・「班長」・「部長」を挙げておきましょう。

続いては、ナ行の〈ぬし〉という読みを共有する「買い主」・「飼い主」・「株主」・「借り主」・「神主」・「地主」・「名主」・「荷主」・「持ち主」・「雇い主」・「宿主」・「家主」といった語をメンバーとして、小さめなグループを一つ立ち上げることができるでしょう。

こんどは、ハ行の「…兵」として括れるつぎのような語を集めて、一つのグループをつくってみましょう、――「衛生兵」・「衛兵」・「海兵」・「騎兵」・「義勇兵」・「軽騎兵」・「憲兵」・「工兵」・「近衛兵」・「輜重兵」・「州兵」・「新兵」・「水兵」・「先兵」・「通信兵」・「敵兵」・「廃兵」・「負傷兵」・「砲兵」・「歩兵」・「民兵」・「老兵」、などで。

また、マ行の「…民」として括れる「漁民」・「区民」・「愚民」・「県民」・「国民」・「市民」・「庶民」・「臣民」・「人民」・「選民」・「村民」・「町民」・「都民」・「道民」・「難民」・「農民」・「貧民」・「府民」・「暴民」・「文民」などといった語のグループもつくれましょう。

さらに、「…者」と訓読みされる語をいくつか集めてみれば、そのなかに「愚か者」・「果報者」・「正直者」・「拗ね者」・「怠け者」・「ならず者」・「人気者」・「馬鹿者」・「ひねくれ者」・「ひょうきん者」・「若者」などがはいるでしょう。

最後に、特定分野の専門家たちが自己規定を言いあらわすのによく口にする——なにやらひょうきんでユーモラスな——「…屋」という異色の表現のいくつかに目をやって、この項を閉じることにしましょう、——「(映画)字幕屋」・「地質屋」・「哲学屋」・「化学屋」・「物理屋」・「法律屋」など。

その三　日本語のアクセントをめぐって

たいていの日本人は、ふだん使いなれていることばのアクセントのことなどまったく意識することなく過ごしている、ように見受けられます。そのためにしかし不都合が生じることもあるのです。げんに老生自身にそういうことが起こりました。一九七〇~八〇年代にでしたか、自分の姓(苗字)の読みに不適切なアクセントを付けていることを気づかされた、ということがあったのです。「秋間」の読みは、アクセントなしの〈あきま〉か〈あきま〉かでしょうが、なんの考えもなしに当りまえのように〈**あきま**〉と発音していたらしいのです。これを若い同僚や長女に指摘ないし批判されたのでした。「あきま」と言っていたのは、たとえば「阿部」・「安倍」を〈あべ〉と発音するのと同類の、みっともない行為だったわけですね。反省して、それからはもっぱら〈あきま〉と名乗っているしだいです。

そして、それ以来、いくらかなりと日本語のアクセントについても注意を向けるようになりました。たとえば、早い話、かなで書けば同じ綴りでも「家長」と「課長」とではアクセントがまるで異なっている(〈かちょう〉と〈かちょう〉と)というようなことに気づかされうなずかされることになったわけです。

つぎには、さしずめ、ヨーロッパ語がらみの話で、或るヨーロッパ語が日本にはいってきてその一単語が日常語になったさいに原語のアクセントが移動させられてしまっている、よくあるケースを見てみることにします。

たとえば、「イメージ」という日常語があります。原語はイギリス語の image ですから、日本でも〈イミジ〉ないし〈イメージ〉と発音されておかしくないはずですが、実際には〈イメージ〉という発音がまかり通っているようですね。

たとえばまた、わたしたちがよく耳にし目にもする「大河ドラマ」・「土曜ドラマ」といったことばがあります。「ドラマ」のもともイギリス語のdramaですから、日本語でも〈ドラーマ〉と発音され「ドラーマ」と書かれてよいはずなのに、昔から〈ドラマ〉「ドラマ」になってしまっているのです。

つぎには、「マネージャー」という日常語に言及します。もとはイギリス語のmanagerですから、〈マネジャー〉と発音し「マネジャー」と表記するのが適切である、と老生は考えているのですが、だれもそうはしないで、世の中は「マネージャー」一色のように見受けられます。なんと、手もとの岩波『新英和辞典』（補訂版）（中島／忍足・編、一九八一年）にも、訳語の一例として「マネージャー」とカタカナ書きされて出ているではありませんか！　これでは、読者に〈マネージャー〉と読めと促し、また、「マネージャー」にお墨付きを与えている、ようなものです。忍足欣四郎さんは、むかし東京都立大学人文学部で敬愛する同僚の一人でしたが、この点では残念ながら賛同しかねます。あしからず！

さらには、また、大学生などが、手っ取りばやく現金収入を得るために勉強そっちのけで従事する副業を念頭に、〈いまアルバイト〔バイト〕探してるんや〉、などとよく言うようですね。もとになっているのはドイツ語の名詞Arbeitで、そのアクセントは語頭にあります。ところが、日本語では、〈アルバイト〉（さらには、〈バイト〉）になってしまっているのではないでしょうか？　老生は、どちらにも反対で、〈アルバイト〉と発音します。これがまともなところでしょう。

ところが、こんな老生にもじつはばつが悪い話が一つあるのです。それは「バレーボール」のことです。原語はイギリス語のvolley ballですが、日本ではだれも〈ヴァリボール〉などとは言わず（「ヴァリボール」と書きもせず）、〈バレーボール〉一色のようです、――老生を含めて。これには、〈他人さまのことをあれこれ言えた義理じゃないなぁ〉、と苦笑せずにはいられません。

最後に。たとえば「佐藤」と「砂糖」とでは言い間違い〈アクセントの付けちがい〉が起こるおそれは万に一つもないと考えられて、ここには複雑な事情などまったく見あたりませんが、たとえば「箸」と「橋」とを並べて見くらべると、ほんの少し事態が込み入ってくるようです。と言うのも、「箸」の読みは〈はし〉ないし〈～ばし〉だけでしょうが、「橋」には、〈はしを渡る〉と言うときの読みと、〈大橋〉・〈吊り橋〉などアクセントなしの読みと、この二つがあって、たとえば「千住大橋」・「勝鬨橋」など、〈はし〉とはちがう〈はし〉〈〈ばし〉〉という――「箸」と同じ――読みをされる語もあるからです。――もう一つ、「熊」の音は〈クマ〉でしょうが、「ツキノワグマ」・「ホッキョクグマ」などでは、〈クマ〉へではない別の移動がアクセントに起きています。老生にとっては興味ぶかい現象です。こうしたことは、ほかにもたくさんあるのでしょうか？　承知したいものです。

その四　ヨーロッパ語の固有名詞〔地名・人名など〕のアクセントとどう付き合ったらよいのか？

本誌第38号に寄せた拙稿「ことばの雑記帳・第十二」の終わりに近く（201ページ）、日本でメディアがスイスの有名な保養地Davosの表記を「ダヴォース」でなく「ダボス」にしてしまっていることに同意できない旨、ほのめかしました。まったくの話、老生は、外国の地名や人名などをできるだけ現地で定着している（と判定される）とおりに発音したカタカナ書きしたい、とねがっているのです。

まず地名では、たとえば、（以下、順不同）America（Amerika）を「アメリカ」ではなく「ア**メー**リカ」と、Zürichを「チュー**リッ**ヒ」ではなく「**チュー**リヒ」と、Torinoを「**ト**リノ」ではなく「ト**リー**ノ」と、Neandertalを「ネアンデル**ター**ル」ではなく「ネ**ア**ンダタール」（ネ**ア**ンデルタール）と、Parisを「パリ」ではなく「パ**リー**」と、Heidelbergを「ハイデル**ベ**ルク」「ハイデル**ベ**ルグ」ではなく「**ハイ**デルベルク」と、Berlinを「ベルリン」ではなく「ベル**リー**ン」と、Milanoを「ミラノ」ではなく（イギリス人がそうしているらしいように「ミラン」でもなく）「ミ**ラー**ノ」と、Leipzigを「ライプ**チ**ヒ」「ライプツィヒ」ではなく「**ライ**プツィヒ」と、Weimarを「ワイ**マー**ル」ではなく「**ヴァ**イマル」と、それぞれ発音しまた表記したいし、つぎに人名では、たとえば、Adenauerを「アデナウァー」ではなく「**アー**デナウァー」と、Elisabethを「エリザ**ベー**ト」ではなく「エ**リー**ザベト」と、Schmidtを「シュ**ミ**ット」ではなく「**シュ**ミット」と、Smithを「**ス**ミス」ではなく「ス**ミ**ス」と、Schleiermacherを「シュライエル**マ**ッヘル」ではなく「シュ**ラ**イアマハー（シュ**ラ**イエルマハー）」と、Feuerbachを「フォイエル**バ**ッハ」ではなく「**フォ**イヤバハ（**フォ**イエルバハ）」と、Beethovenを「ベー**トー**ヴェン」ではなく「**ベー**トホーフェン」と、Hölderlinを「ヘル**ダー**リン」ではなく「**ヘ**ルダリーン」と、Leibnizを「ライプ**ニ**ッツ」ではなく「**ライ**プニツ」と、Rooseveltを「ルーズ**ベ**ルト」ではなく「**ロー**ズヴェルト」と、Washingtonを「ワシントン」ではなく「**ウォ**シントン」と、それぞれ発音しまた表記したい、と望んでいるわけです、――書くときには、もちろん、とくに必要があるのでなければ、太字でアクセントの所在を示すようなことはしませんが（つまり、たとえば「ベル**リー**ン」はただ「ベルリーン」と書くだけですが）。

読者諸兄姉はどのようにお考えでしょうか？　また、どのように発音したり書いたりしていらっしゃるでしょうか？

ここで、現代日本を代表する知識人の一人であられた故加藤周一さん（一九一九－二〇〇八）が珍しくつまずいたと老生が判定する興味ぶかいケースを紹介したい、と思います。問題になるのは、二十世紀を代表する大哲学者の一人であったとも言われるドイツの Martin Heidegger（一八八九－一九七六）の姓をどう読む（また、表記する）のがよいのか、ということです。本人は〈ハイデガー〉と名乗っていたようで、これは、手もとの独和辞典また英和辞典の該当項目の発音表示によっても裏づけられています。ところが、老生が承知している加藤さんの表記は、ほかではまったく見たことのない「ハイデッガ」でした。たぶん、gが二字つづいてggという綴りになっている点に着目されてのことでしょう、イギリス語の「ハム・アンド・エッグズ」あたりの〈エッグ〉という発音・「エッグ」という表記に同調するかたちで、さらにこの促音を強調する意図をこめて、「ハイデッガ」と書くことにきめておられたのではないか、と推測されます。そして、〈ハイデッガ〉と発音してもおられたことでしょう。でも、これは適切ではありませんでした。残念ながら。

ついでに付け加えましょう。フランス生まれの現代作曲家アルテュール・オネゲル（Arthur Honegger 一八九二－一九五五）の両親はスイス人でした。老生の推察では、〈ホネッガ〉と名乗ってはいなかった（〈ホネガー〉と名乗っていた）はずです、――姓の綴りが Heidegger と同じく gg を含んではいても。

つぎには、ドイツ語に的（まと）をしぼって、普通名詞のアクセントを調べてみることにしましょう。

まず、一方で、複数になるとアクセントが移動するという独特な性質を具えた普通名詞が目にはいります。それは、orを語尾とする―さしあたり―つぎの二九語です――表①

アクセントの移動とは、どのようなことでしょうか？　それは、つぎに示すとおり、これまでのアクセントがいわば右へ押しやられて語尾orのO（オー）に引き渡される、ということです。そのさい、oの音（オーおん）が延ばされて〈…オーレン〉と読まれることになります――表②

つぎに、他方、erを語尾とする「…をする人」を言いあらわすきわめて多数の名詞があります。そのごくごくごく一部を掲げます（149ページ）。ここでは、すべて単複同形で、アクセントの移動もありません――表③

ところで、表③はすべて、語尾erが明示しているとおり、男子を指し示す（言いあらわす）語です。女子を指し示す（言

②

Agit**a**tor → Agitat**o**ren
Ass**e**ssor → Assess**o**ren
Autor → Aut**o**ren
Dir**e**ktor → Direkt**o**ren
D**o**ktor → Dokt**o**ren
Initi**a**tor → Initiat**o**ren
Inquis**i**stor → Inquisist**o**ren
K**a**ntor → Kant**o**ren

Kompr**e**ssor → Kompress**o**ren
Kondens**a**tor → Kondensat**o**ren
K**o**nditor → Kondit**o**ren
Kond**i**tor → Kondit**o**ren
Konquist**a**dor → Konquistad**o**ren
Konr**e**ktor → Konrekt**o**ren
Kr**e**ditor → Kredit**o**ren
Kunkt**a**tor → Kunktat**o**ren
Liquid**a**tor → Liquidat**o**ren
Manipul**a**tor → Manipulat**o**ren

M**o**tor → Mot**o**ren
Organis**a**tor → Organisat**o**ren
P**a**stor → Past**o**ren
Prof**e**ssor → Profess**o**ren
Re**a**ktor → Reakt**o**ren
Refl**e**ktor → Reflekt**o**ren
R**e**ktor → Rekt**o**ren
Salv**a**tor → Salvat**o**ren
Usurp**a**tor → Usurpat**o**ren
Ventil**a**tor → Ventilat**o**ren
Z**e**nsor → Zens**o**ren

①

Agitator（アジテーター）
Assessor（司法官試補）
Autor（著者）
Direktor（所長、ディレクター）
Doktor（博士）
Initiator（首唱者、発起人）
Inquisitor（異端審問官）
Kantor（プロテスタント教会の合唱指揮者兼オルガン奏者）
Kompressor（圧縮機、コンプレッサー）
Kondensator（凝縮器、コンデンサー）
Konditor（創立者）
Konditor（菓子製造業者、菓子店主）
Konquistador（征服者、スペイン人）
Konrektor（副校長（教頭））
Kreditor（債権者）
Kunktator（優柔不断な男）
Liquidator（清算人）
Manipulator（遠隔操作装置、マニュピュレーター）
Motor（発動機、エンジン）
Organisator（組織者）
Pastor（牧師）
Professor（大学教授）
Reaktor（原子炉）
Reflektor（反射鏡）
Rektor（大学学長）
Salvator（救済者）
Usurpator（簒奪者）
Ventilator（扇風機）
Zensor（検閲官）＊

＊イギリス語にも、actor（俳優）・advisor（助言者）・ambassador（大使）・counsellor（相談相手）・emperor（皇帝）・victor（勝利者）・visitor（訪問者）など、or を語尾とする語がありますが、当面、もちろん対象外です。

③

Angler（釣りをする人）
Besucher（訪問者）
Beter（祈る人）
Bezahler（支払い人）
Denker（思索者）
Dichter（詩人）
Fahrer（運転する人）
Führer（指導者、案内人）
Geiger（ヴァイオリニスト）
Händler（小売り商人）
Herausgeber（編者）
Hörer（聞き手）
Kaiser（皇帝）
Kämpfer（戦士）
Künstler（芸術家）
Lehrer（教師）
Leser（読者）
Maler（画家）
Mieter（住宅などの借り手）
Minister（大臣）
Musiker（音楽家）
Ober（給仕、ボーイ）
Sänger（歌手）
Schüler（生徒）
Schwimmer（泳ぎのできる人）
Sportler（スポーツマン）
Sprecher（語り手、スポークスマン）
Springer（跳躍競技の選手）
Tänzer（ダンサー）
Täter（犯人、下手人）
Unternehmer（企業家）
Verbraucher（消費者）
Verbrecher（犯罪者）
Verfasser（著作者）
Vermieter（賃貸人、家主）
Wissenschaftler（科学者）

いあらわす）語は、右のそれぞれの語尾にinを付けたしてつくられています、――たとえば、Dichterin（女性詩人）、Geigerin（女性ヴァイオリニスト）、Schülerin（女生徒）、などなどと。複数形は、これにさらにnenが付けたされたDichterinnenなどなどです。アクセントの移動は起きていません。

さて、ここで話題にしたいことが二つあります。

一つは、男子の名前からつくられた女子の名まえについてです。たとえば、Viktor（Victor）〈ヴィクトア〉からViktoria（Victoria）〈ヴィクトーリア〉がつくられ、Emil（エーミール）からEmilia（エミーリア）ないしEmilie（エミーリエ）がつくられ、Heinrich（ハインリヒ）からHenriette（ヘンリエッテ）がつくられます。そして、興味ぶかいのは、そのさい、アクセントの移動が生じていることです。すなわち、〈**ヴィ**クトア〉が〈ヴィク**トー**リア〉に、〈**エー**ミール〉が〈エ**ミー**リア〉ないし〈エ**ミー**リエ〉に、〈**ハ**インリヒ〉が〈ヘンリ**エ**ッテ〉に、それぞれ変わっているのです。ただし、こうしたケースがほかにも多数あるのかどうか、つまり、一般規則になりえるほど多いのかどうか、それは老生にはわかりません。

二つには、ひところ、論文集などの表紙や巻頭部分（日本語の書物で言えば「奥付」にあたる）に女性形をつくるあの

inがInと印刷されている（すなわち、小文字iが大文字Iに替わっている）ケースが目についたこと、それも複数形が多いように見えたこと、にかんしてです。代表例は„HerausgeberInnen"（「女性編者たち」）です。〈この本を編んだのは——男たちじゃなくて——あたしたち女なのよ〉、と強調して購読者・読者の注意を惹き関心を呼びさます、当事者たちの高ぶった凛とした心の構えがここに表現されている、と、老生はこれに出会うたびに受けとめたものでした。この斬新な印字のしかたにはその後お目にかかっていませんが、まだ健在なのでしょうか？　いずれにせよ、この印象・感銘は、老生の意識にいまも変わらずに残っています。

　さて、そのうえでいま老生が知りたいのは、ああいうものを共同で意気たかく実現したときに当事者たちの頭のなかで当の語のアクセントの移動が生じていなかったかどうか、つまり、Herausgeberinnen〈ヘ**ラ**ウスゲーバリネン〉がHerausgeberInnen〈ヘラウスゲーバ**リン**ネン〉になっていなかったかどうか、ということです。〈重箱の隅を楊枝でほじくるようなくだらない詮索だ〉、と嘲られるかもしれませんが、老生には気になってしかたがないのです、——〈これに答えてくれるのは、しかし、ただ当事者ご本人たちだけで、いまとなってはもう確かめようがないなぁ〉、と、なかば(以上)諦めてもいますが。

今後とも、ことばをめぐるさまざまな事柄について——もちろんただの哲学屋としてにすぎませんが、それなりに——観察・考察を広げ深めていきたい、とねがっています。

（二〇一九年四月二十日）

付1

ことばの覚えはじめをめぐって

ことばは普通だれでも幼少のころ知らず識らずのうちにいつの間にかけっこうたくさん覚える（そして、つぎつぎに殖やしていく）ものでしょうが、老生には、小学校入学のすこし前の幼年期の或る日に、「惚れてる」（「惚れる」）という耳なれないことば（漢字はずっとあとに覚えました）を〈これは、別世界のまったく異質なことばだなぁ〉と幼ごころなりに明確に鮮明に意識させられながら覚えた（貧しい語彙のなかへ新しく取り入れた）という、ひょっとすると珍しいのかもしれない経験があります。つまり、老生にとって「惚れる」「惚れてる」という右の語は、「知らず識らずのうちにいつの間にか…覚え」てしまったことばの一つではないのです。

　ことのしだい（大げさに言えば、この経験の具体的な内容）は、ほぼつぎのとおりです、——お隣の柿沼さんの家にたしかサトエちゃんという名の同い年ぐらいの女の子がいて、この子とは家族ぐるみの良好な付き合いの一環として無邪気にいつも連れ立って仲よく遊んでいただけなのに、その日、突然、近所の顔見知りの少し年上のませた男の子に〈秋間のやつ柿沼に惚れてるっ！〉と大声でみんなの前で囃したてられたのでした。

その結果、もちろんそれまでに知る由もなかったいわばおとな専門（!?）のあの表現を幼ない意識のなかへ無理やりたたきこまれる、ということになったわけです。

そして、この経験が老生にとって最初の（いちばん古い）〈新しいことばとの劇的な出会い〉であった、ということに、疑いの余地はありません。

その後、こんどはたぶん小学校上級か中学一年生か二年生かのころだったでしょう、自分の姓を含む「あきまへん」というそれまでに聞いたことのない関西語（と受けとめました）に接したとき、おもしろいと思ったことがあります。ただそれだけのことですが、この出会いあたりが、ひょっとすると、老生がことばというものに興味を持つようになった始まりかもしれません。

付２

ことばのおもしろさ（おかしさ）とこわさとをめぐって

一九四〇年に東京府立一中（当時）に進学して、二年生か三年生かのときの或る日、化学の授業で、燐と酸とが化合してできる酸化燐という物質について教わりました。先生が〈サンカリン〉と発音されたとき、近くの席の某君が、サッカリン――当時ますます手にはいりにくくなってきていた砂糖の代わりに使われはじめていた、強力な人工甘味料――を連想したのでしょう、〈サッカリン〉とつぶやくのが聞こえました。そして、老生には、これが耳にはいった途端、なにやらおかしくて、思わず頰がゆるむのがわかりました。まわりの連中も同様だったようで、おかげで、教室全体のそれまでの張りつめた空気がいっぺんにやわらいで和やかになったのでした、――私語がふえて授業の妨げになるようなことはありませんでしたが。

くだって一九五〇年代のはじめ、大学院生のときに非常勤講師として母校（「東京都立日比谷高校」と名まえが変わっていました）で奇特で熱心な生徒たちにドイツ語の初歩を教えていた或る日、職員室の片隅で、体育科の男の先生が二人、家庭科のお年寄りの女性教諭を相手に、〈先生がいらっしゃるところはいつも桜が咲いているようで明るくて…〉とかなんとかうまいことを言っておだてているのに出会いました。家庭科のこの老先生がまもなく席を離れたあと、二人の中年の男性同僚は、〈うばざくら〉と小声で言って顔を見合わせてたのしそうに笑っていました。ことばが陰で――とくに悪気はなくても――人を傷つけるのに使われていたわけですね。男ってけっこうたちがわるいな、と感じたことを覚えています。

その後一九五五年の秋から南ドイツはミュンヒェンで暮らすことになりました。或る日、日本からこられた或る教授と、ご一緒する予定の視察旅行の計画を検討していたとき、Zwiesel（ツヴィーゼル）という地名が出てきたさいに老生がなに気なくZwiebel（ツヴィーベル）という一字ちがいの普通名詞（意味は、たまねぎ）を口にしたのを、たまたまその場に居合わせた知り合いの若いドイツ人が聞いて、〈アキマさんがドイツ語でしゃれを言った！〉、と（もちろんドイツ語で）言って感心しおもしろがった、ということがありました。似かよったことばを耳にすると、途端にたのしくなり心が和むのは、日本人でもドイツ人でも同じことだなぁ、と受けとめたものでした。

あれからほぼ六五年が経ったいま、たとえば、或る有名な家具店の社長の娘（つまり家具屋の娘）をかぐや姫――平安時代の初期につくられた『竹取物語』の美しいヒロイン――になぞらえたり、埼玉県を相手にその名の上に「だ」を付けて「ださいたま」とけなしたりからかったり、「サマランチ」という外国の要人の名まえがメディアに登場すれば、上に「お子」を加えてこれを「お子さまランチ」に変形・発展させたり、〈お墓のことを墓地墓地考えませんか〉といった広告を新聞に載せたりする、などなど、気がきいたちょっとしたことば遊びをつぎつぎに演じてわたしたちを楽しませてくれる、そういう才気ある日本人が世間にどれほど多いことか、しじゅう感心させられています。

他方でしかし、むかし（もとにもどって、敗戦後まもなくのころでしたかどうでしたか）こんなことがあったなぁと思い出させられるつぎの例は、ちょっと深刻です。すなわち、東京大学法学部で開かれた学生討論会かなにかの場で、「思惑」（「惑」は当て字です）を迷うことなく〈しわく〉と読んだ或る若者が、――「思惑」というこんな簡単なことばも識らないのか、ということから、――「偽東大生」と疑われ問いつめられ断定されて面目を失った、ということがあったのです。

かりに若者のその日の手控えに当て字が使われずに、「おもわく」と書かれ（印刷され）てさえいたら、いや、そもそも役所や新聞社などが日ごろから「思惑」はやめてせめて「思わく」を使ってさえいたら、こんな結果にはならなかったでしょうに！

新聞で事件について読んだとき、その若者がかわいそうでなりませんでした。

（二〇一九年五月十一日）

山崎正和、その哲学の形成

——『劇的なる精神』と『リズムの哲学ノート』を中心として（上）

村井睦男

はじめに

未だ学生気分が抜けきらない社会人二、三年の頃、山崎正和著『劇的なる精神』から受けた衝撃は大きく、それ以降山崎正和氏は現在に至るまで私はファンであり、大げさに言えば私の思考の導き手のような存在としてあり続け、尊敬し続けてきた人である。山崎氏がカバーされてきた広範囲な分野における各々の思考の深みは、それに触れる都度私は「はっと」して常に思考することの重要さを気づかせてくれるものであった。これまで氏の主要な著作についてはそれなりにカバーしてきたつもりであるが、その中身の記憶は恥ずかしながら現在わずか断片的にしか残っていない。

『劇的なる精神』から始まって、『演技する精神』、『柔らかい民主主義』、『社交する人間』、それらに続く『装飾とデザイン』、『世界文明史の試み』など、その他数多くの著作は、山崎氏のきらびやかな思索の結晶を物語るもので、これらは私の中に確実に位置付けられているが、それぞれの時点で世の関心を集めた作品群であった。そしてそれらが集大成されたものが『リズムの哲学ノート』（二〇一八年）として結実した。『劇的なる精神』（一九六六年）から実に五十余年の年月が経過している。

この長い期間に亘って積み上げられてきた山崎氏の主張の基本が、全くぶれていないことに驚かされると同時に、氏の追求される核心への想いがそれだけ強烈であったということを思い知らされるのである。

しかし、後に詳しく述べるが、山崎氏が一つの哲学的思想の形成・構築を目指してここまでの完成に至る努力を継続されたのには、思わぬパプニングがきっかけになったというエピソードは驚きであった。しかし、そのために準備に若干遠回りの時間が要請されたとしても、もともとしっかりと根付いていた氏の関心の方向は、最後までぶれることなく貫徹されたのは見事というしかない。注がれた膨大な量のエネルギーに深く深く頭が下がる思いである。

山崎氏が最も基本的な問題として疑問を持ち続けてこられたのは、近代以降の哲学思想が常識の世界を支配する形で席巻し、人々はそれがあたりまえの世界として慣れ親しんできてしまったことである。

氏は後年次のように述懐されている。これは氏の基本思想を理解する上で非常に興味深く、またわれわれがそれを理解するうえでの手掛かりとしても入りやすい道筋を与えていただいたと考えられることから、ここに引用しておきたい。氏がかねてから抱き続けてこられた長年の問題意識である。

「私は長く哲学を苦しめてきた病弊（以下傍線は筆者による）と、このリズムの構造を世界の根底に据えることによって、闘えると予想してきた。その病弊とは古来以来、かたちを変えては連綿と続いてきた、いわば「一元論的二項対立」と呼ぶべきものである。古代の形相と質料、近代の主観と客観、意識と外界、精神と物質など、哲学はさまざまな二項対立を掲げて、そのどちらかが真実在であるかを争ってきた。どちらかが真実在でなければならないのは、実はその背後にある一元論のせいであって、裏返せば、これがあればこの二項対立が生じるといえる。善といえば悪、光といえば闇、神といえば悪魔というように、一元論は必ずその反対物を呼び起こすのである。」

山崎氏にとって、このジレンマを解決するにはどうすれば可能になるかが最大の関心事となった。そしてこれを解決するには「最初から内に反対物を含みこみ、反対物によって活力を強められるような現象を発見し、これを森羅万象の根源に置くほかない」と考え、そういう現象が多分リズムだろうというところまで考えつかれたのである。

氏の目指されてきた思索の方向について、私の理解力が及ばないところがあるにしても、氏が切り込んでこられた常識の先にある人間行動の新発見ともいうべき新しい理解は、やがて多くの人々が認識する人間行動なのであるということは理解している。このことを多くの人たちに是非とも知ってもらいたいという思いがある。今回も私の役割は、この新しい哲学思想の一端を紹介するという意味で、山崎氏の主要な著作の読書案内人に徹することであると考えることから、ご理解をいただきたい。

本稿は前半部（上）と中間部（中）と後半部（下）に分かれている。前半部（上）については、山崎正和氏が明らかにされた新しい哲学思想の体系「リズムの哲学」の構築に至るプロセスを、出発点である『劇的なる精神』から始めて、その後の『演技する精神』、そしてリズムの哲学三部作といわれるうちの最初の二冊である『装飾とデザイン』、『世界文明史の試み』を通してその概要を見ていく。中間部（中）では長年の思索のもとに結実した『リズムの哲学ノート』の内容についてやや詳しく紹介したい。

後半の（下）部分は、私自身非常に興味ある部分でもあるが、この新しい山崎哲学思想「リズムの哲学」が、実際にわれわれの日常生活の中で常識的に感じられているなかで、発見されている気づきの現象についてその具体例を紹介する内容になっている。これは多くの人々が現在当たり前のこととして感じているというより、現時点では未だ限られた人々（知的な作業をしている人々、芸術の分野や文学の分野などにいる人々、或いはスポーツに特化して鍛錬が日常化している人々など）の間で経験され新鮮な発見につながっており、それらが時に外部に公表されているケースがあるが、それらのいくつかについて具体例や感想を紹介するものである。これらは私がこの新しい発見・認識に関心を持ち始め、日頃読書のなかでの出会いや、最近の新聞や雑誌にその体験が掲載された関連記事などを記録しておいたものの幾つかである。

このような常識的感覚と哲学の認識との相違を経験した人々が増加し、それが当たり前のことのように新たな発見を体験することで、長い間頭脳中心の理性、悟性による意識主流のガチガチに固まっていた状況から、身体的な感覚を含む認識体験の日常経験を通じた転換の気づきが少しずつ増加しつつあることを説明する。加えて、それらが日常のリズムを基調とした生活の中で粛々と進んで行く様子も含まれている。これは山崎哲学が目指した対常識世界の哲学的解釈が理解される環境が整い、西洋近代思想の哲学思想の根元が疑問視され、認識されつつあることで、新しい思考形態が始まりつつあることをも意味しているような気がしている。

第一章　『劇的なる精神』の衝撃

これが山崎哲学のスターティングポイントである。

山崎正和著『劇的なる精神』から私が強い衝撃を受けたのは学生時代であったのか、あるいは既に就職してしばらくの時期であったのか、記憶が定かでなかった。今般改めて読み直そうと取り出したところ、初版の発行が昭和四十一年七月（一九六六年、河出書房新社）であることが判明、私は既に企業に就職し駆け出しの頃であった。しかしこの著書から私が受けた印象は、その頃いろいろ読み漁っていた書物の中では群を抜いて強烈なものであったという記憶が残っている。この鮮烈な印象はその後ずっと消えることなく、ことある度に思い起こさせるほどであった。

当時聞きなれない〈アンビヴァレンツ〉という言葉の意味

に感動した。ドラマ（劇）におけるアンビヴァレンツという概念は、それまで耳にしたこともなく、当時は非常に新鮮で人々の関心を引いたものであった。

アンビヴァレンツとは、「例えば、愛と憎しみ、愛憐と快哉、勝利感と敗北感といった相反する感情を全く同時に感じること」と山崎氏は指摘されている。反対感情の同時存在、両面価値的状況によって思いが引き裂かれることを意味している。特にそれを演劇の舞台で役者が演じる命がけのあれかこれか思い悩む姿、それを見た観客も同時に同様に思い悩む。当時、例えば舞台で役者が演じるハムレットがあれかこれか思い悩む姿を想像して、私自身こういうことかと単純に理解していた節があった。しかし、人の生き方においてあれかこれかを思い悩む姿はドラマ（劇）で演じられる姿を通して観客に深い感動を与えるのだという私にとって全く新しい発見であったような驚きであった。漠とした不安のなか生きるうえでのあれかこれかの悩みは若者の注意を惹くテーマでもあって、それがドラマ（劇）の精神であるということを思い知らされた驚きでもあった。しかし、当時の私の認識は、「劇的なる精神」はアンビヴァレンツに繋がる広く精神一般をカバーするものというより、限定的な域を出るものではなかったように思われる。

再度この『劇的なる精神』を読み返して理解できるのは、著者が当時の日本が置かれていた社会的状況下で今後我々が構築し目指さなければならない方向までも展望し、提示し、熱く語っていることである。若かった私には山崎氏の描いているスケールの大きさが必ずしも十分に理解できていなかったようであった。

『劇的なる精神』は出版当時高く評価されたが、関連する演劇界の評論家・演出家の的確な書評がみられる。石澤秀二氏は、突如出現した山崎氏を演劇界の救世主とする評価を与え期待を高めている。また、（故）村上一郎氏は将来的に懸念されるファシズムに対しても演劇論から解決の可能性があるとする山崎氏の主張を高く評価しているのが注目される。

演劇評論家・演出家の石澤秀二氏は次のように述べている。（注①）「元来、劇は劇場に従属するものではなく、人間それ自体の存在のあり方である。氏が〃ドラマの快復〃と副題した最初のエッセイから出発した評論活動は、劇場から劇を快復することと同じ意味において、現象から現実を回復することの行為である。山崎正和は「まぎれもなく」文壇・劇壇を通じて、数少ない〃劇作者〃であることを本書で証明している。」また、文芸評論家村上一郎氏は当時次のように批評していた。（注②）「山崎はこのアンビヴァレンツを小楯に、今日の統一性を喪った世界・人間の行きづまりを、ファシズムへと導く恐れなしに、救済しうると説いている。大義や自由を単純に信奉する楽天主義が行きづまっている今日、人間は「実感」へと走り、ファシズムへの途をとってしまう。そこで山崎は「実感」に対する「禁欲能力」を主張する。この論の立て方を山崎は専門の演劇論から導き出しているところである。」
これらからもわかるように、この『劇的な精神』はきわめて広範囲を包含し展望した論説であり、緻密に検討吟味されたものであることがわかる。山崎氏のこの著書は昭和四十一年に出版されたもので、当時氏三十二歳の作品である（特に論説「劇的なる精神」の部分は昭和三十七年「文芸」に発表されたもので、出版に際して一部修正収録されたとしても当時山崎氏二十八歳であった）ことから、この鋭い歴史と時代を見据えた理論構築能力とこの主張にただ呆然と賞賛するのみである。

この著書には、当時の世相を踏まえた論説部分や米国留学の体験などその他の単評など雑多に含まれているが、山崎氏の当時の鋭い主張のポイントに絞ってとりまとめると、次のようになろう。（「　」内は山崎氏の表現のまま。）

（一）ドラマとアンビヴァレンツの関係について
ドラマは積極的にあらゆる世界観が自己崩壊しないでやまないような場所に成り立つものである。「私たちは世界に対する持ち合わせの納得が突然断ち切られて、現実の上にもはやどうにも辻褄が合わせられなくなった時、初めて激しくドラマを感じる。」

ドラマとはまさに独裁を許さないような認識であって、その点にこそドラマ独特の意味がある。それは各登場人物の主体性をそのままドラマ全体の認識主体性に結びつけていく。「作者や観客の側からいえば、それは自らの主体性を各登場人物の主体性にまで引き裂いていく認識である。要するにドラマとは、引き裂かれた認識、引き裂かれたパースペクティブの謂なのである。」
今日、多くの人々は、何事にも単純な感情しか持たなくなってしまって、アンビヴァレンツの感じ方に不慣れになってしまっている中での対応については、「歴史の中で積極的に生きようとする人間だけが、ひとにアンビヴァレンツを感じさせもするし、またそういう人間だけがそのアンビヴァレンツという感情を感じることができる。もう一度アンビヴァレンツを取り戻し、養っていくことが今日の演劇のつとめである」という強い決意が示されている。

（二）キリスト教とアンビヴァレンツ、及び日本人のアンビヴァレンツ
絶対を求めるキリスト教にアンビヴァレンツは許されない。キリスト教にあってはアンビヴァレンツの感情はあり得ない。それほどすべては神の下に済々と秩序立てられているからであると山崎氏はいう。「キリスト教にあってはタブーこそは典型的なアンビヴァレンツの対象であった。しかし「性」と「死」

はキリスト教の完全な浄化の後に残ったものであった。神聖であるが故に猥褻なもの。従って、もし悪魔という存在に積極的な原理があるものならそれは悲劇性と猥褻性、いいかえれば死と性の観念に結びついている。それは他ならぬアンビヴァレンツの感情をおいてはないというべきであろう。」

ヨーロッパにおいて二度の対戦の悲劇を経て、合理主義の歴史観によってどうしても説明できない悲劇「悪魔のような存在」を人々は持たざるを得なくなったことで、人々は自分に対するアンビヴァレンツを感じ始めたと氏は説明されている。

この関連で山崎氏が日本人の感じているというより感じなければならないアンビヴァレンツに関して、述べているところにも注目しておきたい。「われわれが近代化の過程で経験した一切の負い目と苦しみは、いま西欧の多元化を実現しつつあるアメリカ文化の存在証明にとってそのまま重要な礎石の一つになり得るように思われる。われわれは覚悟を定めなければならない。あれほどまでに伝統から引き裂かれ、しかもその伝統に不思議に決別しきれない私たちのアンビヴァレンツ——世界に例のないこの伝統アンビヴァレンツを除いては、日本の存在を世界に証し立てるものは何一つないのである」と。

(三) その他の関連する重要な指摘

この『劇的なる精神』を出版するにあたって、山崎氏は巻頭エッセイを書き下ろし、それが掲載されているが、その内容は当時氏の構想の中にあって氏が主張に最も深くコミットしているポイントでもあったと思われる。その内容を簡単に紹介しておく。これらはその後の山崎氏の思考展開の過程で重要な鍵である基礎的ポイントであったと考えられるからである。即ち、イ、われわれの出生の運命、ロ、人間の孤独の悲しみ、ハ、近代精神に欠けているもの　の3点についてである。

イ、われわれの出生の運命

私たちは運命によって自分の力ではなく、ある特定の時代に生まれあわせる。「いったい私たちは、どうしてある特定の時代に生まれなければならないのであろうか。そうして、それぞれの特定の時代は、どうして私たちの前に、あたかもその時代が永遠の正義であるかのような意匠をつけてあらわれるのであろうか。歴史のなかでいれかわりたちかわりして、相対的であるはずの時代というものが、なにゆえ絶対的な倫理をつきつけて、私たちに服従を要求するのであろうか。」人間の歴史は、そうした不幸な孤独者の、累々と積み重なる怨恨の遺書によってなりたっているのではないか、と疑問を投げかけられている。

ロ、人間の孤独の悲しみ

自らの力ではなく生まれ出た運命に対して、それに従順・

誠実に生きてきた軌跡の過程で、或いは古くは武士として死を遂げ、また兵士として戦争の犠牲者となって命を落とした人々の運命を思うとき、彼らの悲しみは一人で死に行くことの孤独に打ちひしがれるだけではなかった。山崎氏は次のように述べている。「おのれの孤独をまざまざと悟ったときにすら、私たちには「鈍感で、気まぐれな」連帯者的人間しか見つけだすことができないのである。耐え難いのは、私たちがただ孤独だということではない。世の中に孤独というものが積極的にあるという認識を、なんびととも分けあえない二重の孤独こそ耐え難いのである」と。

ハ、近代精神に欠けているもの

「日本の中世軍記が心込めて伝えるものが、ことごとく「滅びゆく武士たち」の姿であり、代表する『平家物語』が描く人間たちには、外から見えない孤独な感情というものがない」という。「かれらは高らかに笑い、はらはらと泣くのであるが、傷付いた獣の痛みのように、伝えようもない肉体の疼きというものを知らないのである。ただ彼らには、自分の行動を確かめるそれ以上の手応えとして、彼の外側に、いわば〈人生の観客〉とでもいうべきものがあったのである。」それが能楽における「旅僧」であったと説明される。旅僧のまえにただ現れることによって救われているのではないだろうか。旅僧はただ眺めている。「孤独な乱世の魂たちは、ただ、一人の人間によって眺められることを求めて、この世の舞台にさまよい出てくるのである。」と指摘。能楽における旅僧の役割を「歴史家」の眼差しを有するもの、「歴史家」とは招魂と鎮魂の祭祀者たる資格を持たねばならないと規定したのは亀井勝一郎であったと、山崎氏は高く評価されている。

旅僧に象徴されるこのような歴史の認識は、おそらく世阿弥の時代よりもはるかに以前から、日本の中世をつらぬいて生きてきていた思想であったにちがいないともいう。しかし、近代化という波が滔々と押し寄せるなかで「「時代への参与」と「実存的な自恃」というお互いに表裏をなす近代精神の二つの軸は、おそらく重大な何者かの欠損の上にたっているのだ」とまた、「人間は絶対に自由なのだという確信がこの世に運命の力が存在するということさえ忘れさせたのである」と結ばれている。これは若き日の山崎氏のたぎる想いが書かせたものであろう。

山崎正和氏は、『劇的なる精神』の最後のところで、現代におけるアンビヴァレンツの意義について再度述べられているが、次のように要約できる。

現代人はアンビヴァレンツの認識を完全に失って生きてはいけないのだという主張、なぜなら歴史には二つの面があって、一面は人がその中を生き抜けてきたものであり、もう一面は外に出てから振り返るというものである。そして「われわれは内からと外からと同時に二つの眼を持たずには歴史というものを完全に認識することができないのである。それは必然的に私たちの心を二つに引き裂き、私たちにアンビヴァレンツを強制する。」そしてここでの氏の主張の真骨頂は「歴史を知るということは、演劇的なる物の見方に似ている」と主張されているところである。「演劇を見るということは、常にその内側に生きながら外側に立つということである。……歴史というものがなくならない限り少なくとも演劇的な表現手法というものが失われることはない」という明確な主張で、ここでも演劇を巡る手法の歴史理解への普遍性が強調されているのである。

第二章　『演技する精神』による深化と展開

筆者はこの『演技する精神』が山崎哲学の形成における基盤を確たるものにしたという意味で、ここにおける氏の哲学的発見とも言うべき思考の究極の解答とこれまでの氏の内部での葛藤の結果が定着していった時期に当たると考えている。年齢的にも深く沈潜して精力的に追究していけるだけの気力が最も旺盛であった時期に当たっていた。『劇的なる精神』におけるアンビヴァレンツへの世界の解明に続いて、「劇（ドラマ）」から「それを演じる行動について」という次のステップにおける考察は、身体が演じるという具体的な次元に広がっていく哲学的思考の世界が確認されていく。

氏は先に『劇的な精神』によってドラマ（劇）におけるアンビヴァレンツの精神が、近代化の時間の経過のなかで進歩的歴史主義や自由主義の下でマンネリ化してしまっていることを嘆き、その精神を蘇らせ、先鋭化しなければならないことを強調してこられたが、ここでは人間の意識、認識の問題と演技との関係、演技と実存について論じられており、詳しい哲学的探求、掘り下げが行われていることである。また、そのなかでは既にリズムの問題が取り上げられており、今日みる発展的な思想展開の予兆がみられる。このリズムの問題は後々まで氏の懸念材料として残されてきた問題であった。

この『演技する精神』が出版されたのが、昭和五十九年二月（一九八四年）で『劇的なる精神』から十八年が経過している。西欧の哲学思想の詳細に深くわけ入って、徹底した比較検討が行われている。自らの独自の鋭い考察によって思考の筋道が明らかになされているのを伺い知ることができるからである。

近代の自由主義思想の原点にある考え方を強力に推進する柱となった西欧の実存主義に対して、山崎氏は既に『劇的なる精神』のなかで批判を行ってこられたが、特に本書で興味深いところは、氏の実存主義に対するさらに詳しい批判が哲学の基本理解に基づいて明らかにされるところである。

人間は〈投げ出されて、しかも企てるもの〉であるというのは実存哲学の公式であるが、これは過去と未来の明確な峻別のうえに立って〈現在〉という曖昧な時間を認めないという事実を示しているという主張である。

「現在はもはやいかなるポジティブな時間でもなくて、過去は既に存在せず、未来はいまだ存在していないという意味で、いわば二重の空白としかいいようのない時間なのである。もし過去が常に未来のなかにのめりこんできて、過去とも未来ともつかぬ時間のかたまりが、私たちをたえず背後から押し出していくのだとするならば、人間の自由はきわめて限られたものになってしまうであろう」と。

　この批判精神は、『演技する精神』においても振れることなく、人間の「自由意志」に対して、それを基盤とする西洋ロマン主義から実存主義の思想に対して、アンドレ・マルローからジャン・ポール・サルトルまでを包む人間観などに対する鋭い批判に繋がっているのである。

『演技する精神』のなかでの基本的な主張は次のように総括することができそうである。

　繰り返し主張されているのは次の二点であるように思われる。即ち、一つは、「自由意志」というものは実存主義者が主張するようには可能となるものではないこと。今一つは、意識は人間の身体全体が関わって作用し影響しているものであって、頭脳だけがそれを司っているのではない。「自由意志と環境が向かい合う場所――人間の特定の環境にめぐりあわせる機会そのもの――を人は選び取ることができない。…自由意志などというものは単独で行動できるものではない。」と、これらの観点からの考察が不可欠であることが強調されている。

　構成は次のようになっているが、ここではその主要な内容についてのみ紹介する。

一、人間行動の基本構造について

　氏の哲学思想に対するアプローチの基本手法については、自ずと確固たるスタンスが守られていることである。常識的な人間として普通に感じる感覚を大切にして、受け取るままに、それがなぜなのかという疑問を深く追求していくという態度が伺われる。即ち、①人間の行動について考える人間は、自分の問題設定について完全な自由は持たないのであって、むしろ現実のなかの行動の側からたえずそれについて考えるべく迫られているのだ。「自由意志と環境が向かい合う場所――人間の特定の環境にめぐりあわせる機会そのものを人は選び取ることができない。」②われわれが行動し、かつそれについて考える人間であるかぎり、「われわれは単に常識にもとづいて考えるだけでなく、むしろ常識に強いられて考えはじめるのだといわざるを得ない」、とも述べられている。

二、人間行動における意志と動機について

ここでは人間行動の基本の出発点である意思と動機、意識、認識についての哲学的な分析に入る。そこでは通常われわれがいつの間にか長年のあいだ常識的に感じていたこととは異なる事実、あるいはこれまで教育を受けてきた過程で曖昧にインプットされてきたこととも異なる説明がなされ、われわれは新しい発見をすることになる。

（一）先ず「意志」を抱く瞬間の自由を選ぶことはできないということ。

「われわれはどんな意志を抱くにせよ、それを抱く特定の瞬間を自由に選ぶことはできない。われわれは常に気がついたときには、一定の意志を抱いているのであって、それに先立っていつどのような意志を抱くかをあらかじめ意志することはできない。また、われわれが知恵と意志力の限りを尽くして、仮にそれらの条件を選び得たとしても、今度はその選択をするもう一つの意志をわれわれは自由に選択することが可能であろうか。……否、選択の自由はないのである。」と。

（二）次に、意志は一義的でありその対象も一義的でなければならないが、一義的であるのは目的だけで、対象は多義的であるから決まらないというもの。

「意志は一義的で明快であることが本性なのであるから、その対象もまた当然明確な輪郭をもつ一義的な存在でなければならない。だが、行動の中で、一義的であり得るのは目的だけであって、その大部分を占める過程は、対象化しようとする限り無限に多義的な存在になるほかない。完全に自由な意志にはもともと一個の決意に到達するのが難しい。」なぜなら、「われわれは、本来的に行動の内側で意志を抱くのであって、その意味では意志によって行動が始まるのではなく、逆に行動によって意志が始まるのだというべきかもしれない。」

（三）意志と「動機」についての関係、その動きは両者はたがいに助け合う関係であるということ。

この説明は微妙な点を含んでいるので、長くなるが氏の説明を示すことがむしろ理解を助けるであろう。

「行動には、意志と動機という二元的な力が働いていて、そのうちで動機がその自律的な力によって行動をひとつの統一体に完結している………動機は確かに人間にある仕事をする場合「やる気」を起こさせはしても、その力は行動の開始点にとどまっていて、その後の過程に持続的な影響力は及ぼさないものと考えられている。動機は、行動の渦中では完全には意識の対象とはならないものであるが、しかし、それはたえず意識に一種の信号を送るのであって、この信号をわれわれは名状しがたい高揚感として受け取ることができる。」動機は、行動の多義的な全体をそのままに包み込む気分であり、意志はそのなかのひとつの意味に集中的に向けられた視線の働きであり、この両者は人間の態度としてもともと矛盾する

働きではなく、両者はたがいに助け合う営みであると説明される。

三、人間の行動における意識の説明
――ゲシュタルトの「図」と「地」を用いて（注③）

意識の内部における意志と動機の関係・仕組みについて、フランスの哲学者メルロ＝ポンティは当時心理学が関心を示し始めていたゲシュタルト心理学から現象学における意識理論の基礎的図式に注目した。これを受けて、山崎氏はメルロ＝ポンティに従い、意識の「図」と「地」という対概念に基づいて説明される。心理学では絵柄をぱっと見て最初に目を惹く絵柄の方を「図」、その周辺に隠れた絵柄を「地」と呼んでいる。「図」と「地」の関係については注③の「ルビンの壺」を参照願いたい。「ルビンの壺」を見て感じること（気づくこと）でその意味が理解されるだろう。「図」はその周囲に「地」があってこそ、それとの対照によって浮かび上がるのであるし、それに囲まれることによってのみ「図」として明確な輪郭を持つことができる。この場合、意識の「地」は、無意識の暗黒ではなくて、意識内部にある曖昧な部分である。「地」はそれ自体が意識活動の内側にある。」と説明されている。

この意識の「図」と「地」の図式を借りうけて、意志と動機をあてはめると日常の現実行動における両者の関係が明らかになる。そこで次のように説明が行われる。

「意志は、意識の視野のなかに行動の目的というかたちで明確な「図」を描き出し、動機はその周囲に多義的な気分をめぐらせて、漠然とした薄明の「地」を作り出す」のであると。

四、哲学者三者の思想の特徴

ここで山崎氏がみずからの哲学思想解明の過程で関心を抱かれてきた哲学思想家三人、いずれも二十世紀前半に活躍したフランスを代表する哲学者、アンリ・ベルグソン（一八五九～一九四一年）、ジャン・ポール・サルトル（一九〇五～一九八〇年）、モーリス・メルロ＝ポンティ（一九〇八～一九六〇年）の基本的主張ポイントについて比較検討されるが、三人は人間の行動の問題を考察の中心課題とし、意識と無意識の中間領域に着目した思想家たちであった。

（一）ベルグソンの場合――動く意識

意識は働きを志向性の矢印構造として捉えないことであり、その結果意識の「図」と「地」の間を区切る図式的な境界線を認めない。

「彼の意識は、向い側に「何ものか」を指すのではなく、むしろそれ自体が「何ものか」になって行くのであって、それになって行く過程には、境界線ではなく、ひとつながりの斬層的な変化だけが認められる。……意識は分割不可能か一つの純粋な持続状態なのであって、この宙吊りの緊張感覚こそが意識が目覚めるという手応えなのだ」とベルグソンの主張を説明される。意識そのものが次のものに変化するにしろ、そこには境界線はなく、ひと繋がりの斬層的な変化だけがあり、ひとつの純粋な持続状態であるという。

（二）サルトルの場合――動かない意識

サルトルの意識は比較的理解しやすい。即ち、「サルトルの意識は、過去も未来も拒絶し、空虚な現在の外側に閉め出していく、意識にとって過去は自分がもはやそれではないものであり、未来はいまだそれではないものにほかならず、意識は刻々にこの二重の空白としての現在のなかにたてこもることになる。」サルトルによれば、それこそがまた人間の自由の根拠なのであって、自己はそれ自体としては「無」であるが故に、その未来のみならず、つねに過去をすら自由に選ぶことができるという。サルトルの「私」は、刻々に自分の存在内容を選びとって生きる存在であると主張する根拠であった。

しかし、山崎氏は、次のように反論。「人間の意識がなしうることは、この身体の運動を自分のものとして選び取るか、あるいはそれを拒否するかのどちらかであって、その両者が同じ重みしか持っていないというところに人間の自由も不安もあると考えられる。」従って、人間の行動の自由は大きな制約の下にあって、行動の自由などというものは存在しないということになるのだと。

（三）メルロ＝ポンティの場合――動いて動かない意識

山崎氏はメルロ＝ポンティの考えを高く評価されており、彼の哲学思想に近い位置付けである。

「意識は身体を抜け出していくものではなく、身体からまさに身を引き離しかけた姿勢のまま、いわば意識と無意識の中間領域をつくってそこに踏みとどまる存在となった。身体そのもののあり方は、それは最初から意識によって半ば浸透され、しかも半ば意識のまえに対象化される存在となった。」即ち、意識は身体を無視しては考えられないのである。長くなるがここは重要なポイントでと考えることからさらに引用を続ける。メルロ＝ポンティによれば、「人間の身体は決して生理学的な物体ではなく、意識がそれと気づく前に既に能動的な知覚の主体として働いている。われわれが俗に反射的な運動と呼ぶものでも、よく見ればすでに主体的な行動の性格を帯びており、身体は外界の刺戟に対して単に受動的な反応を示すのではない。現実には身体は多くの刺戟を含む状況の中で反応するのであり、あたかもみずから判断するかのようにそのなかから一つの刺激を選びとって反応する……人間が行動の前に立ってそれを選ぼうとしても、それを選ぶ彼の内部にはすでに状況が喰い込んでおり、それ自体の運動図式に従って彼の選択を導いている。人間はそれに運ばれながら、そのなかで選択するのであって、状況の運動図式に対しては、もっぱらそれを内側から微調整する自由しか持っていない」と説明している。

そして、メルロ＝ポンティの自由の概念に関して、人間の有している自由は微々たるものであるとして、サルトルの主張する選択の絶対的自由は否定される。

五、演技とリズムについて

山崎氏はここで、ものを忘れることやそれを思い出す働きは何によるものかを問うている。ここでこの問題が取り上げられる理由は、意識との関連でリズムが浮上してくるからである。まずそれを意識の「図」と「地」の状況に関わるものとして説明される。

「あることについて忘れて思い出せない場合、その場合にもわれわれの意識の底には一定の行動の流れが潜んでいるのであり、ただしそれが意識の「図」に対する安全な「地」となって沈んでいるにすぎない。これがわれわれが功利的な現実行動を営む意識状態なのであって、われわれの注意が行動の目的だけを鮮明に捉え、とかくその過程の細部について忘れている状態にほかならない。……われわれの意識には欠損を直接に感知する装置が内蔵されていると考えられる。それが他ならぬ認識の「地」そのものであり、具体的には認識を支える行動のリズム以外にありえない。認識の「図」に欠損が生まれたときには、実はその「地」なる行動にも欠損が起こっているのであって、そのさいわれわれはそれが持つリズム構造のおかげで、行動が結果を見せるまえにいち早くその欠損に気づくことができるのである。」例えば計算をしていて、ある掛け算が一瞬思い出せない時、諳んじて熟知している掛け算の九九を順になぞっていって思い出すことがあるが、これはリズムの一種であり、これは慣習の下敷きになっている「地」が思い出させるのである。

六、「リズム」と「リズム構造」について

ここに至って「リズム」、「リズム構造」という言葉が出てくる。先の例では、物忘れは認識の「図」と「地」に欠損が生まれているが、リズム構造のおかげでわれわれは欠損に気づくことができると説明されている。それではそのリズム、リズムの構造は何かという疑問が出てくる。

山崎氏の哲学思考の解明は、意志、動機、意識、観念など、さらには身体と意識の関係についての関心・究明が先にあった。リズムへの問題意識はそれらに遅れて次の課題として対象となったものと考えられる。

（一）日常に経験するリズムについては次のように説明されている。

リズムの感触は、その一瞬一瞬の内部にそれとは対立する時間の不在を含み込んでいる。たとえば世阿弥元清が『風姿花伝』で説いた序・破・急（注④）のリズムを享受するとき、「われわれは目前の破を感じながら、同時に序を過ぎ去ったものとして、また急をいまだ到来していないものとして確実

に感じとっている。破は序や急の不在としてのみそこにあるのであり、序や急はそれ自体の感触をはっきりと保ちながら、まさに当面のその瞬間にないものとしてあるのである。」

（二）次に我々の世界を見渡した時のリズムはどうなっており、どこにあるかを問う。

「われわれの世界が均質で静止的な無限の空間でもなく、逆に分割不可能な時間の流れそのものでもなく、その両者の萌芽をうちに含んだ無数の潜在的なリズムの集合体だということである。……この世界は、昼夜の交替、一年の四季、生理の周期変化や経済の景気変動、政治権力の交替やさまざまな社会風潮の干満、さらには、誕生と成熟と死からなる人生そのものの興亡にいたるまで、無数の規則的で不規則な脈動、構造を持ちながら動くものの複合によってなりたっている」のであると。

（三）リズムの積極的な意味について

「リズムは、その変化によってたえまなくわれわれの気分を調子づけ、その持続によってわれわれの記憶の基盤となり、いいかえればわれわれの意識の「地」となって、行動に地平を提供している。さらに、われわれは意志を持つまえに、まずこのリズムによって行動へと動機づけられるのである。」既にこの時点においてリズムの持つ意味の重要さを指摘されている。

以上、ここまででリズムを総括すれば、次のように言えるだろう。

山崎氏は、これまでの哲学がいう「本質存在」は「神の被造物」や「有機物の塊」といった存在を意味していたが、新しい意味の実存は、ただそこにあることが了解されるだけの存在であり、どのような本質によっても説明されることを拒絶する存在であって、リズム構造のほかには支えを持たない存在なのであるとされる。「リズムはたとえ自然や社会変化のリズムと連なっていても、決して世界の一元的な本質には結びついていないものである。人間はリズムを行動の地平としてたとえいかに拡大しても、所詮はひとつずつ完結した有限の地平に乗っているにすぎず、いわば壊れやすい手作りの小舟に乗って世界の中に宙吊りにされているにすぎない」のだ、と表現されている。

山崎氏はこの著書の最後に、従来の哲学思想の二分法（二項対立）を否定する宣言をされる。この二分されたものを繋ぐために「演技」という両義的な概念を持ち込んだのだと、この結論に達したことを振り返えられる。

「この論文において究極的には従来の哲学思想の二分法を排し、現実と観念、現実と芸術、実用と「遊び」といった伝統的な対立を否定することとなった。それらの概念は連続して変化するものの両極にすぎない、というのが基本的な立場であって、まさにそれらを繋ぐために「演技」という両技的な概念をとりあげたのだといえる。」と。そして、「リズム」の発見とその意味づけに触れ、ここで「哲学的思考の二分法の否定」を明確に主張されていることが、その後の氏の哲学思想の形成を後押しする起点となったように思われる。

第三章　リズムの哲学三部作といわれる作品のうちの『装飾とデザイン』と『世界文明史の試み――神話と舞踊』について

山崎氏の『装飾とデザイン』は二〇〇七年（六月）、『世界文明史の試み』は二〇一一年（十二月）に発行されている（いずれも中央公論新社）。これら二つの著書は最終論としての「リズムの哲学」を構築する上での重要な基盤を提供しており、これらを山崎氏のリズムの哲学の三部作と呼ばれているものである。ここではこれら三部作のうち前二作については、その概要を簡単に紹介し、『リズムの哲学ノート』についてはこのシリーズの（中）版として次号でやや詳しく内容を紹介することとしたい。

山崎氏と苅部直氏（東京大学教授）との対談（注⑤）のなかで、氏はこの『装飾とデザイン』執筆以前のある時期から、通底するある思考法が身についたようだと語っておられるのでそれに注目する。それは「アンビヴァレンツの思考法」（反対感情対立思考法）と名付けられるようなものであったと述べられている。これはさきに見たように『演技する精神』の終わりのところで述べられていることと一致する。

対談で、山崎氏は次のように述べておられる。「私は、これは単に感情の問題ではなく、観念にも適用可能だと感じ始めていました。ものを考えるときに、正反対の、しかし互いを否定し合うのではなく、逆に相互に補強し合うような一対の観念を用いるということです。」そして、その具体例が、例えば「装飾」と「デザイン」であると指摘されている。装飾は徹底して個物に執着するという観念であり、デザインは不変的世界を統一するという観念であるから、正反対であるが、しかし互いに排除するのではなく、むしろ相互を補強するのだと。

これは次に出版された『世界文明史の試み――神話と舞踊』についても同様に指摘される。ここでの「ある」人間と「する」人間の対立の指摘は、互いに否定し合うのではなく、逆に相互に補完しあう関係にある一対の観念と捉えることができると説明されている。

一、『装飾とデザイン』について

本書の前半では、「造形意志」、「形ともの――ものの見方の構造」という基本問題について述べられているが、その主要点のみ紹介する。

（一）二項対立を整理すれば、それはまず全体の統一と部分の反乱、反復する規則性と反復できない唯一性の対立として現れる。直感的には、秩序と逸脱、簡素と過剰の対立として目に映り、さらに深く見れば普遍への志向と個物への固執の対立を感じさせる。この対立する原理を常識の網のなかでどのように名付け、整理すれば良いかと問い、それは秩序と逸脱、簡素と過剰だとされている。

（二）次にデザインと装飾についてその意味が説明される。デザインは設計図を書く仕事、造形の全体像を描く仕事にたいする名前。これは装飾との対比においてのみ意味をもつ言葉であり、現実にも装飾と均衡することによってのみ働く原理である。どちらか一方だけによる造形はあり得ないのであって、より装飾的な造形か、よりデザイン的な造形のいずれかである。デザインとは造形に先立つ計画であり、装飾とは造形の終りなき延長である。そして、装飾の目的は、ものの見方というときの、あの「もの」という存在、すなわちデザインが形造って目に見える対象にするが、それ自体としては見えない無形の「もの」そのものをかいま見させる仕掛けである。

それに続く内容としては、装飾とデザインの歴史的展開が説明される。「造形理論の起源」「デザインの始原」「造形史の弁証法」「工芸の成立」といった近代以前までの装飾とデザインの発展・変容について論じられる。主要なポイントは次の通り。

（一）最初の造形としての装飾は、存在を覆い隠すものとして誕生した。当然ながらそれはすべてを存在から覆いを剥がし、真実を暴露することをよしとするイデアの思想、そして近代の合理主義の思想に正面から対立するものであった。

（二）意識のゲシュタルト構造の観点からいえば、デザインはどこまでも意識の統一的な「図」を明晰化し、「地」を徹底的に意識下の暗闇に沈めようとする。これに対して装飾は、複数の「図」を同時に並列し、それによって「図」と「地」の安定した関係を撹乱することになる。装飾は隠された個物をいやがうえにも隠すことになる。そして個物は隠されることによってますます「聖別」され、それはますます装飾を要求することになる。

（三）カントは、感性の一つ上位に感覚データをイメージにまとめ上げる能力、いわゆる「構想力（想像力）」が人間にあることを認め、同時にこれが知的活動に対して一定の自由を持ちうることも認めた。カントは新しい「感性」の意味づけを行い人間のものを見る営みの自由を認め、相対的にせよ知的世界以外の認識があることを受け入れ、それによって純粋に見るための造形を間接的に擁護した。

（四）そして、やがてこのカントの論点を徹底的に突きつめ、自由な資格にもとづく造形の価値を極端なまでに肯定し、踏み越えたのがドイツの美学者・藝術学者コンラート・フィードラー（一八四一～一八九五年）であったという。「フィードラーが目新しいのは、彼がいち早く描くという身体運動に注目し、視線の動きを手の動きが補強するという独特の心理現象を見出したということだ。……フィードラーが芸術の根本原理と考え、ほかにない独自の営みとして見出したものが彼の「純粋視覚」という概念であった。」

本書の後半部分は、近代以降の装飾とデザインの葛藤状況について「近代工業と芸術の誕生」「装飾とデザインの近代史」「彷徨する造形――装飾の逆襲」として論じられる。そこでのポイントについては次の2点が挙げられよう。

（一）見るための造形作品と使うための造形作品、いいかえれば、歴史的に図像や工芸品（見るための造形作品）と機械製品とがゆっくりと乖離していく経過があった。

（二）リアリズムが助長した個性の自由、独創性の賛美が一人歩きを始め、おりから流行を見せた「近代的自我」の観念と結びついた。現実を個性的に見ること、自己の目でものを「ありのまま」に見ることは、しだいに時代の流行思想となり、それと同時に哲学的にも正当化されることとなった。こうして生まれたのが近代の「芸術」の観念であり、造形の一部を特権化する新しい思想の誕生であった。

また、山崎氏はこの書の「あとがき」で、なぜここでは特に造形をとりあげたかについて説明し、それは造形が第一に人間を世界の「場所」のなかに置き、目と手という媒介を通じて自己の存在証明の最短の道になった、と考えたからであると説明されている。造形は人間の主観、客観の関係の自覚を導きやすく、技術の発生と理性の誕生にも直結していると推定できる。氏自身はたぶん意識の底で、個人が社会の基本となり、技術と理性に生きる「近代」という時代を、太古から一本の道筋で説明したいと願っておられたからであろう。即ち、人間の造形の営みは、太古の時代に生まれたその根源にある姿が不変であり、一貫して継続していることを確認したかったためと思われる。氏の理解はまさしく最後の主張に凝縮されているように、人間の造形の営みは、基本的には太古に生まれた範囲から出ていないし、出るものではないということである。

二、『世界文明史の試み――神話と舞踊』における「する人間」と「ある人間」

（一）概観

山崎氏のなかでリズムの哲学の方向性がほぼ固まってきている状況下、ここで長い文明の歴史の展開の軌跡を今一度確認しておく作業が必要であると感じられたに違いない。太古の時代からギリシャ文明を中心としたその流れ、ヨーロッパの中世を経て近代に至る文明史を再確認しつつ、自らの哲学思想を位置付ける作業が必要と考えられたのであろう。特に西洋近代と呼ばれる時代への進展の経緯への確認作業が重要であったと推測する。

当初各地域で個々に発生した人間の集団・集落が長年に亘って形成してきた文明と呼んでふさわしい現象や発展的に影響を与えたものを一つずつ採り上げ、それらを個別に検討評価される。それらが近代に至り近代文明として形成された世界初の世界文明であるという点に到達する長い経路をたどる文明のプロセスが克明に描かれている。

文明史を歴史的に辿る場合、歴史家がとる対処方法に二つあるといわれる。一つは、研究の対象をできるだけ狭く限定し、資料に照らして客観的事実に近いとみなされる対象だけを扱う方法（現代の学界の大勢）。いま一つは、これとは逆に学問を世間の常識から始めようという態度であって、現に例えば、社会が近代化について一つのイメージを抱いているなら、それを当面の対象としたうえで、その含蓄をできるだけ厳密に精査しようという方法である。そして著者は後者の方法をとると言明されている。また、文明史の研究は、哲学と歴史学の両方に鋭い反省を迫るもので、文明の諸要素はそれに哲学的な定義を必要とするものであり、しかも諸要素の定義もそれ自体が歴史的に変化するものだから前者の方法をとり、狭く限定的に捉えるのは適切ではないと考えられるからであろう。

「本来文明は、文明の各要素の束にすぎないし、行動の約束事（convention）にすぎないのだから、それ自体に生命があるはずがないし、当然それらの束としての文明全体にも有機的な統一があるはずはない。文明の各要素は独自に伝播して他の要素と共存し、それぞれの地域で一時的な束をつくってはまた分離していくのが、思うに文明史の宿命なのである」からと指摘をされている。

（二）主要ポイント

氏のリズム哲学形成に影響を与えた多大な要因があるが、ここでもその根源にアンビヴァレンツの存在を指摘されている。即ち、は人間の身体との関わりのなかで文明史がどのように影響を受けてきたかという観点である。例えば人間の身体を「する」身体と「ある」身体とに分類し、それぞれの機能について歴史的な変化を踏まえてこれらが文明の展開に大いに関係していたことを説明される。

「する」身体は、身体が画一化と集団性を目指すものであり、「する」身体には達成できる能力によって序列がつけられる。外界に向けて何かを「する」とは、身体を意思の道具にすることであって、道具の使命は同一の動きを正確に反復することだからである。一方、「ある」身体は、異質化と個別化を志向している。「ある」身体は、本質的に個別的であって、一人ずつの個人が直接に確認するものであるから、そこに価値の序列というものは生まれようがない。この区別は著者が諸文明の中味を考える場合の重要な要素となっている。例えば、「ある人間」の発展形態である個人の尊重、その個性の重視、それらの平等な権利の保証は近代思想の中核をしめながら、長らくその原理的な根拠を示されてこなかったことを指摘されている。

身体は主体にとって両義的な存在であるとするのは、メルロ＝ポンティに倣ったものであることは、前に見た『演技する精神』のなかで既に触れられているポイントであった。即ち、私にとっての身体は「私が持つもの」であり、同時に「私そのものである」存在でもあるという二つの意味を持つという指摘であった。ここでの「する」身体は、「私が持つ身体」に相当するものであり、「ある」身体はメルロ＝ポンティのいう「私そのものである」と考えることができると指摘されている。

もう一つの課題である著書のサブテーマとして示されている「神話と舞踊」については次のように理解できる。山崎氏は歴史のスタートラインから「する」身体と「ある」身体の二分法を前提に置いて理解することが可能かを試みておられる。人類の精神がいかに誕生し、発展していったかについても、解釈はこの二つの形態の身体から出発し展開しているとみられる。「する」身体はやがて道徳の起源に繋がり、「ある」身体は宗教の起源に繋がっていったとみられている。神話の歴史と変遷は考古学・民俗学における膨大な研究成果に基づき解明されてきているが、神話と舞踊は同一の発生根拠であったとみられる。舞踊は宗教的な「祭り」の行事における徹底した踊り倒れるまで踊るという一種の無礼講的なものに繋がっており、それが音楽とともに舞踊の原初形態でもあった。神話と舞踊はその後、相互に関係を保ちながらも、独自の方向を辿って現在に至る経緯が説明される。出発点は二つの一見相反する身体の形態でありながら、それは同時に相補完しあう関係でもあることがこれまでの議論と同様に明らかにされる。そして古代の舞踊による陶酔のなかで目覚める意識の覚醒によって生じる現象がリズムであったとも指摘されるのである。

内容としては、次のようなテーマで展開する。「道徳と宗教の源泉」、「自然から文明へ」、「言語、神話、舞踊の誕生」、「文字の発明・国家の成立」、「都市国家から帝国へ」、「西洋文明の原型の形成」、「近代文明の前奏・諸要素」、「身体文明の完成——近代の成熟」という流れで歴史的な展開、推移が説明される。

これらを通して強く感じられるのは、文明史が人間の身体との関係から長期的に執拗に追求されていることである。

氏は哲学思想のなかで身体を重視する主張を繰り返し述べられているが、この段階では氏の思想形成がかなり固まってきている印象を受ける。氏の決意表明は次の通りである。

「私は、メルロ＝ポンティに倣って、主体にとっての身体を両義的な存在だと考えてきた。私にとって身体は、「私が持つもの」であると同時に、「私そのものである」存在だという意味である。私は手を持っていて、多くの場合にそれを使って何かをするが、仮にその手が痛みをおぼえた場合、私は手だけではなく私自身が病んでいると感じる。私は身体を介して外界を操作するが、一方で私は直接に身体として外界のなかに立っている。私が手を伸ばして外界の対象を触知するとき、私は漠然と私自身の指先を感じている。その指先は、「私が持つ」身体ではなく「私である」身体に属しているから、いわばつねに私の意識のこちら側に隠れている。だが、意識の向きを変えて感じようとすれば、それは確実に感じられる存在として私のかたわらにありつづけるのである。」と説明されている。


文明史の詳しい発展的叙述については割愛して、ここでは主要な主張のポイントのみ挙げておきたい。

身体論の重視からのポイント（文明史においても身体論は重要である。）
イ、文明における意識の役割は小さい。
「これまでの常識に反して、意識は決して思考の主体でもなければ主動力でもない。思考の最も創造的な仕事は着想であり、何かを新しく思いつくことであるが、これはおよそ意識的な努力によってできることでないことは広く知られている。」
ロ、意識は実体として存在するものではない。意識の存在する場所は不明。
「（身体において）意識が存在する（脳内の）場所はわかっていない。おそらく意識は脳だけではなく、四肢を含んだすべての随意筋を場所として働き、しかも慣習の危機に臨んで間歇的に発動するものと考えるべきなのだろう。」
ハ、意識の活動の仕方。
「意識は、行動が起ころうとして起こらない状態のなかで目覚め、力の不十分な慣習が身体を後ろから押しながら未だ押し切れていないことを感じている。そしてこの目覚めの中で身体が押されているという感じが俗に「意志」と呼ばれるものの内容である。」
ニ、人間の身体をさらに詳細に観察し、発見した。
「様々な精神の働きが身体そのものの機構から発生しうることを発見した。かつて先見的と見なされてきた範疇や数、空間・時間といった感性の基本的な形式がじつは意識の発生以前に身体から直接に生み出された可能性があることに気づいた。」

このように、身体の機能が人間の意識活動に重要な働きをしていることが改めて説明される。

文明史の観点からのポイント（いずれも鋭い指摘である。）

イ、言語は文明のパラダイムであった。

文明が一つの国家単位として形成されるとき、言語はその文明のパラダイム（注⑥）と呼ぶことができる。「八世紀頃衰退するローマ帝国のなかからヨーロッパ諸国が芽生えたとき、共通のラテン語の傘のもとに各国語が分立するということでもあった。この書き言葉の二重構造、いいかえれば文明のパラダイムの二重構造が、どれほどヨーロッパを個性的な世界にし、近代の発祥地へと導いていったことか。」

ロ、ローマ文明の坩堝が産み出したもの

ローマ文明という坩堝によって鋳造されたものが数次のルネサンスを経て、近代西洋に引き継がれ、二十世紀に全世界を支配するようになった。「忘れてならないのは、ユダヤ、ヘレニズムの草創期にユダヤの側にも、ヘレニズムの側にも、まさに民族の概念を超える思想が芽生えていたことである。」

ハ、科学の世界観への高まり

科学は世界を解釈する学問であり、宗教と同じく「ある」身体の営為であるが、技術はそれに対して「する」身体が最初に道具を作った仕事の延長上にある。「西洋中世が誤って暗黒時代と呼ばれたあの時代こそじつはキリスト教思想が内部の葛藤の苦しみ、その苦悩のなかで科学を世界観にまで高めた時代であった。」

ニ、哲学と身体の存在認識

人類最初の芸術論は、認識論として理性のみを重んじる認識論として出発したが、これがそれ以降偏見を醸成していった。「身体の存在が注目され、哲学の主題となったのは二十世紀のことであって、ギリシャ哲学もキリスト教神学もそれをどのように扱ってよいかわからなかった。」身体と人間主体を媒介するこの概念を啓蒙主義も知らなかった。

ホ、啓蒙主義の問題点

啓蒙主義は思想体系としての不完全さ、倫理的な傲慢さ、正義の根拠を人間の理性が決めることができるという思想の根拠について欠落しており、この問題性を抱えている。

山崎氏がこの著書を通して強調されたかったことは、繰り返しになるが、人間を頭脳のみの理性中心の存在ではなく、感情や肉体を併せ持った、また社会環境や共同体の慣習にも浸透している生き物であるということであった、人類の文明史を太古にまで遡れば、それは常識的に納得できることであっても、それが歴史的に遵守継続されてきたわけではない。「所詮、文明は単一の原理、単一の世界観から生まれるものではないというのがこの論考の究極の結論になりそうである」と述べられている。

そして最後のところで、マルティン・ルターの言葉と言われている「明日、地球が滅びるとしても、今日、林檎の樹を植える」という言葉について、氏はそれを積極的な意味に読み替えておきたいとして、「林檎の樹を植えるという毎日の実用的な作業でさえ、もしそれをリズミカルな手順を踏んで淀みなく成就し、今日一日を一日として完結させることができれば、明日があるかないかはさしあたり問題ではないだろう」と結ばれている。これはこの著者が完成した時点での氏の率直な感想であると思われる。これが深く意味するところは、次号で再び取り上げて詳しく説明する予定である。

（上）の部　了

注①　「現象から現実を回復」石沢秀二「週刊読書人」書評（1966年8月15日）

注②　「アンビヴァレンツの精神」村上一郎「日本読書新聞」書評（1966年9月26日）

注③　ゲシュタルト心理学は、20世紀初頭にドイツで創始された心理学の一派。ゲシュタルト心理学の原理は、「部分の総和は全体とは異なる」というもの。「ルビンの壺」（図形参照）が有名であるが、デンマークの心理学者エドガー・ルビンが考案した多義図形。ここに示された絵を見ると、人は最初に壺が描かれていると認識するだろう。これが「図」と称されるもの。しかし、よくよく見るとルビンの壺に二人の人物が向き合っている絵であることにも気がつく。これが「地」と称されるものである。

ルビンの壺の一例（Wikipedia より）

注④　室町初期の能役者・能作者世阿弥元清が芸術論で提唱した能楽における形式上の三区分

注⑤　山崎正和氏と苅部直氏の対談「人間中心主義を超えて「リズムの哲学」という新境地」中央公論2018年6月号

注⑥　現代では一般的に、一時代の支配的な物の見方や時代に共通の思考の枠組みを指す。T・S・クーンが科学史叙述の枠組みとして提起した概念で、科学研究を一定期間導く模範となる業績を意味していた。

自分で判断し対話し合うこと

——球技の試合（ゲイム）に擬（なぞら）えて

三宅中子

一、キリスト教の起原では？

本誌40号の小文「エジプトの一神教とモーゼ」で歴代多神教をもって終始した古代エジプトにおいてほんの一時期あったアクエンアテンというファラオの奉ずる一神教がユダヤ教やひいてはキリスト教の起源になったかもしれないことを取り上げた。その際、そのような考え方についてのヨーロッパの中でのある学会の理事会でのエピソードを取り上げそびれた。それは国際歴史学会の理事会でのことである。当時はまだドイツが東西にわかれていたのだが、東独の大学のある考古学の教授がエジプトの一神教がキリスト教の起源なのではないかということを話題に出した。すると西独のある大学の教授が激怒してエジプトの宗教がキリスト教の起源になどなる筈はないと言い切り、東独の教授は何も言わなかった、というのである。他の理事達はフランス語圏の人達が多く、そうしたドイツ語のやりとりには興味を示さなかったという。

このことを私はその理事会に出席していた理事の一人から大変興味深く聞いたことをこの際想い出していた。このエピソードは梅原猛著『人類哲学序説』（岩波新書、一四八～九頁）でも取り上げられている。

大体その西独の教授が不快の念も顕わに否定的な応答をしたというのがどうにも解せなかった。彼はドイツの北の方の大学の教授らしかったからルター派のクリスチャンだったのではないかと思った。それにしても学者どうしの集まりで、こんな興味深い話題が、それ以上話し合われることもなく終わってしまったことも奇妙に思われた。私には本誌40号の小論の終りの方で取り上げていた「誰がモーゼを殺したか」というようなユダヤ人の中の問題よりは余程気になることに思われ始めた。

東独の教授は当然無神論者であったに違いなく、それ以上議論するいわれはなかったであろうが。その西独の教授が例えばルター派（ドイツ北部に多い）の信者だとして自分の信ずる教えのルーツがエジプトのある時期にあった一神教かもしれないことが気に入らなかったのならどうして気に入らないのであろうか。一神教への宗教改革を試みたエジプトのアクエンアテンの考え方は自然主義、理想主義、平等主義を掲げていたというのだが。

そもそもエジプトの歴史はとてつもなく長く、紀元前が四千年もある。中国だって二千年位ではないか。アクエンアテンの一神教への宗教改革はその紀元前千四百年足らずの時期に起こったことである。エジプトの歴史はメソポタミアの歴史よりももっと長い。世は挙げてエジプト文明に育まれていた筈である。イギリス、いやイングランドというべきか、エジプトから大量にいろいろのものを持ち帰った。大英博物館を最初に訪れたのは東京オリンピックのあった前年の一九六三年であったが、私はその時初めてエジプトに出会った。入館無料であったのは助かった。何しろ当時は一ドルが実質四百円位であったからアイス一つ買うのも財布の中身と相談せねばならなかった。そしてロンドンで多数のエジプトの遺物と付き合うのにくたびれ果てた。その時もよくもこんなにも他国のものをと呆れたことだった。よく管理され、整理されたものを見せて貰う恩恵は十分に感じたにせよ。

エジプトが西欧の近現代と直結しているのはアレキサンダー大王の開いたアレキサンドリアの学問文化である。今日の学問乃至サイエンスはこのアレキサンドリアで出来上がったものを直接の土台にしている。その担い手は地元のエジプト人もいたであろうが、ギリシャ人やユダヤ人達である。五〇キロ先を照らして世界中からやってくる船舶の運航を助けたファロスの灯台や知の宝庫の図書館は有名である。早い話がヘブライ語の聖書をギリシャ語に直したのもこの図書館においてであった。我々もよく知っているギリシャ人の特に数学者物理学者のうち重要な人はユークリッドであろう。その『幾何学原本（ストイケイア）』は西欧の学問の基礎になっている。ブレーズ・パスカルは十二歳位の時にこの書物を手に入れることを親にせがんだ。まるで今でいえばゲイムのソフトでも欲しがるように。親はブレーズにそれを与えるとそればかりに夢中になるからとしばらく与えないでいたら、自分でその原本の中身を取り上げ始めて親は慌ててそのテキストを与えたという。近現代の誰にとっても重要なテキストだったのである。

ただ時は移ってアレキサンドリアがローマの支配下に置かれるようになり、初め弾圧されたキリスト教も狂信の徒が勢力を増してギリシャの学問文化を異教徒のものとして極端に排除し始めるに至り、学問の女神のような女の学者がキリスト教徒のむごたらしい犠牲になる事件が起きた。その後地中海はアラブの湖といわれるようになり、アレキサンドリアの学問文化もアラブの手に委ねられることになった。そして西欧は再びそれを学ぶのにエネルギーを使うことになる。西欧の人々の多くはドイツ、フランス、イタリアの人々であることはいうまでもない。ざっと考えただけでもあの西ドイツの教授がキリスト教のエジプト起源の話題に機嫌を損ねたことは理解し難い。

二、「エジプト」がやってきた

以上のようなことを考えているうちにエジプトが向こうからやってくることになった。バレーボールのワールドグランプリが日本で開催され、アフリカの雄エジプトも参加することになったのである。そういえば元ペルシャ帝国のイランとも元ローマ帝国のイタリアとも同じプールに属することになった。皆並々ならぬ闘志を漲らせている。私は観光でエジプトに行ったことはないが、今までもテレビのスポーツ中継などで否応なく試合の相手国の人々に「接し」、親しむことになっていた。

今回もエジプトチームはやってきた。あの眉と眉が繋がっていて柔和な表情で人気者だったサラフもいた。彼は三十五歳になったというが、今回は顔は髭で覆われていて眉がつながっているのかどうかわからなかったし、表情は前より硬く、前ほどプレイはしなかったが攻撃は強烈だった。エジプトチームは大分若手と入れ替わって強くなった。日本チームは初めにイタリアにストレートで勝っていて、前回よりも強くなっている感じだった。エジプトも前回よりプレイにスピードがあってシャープさを感じさせた。以前より強くなっていると思われる両者は激しい闘いを展開し、又もやフルセットまで行くことになり、一点失っては取り返し、くんずほぐれつ一体何時まで続くのかと思わせた挙句、辛うじて日本が勝ったが、テレビで観戦しているこちらもエジプトの選手達にも拍手を送りたくなった。イランとも同じようにして勝つことは勝ったが、夫々の民族の持っている底力を感じた。かくエジプトも生き延びている。日本は試合が始まった時は十一位であったが四位で終わったから大躍進したといえるであろう。しかしエジプト戦にはハラハラさせられた。一位はブラジル、二位はアメリカ、三位はポーランドだったと思うが、一九六五年、初めて行ったヨーロッパからの帰国の際寄った時のワルシャワのことを思うと、ポーランドチームに対してもよくぞここまで常勝軍団を保っているという思いで胸が一杯になった。

そもそもポーランドはロシアとオーストリアとプロシャとの間で分割されて国が無くなってしまったことがあった。そしてナチスドイツからは皆殺し作戦に遭った。しかしポーランドは無くならなかった。マリア・スクロドフスカ・キューリーがパリのソルボンヌ大学で学んでいる時も祖国ポーランドのことを忘れたことはなかった。その前にショパンである。ショパンこそポーランド人の魂の礎であり続けた。私はつれ合いと共にヨーロッパを去る時、先ずウイーンからショパン号という列車でモスクワまで行った。その時のワルシャワはそれ程戦禍から回復していなかったのに、五年毎のショパンコンクールが開かれていて、中村紘子さんが入賞して話題になっており、他に日本人女性がもう一人賞を受けていた。食堂に行っても魚の煮こごりのようなものしかなく、知り合いの日本人留学生にポーランド文学専攻の米川氏のところに連れて行かれてポーランド人の夫人に食事をふるまわれて有難かった。ワルシャワの街は丁度我国の戦争直後のような状態が続いており、マッチの箱がよくそれを表わしていた。何より通貨はズウオーチなのだが、ドルとの関係が訳が分からない状態なのがこちらも困るし、気の毒だった。

何しろその時の私のヨーロッパ行きは三月のウイーンに始まり、ウイーンに半年ほどいて、西独のハイデルベルクに移り、帰国するためにウイーンに戻ってショパン号に乗ったのだった。ウイーンでは「第三の男」の映画で有名な大観覧車の回るところの、ドナウ河の近くにいた。三月といっても寒く、暖房でもあまり暖まらず、留学生のお伴という身分の者には全てきつい生活だった。五月六月になってもうるわしいウイーンにいるというような実感はなかった。ただ元ハプスブルク帝国の宮殿であるホーフブルク宮殿の前に立った時には鳥肌が立ち、ヨハン・シュトラウスの歌劇「こうもり」序曲が突然鳴り響いた。双頭の鷲と弓なりの建物の威容が更にショッキングだった。郊外のシェーンブルン宮殿にも心を奪われた。そんなウイーンの印象を持ってワルシャワに臨めば、ワルシャワにも良き時代があったことは知っていても、どうしても比較してしまうのは止むを得なかった。後で又何年かの後ワルシャワに行くことがあって、街の様子は良くなっていたが、通貨や物資の状況にはまだ問題がありそうだった。ただその時はクラクフなどに行くことにもなってポーランドの農業や酪農の様子を見て、ポーランドの人々の全滅を免かれしめ、人々の魂を支えたのはこれであったかと思った。バレーボールで戦ったポーランド人は大きく身体の切れも良く強かった。永年のあんな思いをはねのけて生き延びてきたポーランド人の苦労は、我々が身に受けた敗戦や亡国の屈辱に伴う諸々の苦しみなどから到底推し測られるようなものではなかったであろう。

三、ラグビーという名の駅

今年日本はバレーボールに次いでラグビーのワールドカップの開催国にもなった。試合はテレビの番組を占めるので、日本の出るのを観ようかということになる。何しろ格闘技のように激しいぶつかり合いに終始していて選手たちは人相を大分犠牲にしていて痛ましい。耳がつぶれていたり目が腫れ上がっていたり。痛めるのは勿論顔だけではないであろう。

強豪国には英連邦のメンバーが目立っている。「兎が卵を抱いている形」を成しているイングランド、スコットランド、ウエールズ、それにオーストラリア、ニュージーランド。英連邦という一つのマトリョーシカにまとまっていたところから人形が次々に飛び出して、それら人形どうしが闘っているようにも見えるが、マトリョーシカの一つ一つのメンバーは好き好んで一つの人形の中に納まっているわけではなかった。

そのマトリョーシカと、日本の国全体と関東地方、東北、北海道、関西、四国、九州等との関係とは全く違うのだ。日本の代表選手は夫々の地方出身者から成り立っていて、国際試合で例えば関東と関西が戦ったりはしない。ところが、サッカーにおいてもイングランドとスコットランドが合同でどこかと戦う等ということはない。戦争の時はともかくスポーツにおいて夫々が同じ旗のもとでは戦わないことにかけては、事情があり、歴史がある。そういうことがテレビの画面を通じて目の当たりに出来て興味深い。夫々の「ランド」には気質があり「魂」がある。戦い方にもそれが出てくるかどうかを見極めることが出来る程、私はラグビーのルール等に通じたりしているわけではない。参加国は様々だが、私には英連邦を中心としたそのあたりが興味深い。

一つにはラグビーという球技の発祥が例のパブリックスクールのラグビー校にあると聴いたことがあるからであろう。たしか全寮制のラグビー校でエネルギーを持て余した生徒の教育をコントロールするために編み出された球技であったようだが、当初からあんな危険さを伴っていたのであろうか。そして次第に他のイートンやハローのようなパブリックスクールをはじめ様々な方面に広まっていったようだ。但しラグビー校では手を使ってよいラグビーのフットボールと、使ってはいけない所謂サッカーも誕生したようだ。我が国の旧制中学、特に東京府立の中学の一部はイングランドのパブリックスクールをモデルにしたようであるから、何れこうした球技も取り入れられるようなこともあったのかもしれない。

ところで今私はイングランドといったが、我々のよく口にする「イギリス」とは何であろう。明治の頃「えげれす」といっていた表現が一部変化したものであろうか。ではえげれすとは一体何を指した表現だったのであろう。イングリッシュであろうか。だとすると「イングランド人の」とか「イングランド語」とかになる筈である。しかしイングランドというといわゆるロンドンを中心とした部分を指していることになるのだが、そこにいる人々とか、そこで話される言語という意味になってしまうが、我々は一体「イギリス」で何を表現しようとしているのであろう。いつも戸惑うのである。ロンドンで生活していると、我々が「エイ」と発音しているところを「アイ」と発音する人々によく出会う。例えば「ゲイム」は「ガイム」になる。ここのところは「マイ・フェア・レディ」（バーナードショー原作『ピグマリオン』の映画化）の花売り娘のイライザがよく見せてくれた。稀代のサッカーの名手ディビット・ベッカムがテレビの画面で、自分は先ずイングリッシュを良く勉強しなければならないと決まり悪そうに「アイ」の音を残しながら何かのコメントをしていた。でも我々が表現したいのは人や言葉ではない筈で、さしあたり場所の筈である。だったら「兎が卵を抱いている」ところ全部すなわち大ブリテン島（ザ・グレイトブリテン）を言いたいのか、夫々の部分かということになる。英連邦といってしまうとオーストラリアやニュージーランド、カナダまで入ってしまう。南アフリカも以前はそうであった。ではさしあたりイングランドとしておいたらどうであろう。ロンドンを中心とした部分だけのことを言いたければそれで良いし、他のところにも話が及ぶならその都度足してゆけば良いのではなかろうか。

早い話が今回日本で開催されたラグビーのワールドカップで「イギリス」関連で日本が対戦したのは先ずアイルランドとスコットランドである。イングランドやウエールズとは戦わなかった。だから今回は日本中誰も「イギリス」等という曖昧な表現はしていない。兎も角相手のチームのことを少しでも理解する良いチャンスである。ただ体と体をぶつけ合って血を流し合って相手を讃え合って別れるのでは勿体ない。私はどんな競技の場合でもいつもそう思う。各国の各チームの必死さには打たれる。日本のチームはもっと必死にならなければならないといつも思う。韓国との対戦の時だけでは駄目なのだ。あの必死さはどこからくるのかをそれこそ「肌で感じ」なければならないと思う。そうしなければ何時までたっても勝てない。サッカーだってバレーボールだって同じであろう。国際競技はただの交流ではない。いわば代理戦争である（と或るイタリア人が言っていた）。スコットランドだってアイルランドだって特にイングランドには絶対負けたくない筈だ。それだけの事情と歴史がある。

オックスフォードやケンブリッジよりは北になるが、ロンドンからそれ程遠くないところにラグビーという駅があることに気付いたのはロンドンに一か月近くいた間旅をした往路でのことだったか帰路の方であったか、この近くにかのラグビー校があるのであろうかと思ったことだった。その二十年位前、東京でオリンピックが開かれる一年前に、ヨーロッパに初めて行って先ず駆け足でパリやアムステルダム等と共にロンドンにも立ち寄ったが、その際はロンドンの外に出てみることは出来なかった。やっとその機会がやってきて、スコットランドを目指すことになった。

四、イングランド、スコットランドに入ってみる

ラグビーやフットボールはこうして何分イングランドで発祥して英連邦を中心に盛んになってきたので、一九八六年の八月から九月にかけてのあの旅はイングランドとスコットランドの理解を少し具体的にすることが出来たのだと思い、そのことを今いろいろと想い出す。両親に同行して高校生になったばかりの娘が全身のセンサーでまわりの動きに応じているようであった。温暖化で今は事情が変わっているかもしれないが、当時ロンドンのこの時期の気温はすでに低くなっていて、ブラウスのカフスを手首でしっかり止めておかない

と冷たい風が入ってきて寒かった。日本でいえば丁度十月中旬頃の気候であった。

旅は初めから刺激的であった。パディントン（であったか）発午前十時頃のインターシティに乗り込む。地べたからいきなり乗り込むようになっている。時間になると静かにスルスルと列車は動き始める。アナウンスは特にない（ように思えた）。ボヤボヤしていると置き去りにされかねない。駅やプラットホームが静かなところがしかし気に入った。停車する駅の名は一度だけ告げられる。車内のサービスも必要最低限度。こうすれば皆サービスを当てにせず、自分で気をつけるようになろうというものである。イングランドにいれば自ずと自立性が養われるのかも知れない。

ロンドンの街中は汚れが目立つところも多かったが車窓からの眺めには緑深くおだやかでほっとさせるものがあった。まだヨークにならないうちであったが、例の備前焼の巨大な花瓶のような原発の炉が立っていて、その近くで羊が草を食んでいた。ヨークを過ぎると車窓からの眺めは一変した。岩がごろごろしているところに紫色のヒースが咲き乱れていた。すると一天俄かにかき曇り、やがて雷鳴が轟いてバケツでぶちまけるような土砂降り。しかしよく見ると降っているのは走る列車の左側で右側は晴れている。しばらくして前方に巨大な虹が立ち、そのアーチに向かって列車は驀進しているような恰好となる。

「虹を見ると私の心は踊る……」

もうスコットランドに入っていたのだ。それにしても車窓の眺めのこの違い。エディンバラで降りたら冷たい風が吹き荒んでいて、たまらず厚いセーターを買い込んでコートのように着て序にラシャの帽子も見つけて、ま深くかぶった。城が黒々と聳え、中でオペラの『アイーダ』を観ることが出来た。哲学者のデイビッド・ヒュームはこの大学で学んだが生家は少し東の方に行ったところだった筈である。街中にあるヒュームの住んでいたところを訪ねてみたが特に何かがあるという訳ではなかった。

一泊して更に北に向かってインバネスからネス湖に沿って南下したのだが、ネス湖の上空は青々と澄みわたり、湖の全貌が隈なく見渡せた。直線で四十五キロもある湖岸の途中で降りて（たしかタクシーで）建物に入ったが、そこに置いてあるネス湖の様子を撮った写真と目の前の湖はまるで別物であった。ともかくグラスゴーまで辿り着いた。この街はエディンバラと殆ど同緯度だが、気候も穏やかで、神奈川県のデパートでも見かける、イングランドのミドルクラスの女子の服装の店を見つけて買い物をすることが出来た。スコットランドはわからないがイングランドは階級社会で、ミドルクラスの店でハイ・ソサイエティの人が買い物をすることはなく、それはフランスでも同じで、食べるものも階級によって違いがあるようだ。泊まったグラスゴーのホテルは感じが良く、食べるものも良かった。

　スコットランドもアイルランドもウエールズもそもそもケルト系の人々で、ローマの支配はヨーロッパの隅々に及んでいて、いわゆるケルト族はグレイトブリテンの片隅に追いやられていったのである。ケルト族がかつて如何にヨーロッパを手広く支配し、高い文化を持っていたかを垣間見たのはスペインのマドリッドのナショナル・ミュージアムでケルトの金細工を見つけた時である。細工は細かく繊細で、その詩情溢れるデザインに感じ入った。スコットランドにはケルトが色濃く残っている。そしてゲルマン民族が優勢になってケルトの人々はゲルマンにも追い込まれることになった。イングランドとはゲルマンのアングル族の国、アングルランドである。スコットランドは一七〇七年にイングランドに併合された。デイビッド・ヒューームが生まれたのはその少し後の一七一一年で、終生イングランドに対しては精神的アイデンティティーを保つのが難しいようであった。だからヒューームがアメリカ合衆国のイングランドからの独立に肩入れしたのは自然のことで、合衆国が独立を果たした一七七六年、ヒューームはその死に臨んで十分そのことを理解していたのかどうか。アメリカ合衆国はしかしゲルマン系の人々を主体にしていて、日本は後にその国と戦って征服されるに至ったわけである。

　グラスゴーから更に湖水地方（レイク・ディストリクト）まで南下した。目的地はあの虹の詩を詠んだ桂冠詩人ワーズワース（一七七〇～一八五〇）の里である。ここは勿論もうイングランドになっている。ワーズワース記念館になっているダブコティジの前は、美しい湖水地方の湖の一つのグラスミア湖で、この湖はあまり大きくなく、まるで自分のうちの湖のようになっていた。ここで深い緑色の革表紙のワーズワースの詩集も見つけた。それを手に持って湖を眺めていると上空に虹が立った！　やはりここまで足を延ばしてワーズワースが The lovliest spot that man hath ever found と言ったところの実感を親子で分かち合えて良かったとつくづく思ったが、ピーターラビットの里迄行ってみることは出来なかった。ベアトリス・ポッターは偉大である。彼女は子孫は残さなかったかもしれないが、ピーターラビット達が獲得する世界中からの印税がナショナル・トラストによって管理されて、ウエールズ地方にも近いそこいらあたりのあの景観の範囲を広げているようである。自然が大事にされている。

　湖水地方を後にしてマンチェスターを通過してチェスターに降りた。ここはドイツで見かける中世の都市のような中世の様子を残した雰囲気のある美しい街で街並みが折しも夕陽に映えていた。チェスターの夕暮れは普段部活の球技にかまけていることの多かったこころなき身の娘にあわれを催さしめ、「中世を映して静かなチェスターの黄昏に響くカテドラル（大聖堂）の鐘」という一首を詠んだということを大分後になって知った。ラグビーの駅を過ぎれば、ロンドンまでは何ほどもなかった。今回アイルランドやウエールズに入ることはできなかったが、スコットランドには妖精(フェアリー)がいてイングランドの人達とは一寸違った情緒や雰囲気があるように思えた。

五、自立性と相互の関係性

今回のラグビーのワールドカップで日本チームは前回と比べても勝ち進み、決勝トーナメントに出ることが出来ることになった。このことに関して日本チームの指揮官や指導者はテレビや新聞で繰り返し自分で考え判断し、対話をするように仕向けたと語っていることが印象に残った。日本はスコットランドとプレイしたが、その際スコットランドに対して優しい気持にならなくてよい、勝つためには鬼になれとも言ったとある。このことに私は大変興味を持った。サッカー等でもこのことはよく聞いた。ゲイムに強くなるには監督やチームのリーダー等のいう通りにだけ動いていては駄目だ、場面場面がどんどん変わるのだから自分で判断せねばならない、そしてよく話し合わなければならない、と。今回もまたそのことが強調されている。日本のチームは自立性のない、自主性のない、どうかすると一寸引いて人任せの、誰かの言う通りについていこうとするプレイヤーの多い集団になってしまって、しかもそのことが習慣化してしまっているようである。兎も角我々日本人の社会は序列化し勝ちで、ひとを上にたてまつって自分はその下で恭順の意を表しているように装い、ついでに責任を他に押し付けて自分がとらないでよいようにする。

犬が複数いると序列化が起こるようだ。犬ぞり隊のリーダーはさっと決まるらしい。リーダーになる犬は見るからに大きく落ち着いている。他の犬は絶対服従になる。忘れられないのは二十世紀の初め頃であったかシベリアの雪原を走り抜けてジフテリアか何かのワクチンを極地方の街に届けて子供達を救った犬ぞり隊である。リーダーが危険も正確にキャッチして回避しながら氷の張る雪原を走り、乗っている人間は犬のリーダーに任せるしかなかったというのである。アメリカのワシントンだかでそのモニュメントを見たことがあったような記憶がある。

人を乗せた犬ぞり隊は大きな仕事をしたが先に述べたようなそういう曖昧な序列関係で成り立っているようなチームには難しい相手との勝負はおぼつかない。ラグビー先進国の指導者達はラグビーの競技で強いチームに勝つにはそれ以上の問題があることを察知して、一人一人が自立し、他人を当てにせず自分で判断すること、何よりも勝つためには鬼になるべきことを諭さねばならなかったのである。強いチームは自己判断力が旺盛だという。状況次第でリスクを伴うと思っても自己判断で思い切ったプレイが出来るチームだという。

そして一人一人が適確な自己判断力を持って動くだけではなく、その時々で近くにいる者が出来るだけ繁く対話し合わなければならない。先のラグビーのワールドカップのあと日本での開催を前にして日本チームの指導者になる人は、日本のチームを強いチームにするために並々ならぬ覚悟が要ったに違いない。日本の社会にはかつてのような身分差はない。身に着けるものや食べるものなど細かい差は今は一応はっきりとはしていない。しかしいわゆるグレイトブリテン（イギリス）やフランスには今でも階級差があって、例えば服装品等を買うためにも出入りする店は決まっているようだし、食べるものも決まっていて、他の階級の食べるものは食べないらしい。例えばフランスでは甘味の付いたヨーグルトはミドルクラス（以下）の庶民の食べるもので、爵位は無いのだが、ハイクラスの人々はヨーグルトといえば甘味のついていないものしか食べないのだそうだ。又、グラタンのような料理はミドルクラスが好んで食べるようで、このようなことを私は『人生は長く静かな河』という映画（監督はエティエンヌ・シャティリエ）で初めて知った。この映画ではこのような格差は男の子の服装や髪型にも及んでいることを出演者が面白くみせていた。

フランスやイギリスのように事実上階級差のあるところでサッカーやラグビーのプレイヤーの構成はどうなっているのか知らない。例えばサッカーに関してはフランスでは元フランスの植民地だったところの人々が多くプレイしているし、ラグビーでは日本も含めて各国共、プレイヤーの顔ぶれはインターナショナルになっている。そんなチームにあって先ず互いに平等な関係であることを認識し合わねばなるまい。常に同じ高さの台の上に乗っていることを知ることが何より重要である。対話はその上に成り立つ。日本チームの指揮官は日本チームは自分で判断し、対話し合うチームに成長したと繰り返し述べている。しかも試合中でなくともラグビーについての対話は行われているとも。そこのところにも指揮官は日本チームの成長を認めている。しかし日本チームは八強になることは出来たが、南アフリカと対戦してトライを一つも奪うことが出来ず、むこうには二十六点も取られて負けてしまった。南アフリカのパワーやスピードに太刀打ち出来なかった。もし南アに勝てば、ウエールズの情報が入って良かったであろう。ウエールズといえば映画『マイ・フェア・レディー』でイライザの父親がよくわからない言葉で怪気炎をあげてヒギンズ教授を面白がらせていた。グレイトブリテンでは皇太子はプリンス・オブ・ウエールズと呼ばれ、ウエールズを所領としているようだが、一般的にウエールズのことは、それにアイルランドもイングランドやスコットランドよりもっと知識が不足している。もう残念ながら訪ねてみることは出来ないからせめてテレビの番組を見落とさないようにするしかないであろう。

余談になるが、ラグビーワールドカップの決勝がイングランドと南アフリカの間で行われ後者が勝った。今までも人種の坩堝のような南アフリカこそはラグビーが人種問題に深く関わっていることを見せてくれた。二十世紀も終わる頃、この国は人種問題の解決について人類に希望の灯りをともしてくれた。そして今日は国内の人種を越えてメンバーが一つにまとまって渾身の力を振り絞って優勝という目的を果たした。日本が決勝トーナメントで負けたのはこんな国であった。

六、メンバーの対等な関係とは

ともあれ、何の球技であれ、素早いプレイをする上で必要な対話をする対等な関係が重要である。これを大事にする心構えをしっかりと持たねばならないであろう。これはスポーツに限らず人間関係においてどんな場面にでも有効であろう。

日本にはそもそも武士階級が担い作り上げてきたものがあって、この百三十年位の間に入ってきた他国、他民族からのいわゆるスポーツの受け入れは武道を基礎にしているのではないかと思っている。武士の身につけていたのは主に剣術であろう。剣術では相手こそあれ、一人で技をみがくことを専らとする。グループどうしのチームプレイなどはあとから入ってきたものである。チームの中でその競技に経験の差があったり、年齢の差があったりする場合にお互いの間に上下関係を作り、上の者を立てるという習慣がつい出てきてしまうから人の顔色を窺うのではなく自分で考え判断せよといわれても、「上」の者を忖度するようなところが出てしまう。

かつてサッカーの試合の時ピッチの上で経験もあり年齢差のある者に「下」の者が呼びかけるのに名前を呼び捨てにしたということが話題になっていた。少なくともピッチの上では同等で対等だということを先ず選手どうしが理解し合うのに、その観客の「世間」が先ず「さんづけ」等必要としない間柄であることを認めることが出来ず、呼び捨てを許すことが出来なかった。チームのメンバーどうしが対等であることを理解するには時間が要ったに違いない。他国からの指揮官や指導者はそういうところが若い世代にも根強く残っていることに気付いたに違いない。だから手をかえ品をかえてくり返し、ひとの言った通りにすることばかりでなく、小技を身につけるだけでなく、自分の頭で考え判断せよと言い続けなければならなかったのではないかと思う。指導者はしかも互いに話し合ってコミュニケーションを取れとも言ったという。

犬どうしでもあるまいが、チーム内で序列を作ってしまって「下」の者が「上」に何か提案したりすることが遠慮がちということも多く見られた。チームのメンバーが決まった時、キャプテンはいるにせよ、各メンバーはお互いに平等で対等な戦士として同等な資格を与えられているのだということを自他ともに認識し合わねばならないわけであろう。戦う以上勝ちを絶対的目標にして鬼になれるように。しかし鬼といっても自分を見失ってしまってはこれまた戦い以前のことになってしまう。あくまでも自分の頭で考え判断出来る冷静さを保っている鬼であらねばならないであろう。そして状況に応じて情報を交換し合いコミュニケーションをとり合うことも重要である。今回のラグビーのワールドカップで出場した日本チームではそういうことが次第に出来るようになって来て、試合をしていない時もラグビーの話をするようになっていたと指揮官は言っている。

ラグビーの国際試合といえば勝つことが期待出来ないことが長く続いた。しかし自国でワールドカップを開催するに際して是非常勝軍団とまではいかなくても少なくとも負けることが当たり前のチームから勝って当たり前のチームにするために指揮官が目指したことが個々の技術的なこと以前にいわば人間関係の改革をはかることであったということは興味深い。運動競技のチームプレイだけではなく、およそ人間関係のあらゆる場面に適用出来ると思われるからである。

私がラグビーのような激しく目まぐるしく状況が変わってゆく競技に擬えて考えてみたかったのは、およそ人間が生活していく上で何事も必ず複数の多様な人間どうしの間柄の関係で成り立っているものであるという事である。そこでは先ず夫々の自立性が要求され、相互の対等な関係性が出来上る。一つの目的を共有するメンバーの間には格差があったり、上下の関係があってはならず、あくまでも平等で対等な者どうしの関係性に意義があるということである。

七、相互の対等な関係性は人体の内部にまで？

ところで今、私はおよそ人間が生活してゆく上で、と言ったのだが、そう言いながら実は二〇一七年の秋に放映されたNHKスペシャルの「人体」の内容の事を思い出している。その内容は大変ショッキングな刺戟的なものであった。私が先に球技のゲイムのメンバーについて言ったことが人体の中で起こっていることを、映像を伴った解説で知らされたからである。その内容は二〇一八年一月に『NHKスペシャル「人体――神秘の巨大ネットワーク」1』（東京書籍）として出版された。その、プロローグには、「これまでの人体のイメージは、脳が全体の司令塔となり、他の臓器はそれに従うというもの、つまり、「脳を頂点とするタテ社会」という考え方だ。ところが、最新の科学はその常識を覆した。体中の臓器が互いに直接情報をやりとりすることで、私たちの体が、そして生命が成り立っているという驚きの事実が明らかになってきたのだ。人体の中では常に臓器同士が〝会話をするように〝メッセージを交換しながら、支え合って働いている。いわば巨大なネットワークなのだ――」とある（同書九頁）。

しかし実はそのプロローグは以下のようにして始まってい

た。

「有史以来、人類は自らの体を探求し続けてきた。個々の臓器の役割を解き明かし、それぞれの臓器で働く細胞の機能を知り、それらを背後から支配する遺伝子の世界にも踏み込んだ。そして細胞や遺伝子といった目には見えない微小な世界の秘密を探るうち、思いもよらない一つの大きな秘密にたどり着いた（同書六頁）。」

その秘密が「臓器同士の巨大なネットワーク」だというのである。人体の中では常に臓器同士が〝会話をするように〟メッセージを交換しながら支え合って働いているという。そのメッセージとは具体的には臓器の放出するメッセージ物質である。でその放出は全身のあらゆる臓器や細胞にまで及んでおり、それらの間で脳を介することなく会話が行われており、これらの会話に耳を傾けることが重要であるといわれている（同書三二頁以下）。

つまり体内では脳を介することなく、ということは脳の命令を受けるのではなく、脳から自立して、脳も一つの臓器とし、各臓器は対等な関係で互いにメッセージ物質を放出し合って対話し合っているということである。

やっぱりそうか……。これが私の本書のプロローグ等を見た時の密かな第一印象だった。何故なら本誌19号の拙文「五百年後のピュロン――新しい考え方の建設へ」の特に五三頁のあたりに思い至ったからである。そもそも生き物を序列化して縦に積み上げて見せたのはアリストテレスである。それを崩して横並びにして多様な個々のものを同等に扱ったのはセクストゥス・エンピリクスである。アリストテレスはアレクサンダー大王の師でもある。だが、アレクサンダーに従軍した哲学者のピュロンの教えを集大成したセクストゥスはアリストテレスやピュロンから約五百年後に、現象に絶対的なものを認めようとせず、相対的な多様性を認め、それらの間に関係性を見ようとしたのである。もともとアレクサンドリアではアリストテレスの学問の実証性が評価され、生物の分類学上のアリストテレスの考え方は西欧において二千年の長きにわたって君臨したが、その後およそ人間の関わる多くの場面、分野（国家や民族の間、男女間等）で上下の序列や格差の垣根を外し（市民革命など）、物事を相対的に多様性と同等性でとらえ、それらの間に関係性を見ることが行われるようになってきている。そのような傾向が今回放映され、出版された人体の見方にも及んできているように思えたのである。

『人体』は1に次いで2、3、4と四巻全てが出版されている。他ならぬ人体の中で起こっていることを先ずはよく学んでみよう。

執筆者別 総目次

第31号(2015年1月)から
第40号(2019年7月)まで
・五十音順、丸数字は号数
・題目などに一部省略あり
★創刊号~第19号=第20号
★第21号~第30号=第31号
それぞれ執筆者別総目次を掲載

(作成/熊谷文雄)

秋間 実

㉛フリードリヒ・ヴァイスマン モーリッツ・シュリックを偲んで(秋間訳)
㉜ことばの雑記帳・第十
㉝エーゴン・シュヴァルツ 坩堝(るつぼ)か、それとも、魔女の料理なべか? (上)(秋間訳)
㉞〃 (下)(〃)
㉟ことばの雑記帳・第十一
㊱ユダヤ系ドイツ人女子トップアスリートの無念—一九三六年ベルリーン・オリンピック「大成功」の陰で
㊲グリュンシュパン事件をめぐって—少年はなにを問いかけているか?
㊳ことばの雑記帳・第十二 外国語のカタカナ表記をめぐって(再説)
㊳どのように西ドイツ留学が実現したか—一九五〇年代自分史の一場面を振り返る
㊴ホイス大統領とユダヤ人たち(一)—公私のメッセージ、評論、故人の追想、ほか(秋間編訳)
㊵〃 (二)

浅川泰一

㉛長い旅路の終わり
㉜サッチョンとボルシチ
㉝ネックレス
㉞室蘭航路
㉟再会と別れ
㊱尾瀬沼失踪事件
㊲影 響子の初志
㊳鴨緑江再訪
㊴幻の「東京(トンキン)城」—五十年の時を超えて
㊵ハワイの虹—異国に骨を埋める

荒木瑞子

㉟「お城の上の星の子か」夢二が好んだ子守唄のフレーズ

家村富美子

㉟短歌 光る草の根
㊳〃 独りの四季

岩井希文

㉛わが街のシンボル・キャラクター 茨木童子を訪ねて(前篇)
㉜〃 (後編)
㉝南蛮のみち、ポルトガルを訪ねて(前篇)
㉞〃 (後編)
㉟戦国期の茨木城主「中川清秀」を訪ねて(前編)
㊱〃 (後編)
㊲「桐一葉(ひとは)落ちて天下の秋を知る」—最後の茨木城主片桐且元(かたぎりかつもと)を訪ねて
㊳〃 (後半)
㊴「コスタリカ」を訪ねて 軍隊を持たない「丸腰国家」を実感する旅へ
㊵北欧四カ国(デンマーク・ノルウェイ・スウェーデン・フィンランド)を訪ねて

岩城耕一郎

㊱私の「第三の男」

大河内健次

㉜須賀敦子の「シエナの坂」を辿って
㉝トリエステ文学散歩
㉞国境の町トリエステ
㉟ジェイムス・ジョイスとトリエステ
㊱バルセローナと堀田善衛氏のこと
㊲ブラッセルで知った三島由紀夫の自決
㊳サンタンデールと「果てしなき旅」
㊴故神吉敬三教授とサンパウロ美術館のこと
㊵ダンテとフィレンツェ—フィレンツェへの旅(その一)

岡武 脩
㉛私の文学的彷徨（補遺九）
㉜〃（補遺十）
㉝〃（補遺十一）
㉞〃（補遺十二）
㉟文学的断章二編
㊱京都への道
㊲一道の光明—ドストエフスキー「おとなしい女」をめぐって
㊳ドストエフスキーの二つの作品
㊴ドストエフスキーの長編小説「虐げられた人びと」の時代背景と作品について

岡田多喜男
㉛小説『魂の半分』を読んで—アルベール・カミュとカタルーニャ—
㉜書評 アルベール・カミュとバレアス諸島—海中の花
㉞ウェルキンゲトリクスの闘い
㉟カタルーニャ・ミステリー『黒い嵐』
㊱〃『不完全犯罪』
㊲〃『天国への近道』
㊳カタルーニャは独立できるか?
㊴カタルーニャの今
㊵カタルーニャの小説『禁断のカタリ派』を読んで

小川節美
㉜ふるさとは今 阪神淡路大震災から二十年

隠岐都万
㉞日本人船員の家
㉟サーカスと私
㊱帝と女達
㊲息子の選択
㊳シアトルの思い出（一）
㊴〃（二）
㊵ダッカ邦人救出劇

小澤亜都子
㉛私の福沢諭吉像（二）人間ゼミ「福沢諭吉を読む」受講メモ

大津港一
㉛コラム㉝㉞㉟㊲㊳㊴㊵

笠松尭子
㉟真砂町のくらし

神野 歩
㉝越後の名匠

川本卓史
㉛スティーブン・キングの『11/22/63』とネット時代の読書
㉜三島由紀夫『海と夕焼け』とカミュ『ペスト』と読書会
㉝福沢諭吉を探す旅
㉞ハリウッド映画回想—『駅馬車』や『めぐり逢い』などの話
㉟「英国から」と「英国へ」—J・S・ミルの『自由論』を読みながら
㊱二〇一六年広島について考えたこと
㊲泰西に「美女ありき」—親愛なるエマへ
㊳信州八ヶ岳山麓で過ごす日々
㊴チャールズ・ディケンズ賛歌二つの出世作を中心に
㊵チャールズ・ディケンズ—「十九世紀リベラルの顔」

京都連歌の会
㉜賀茂御祖神社奉納 直会殿張行

日下總一
㉜俳句 花樗

熊谷文雄
㉛55か国の鉄道に乗る—ある海外鉄道マニア・戸城氏—
㉜ピアノ 月光 廃屋と沈没船 ピアノ工房岡本芳雄氏に聞く
㉝初期「あとらす」に書いた人たち 二人の批評家（クリティーク） 久門、芹沢
㉞〃（その二）「自分史」に徹した二人—今村千賀子 藤田文代
㉟〃（その三）二人の地質学者—坂本亨 藤井昭二
㊱初期「あとらす」に描いた人たち 表紙・塩田みはる 挿画・久保洋子
㊲「オーケストラの少女」以後—「三人の映画人」、映画発祥の地・神戸
㊳歴史 地理 感傷「あとらす」

紀行記散見
㊴橘南溪／堀淳一 続「歴史地理 感傷」紀行記散見
㊵続々「歴史 地理 感傷」紀行記散見―等高線 ベデカー爆撃

桑名靖生
㉞日本人の笑い～江戸から続く庶民の笑いと諷刺～
㉟日本の民謡―追分節の変遷
㊱光芒江差―頼三樹三郎『百印百詩』
㊳『詩吟』誠洲流吟詠会盛衰記
㊴映画『幕末太陽傳』～落語の世界

河野 健
㉞戦争と音楽をめぐる三つの秘話
㊱ミリキタニの猫―MAKE ART NOT WAR
㊲ファウスト雑感
㉞戦争と音楽をめぐる三つの秘話

斉田睦子
㉞コラム㉟㊱㊲㊳

斎藤 宏
㊵音楽に目覚めた高校時代

佐伯弘文
㉟わが愛しきカチューシャ

里木ひろゆき
㊲鳥になって

正保富三
㊵音楽会・ハウスナンバーなど―ロンドンの思い出

関根キヌ子
㉝短歌春を告げくる

添田 孜
㉛オペラに魅せられて（五）
㉜ 〃 （六）
㉝奥のほそ道 古歌と歌枕
㉞ 〃 〃 （2）
㉟シチリアの夕べの祈り
㊱ベラ・チャスラフスカ：プラハの春
㊲旧婚旅行
㊳ 〃 （二）

高木寛治
㉛済州島の石
㉜賀川豊彦と石
㉝金子みすゞの「石の詩」
㉞「石」「日本」「日本人」と私―石と人との関係学序説
㊱相馬御風と石
㊲山尾三省と石
㊳三木行治と大渡順二―「元岡山県知事・三木行治医師の公衆衛生」研究より

高橋孝治
㉞天賦人権論と劉剛『天安門のパンドラ』
㉟公訴時効の議論から見る中国の犯罪観（訳）

高橋とし江
㊱俳句移ろう季節

田村耕一
㉜元気の源、クレージーキャッツの魅力

茅野太郎
㊲コラム㊳㊴㊵

摘 今日子
㉜アドリブな猫たち（その三）
㉟夏 雲（一）
㊱ 〃 （二）
㊴アスミータ 或る家族の物語（上）
㊵ 〃 （下）

富田恵子
㉟コッちゃんの遠い思い出 戦争中の子どもたちの物語
㊱ 〃 人形の思い出

根本欣司
㉛コラム㉝㉞㊱㊴

ハンス・ブリンクマン
（溝口広美・訳）
㉛意外な演技力 松下幸之助のおもいで
㉜銃とカトラリー
㉝油壷のライシャワー
㉞硬貨になった貴婦人との二度の出会い
㉟夫婦それぞれのペットたち
㊱生涯現役の研究者―航空宇宙学のヒルトン博士
㊲宇宙から戻った上院議員上院銀行委員長ジェイク・ガーン
㊳ロスチャイルドの印鑑
㊴梅の木ふたたび
㊵サボテンスープと不思議な木

舟越辰緒
㊲淀川長治さんのこと

藤野正弘
㊲ミンナソラノシタの２０００日―福島の子どもたちを応援する京都のお母さんたちの奮闘記
平田雅子
㉛駄六川
藤井昭二
㉛思い出すこと（三）―使用価値二―
㉜人前結婚式　思い出すこと（四）樹木考・カンニング
㉝老いのくりごと（その一）
藤　文代
㉛柿の木　十四
船越　博
㉝隠岐の恋路
船本マチ
㉛短歌　模写マリア
㉜〃　妹よ
㉝〃　また会う日まで
㉞〃　茂吉の歌碑に
㉟〃　三題
㊱〃〃（Ⅱ）
㊲〃　幻の花

㊳〃　速報テロップ・他
㊴〃　ちょこっと尾瀬
㊵〃　みくじ合わせの春
星昇次郎
㉛チャヤーノフ『農民ユートピア国旅行記』を読む
㉞ジャック・ロンドン『鉄の踵』をめぐって
㊱清朝末期の理想郷～康有為『大同書』をめぐって
㊴井上円了『星界想遊記』を読む
水谷昌子
㉛短歌　祇園祭（後祭）
㉜〃　紀州　木の国
㉞〃　落花
㊱〃　俯く月
㊴〃　生命
宮とき子
㉛富有柿
三宅中子
㉛本居宣長の近代精神
㉜神亡きあとの習慣について
㉝神の死及び神の不在と習慣について―ニーチェとパスカル

㉟パスカルとノヴァーリス―二つの自我へ
㊱流行（モード）と習慣―パスカルと川久保玲
㊲ガブリエル・タルドの『模倣の法則』における模倣と習慣について―日本への関心を絡めて
㊳ガブリエル・タルドの『模倣の法則』における発明と模倣の奥行について
㊴ガブリエル・タルドの説く西欧の栄えある時期の模倣現象
㊵エジプトの一神教とモーゼ―梅原猛氏に導かれて
村井睦男
㊳逝ってしまった親友を想う
㊴松浦寿輝『明治の表象空間』と『名誉と恍惚』を繋ぐもの（上）
㊵〃（下）
村上幸子
㊵書簡集から読む長塚節―節周辺の人びと

村山武雄
㉞ラッキーとあいつと妻
㉟リムジンに乗って天国へ
森　美樹
㊲わが少年挽歌　連載①
㊳〃②
㊴〃③
㊵〃［最終回］
山口博嗣
㊳詩　音楽は素晴らしい
吉岡龍太郎
㊳故郷の飼い猫　タコの思い出

編集後記

■二〇一九年の後半は台風災害の甚大さで記憶されるだろう。15号台風がもたらした千葉県下の被害、19号に続く豪雨による東日本各所の堤防決壊や越水によって住む家を失った多くの人たちは迎える冬に如何に対処するのだろうか。年ごとに台風の威力が烈しさを増すのは地球温暖化現象に起因しているといわれている。とすれば、来年もまたいずれかの河川の氾濫を見ることになる。河川にかかる多くの橋脚の劣化も指摘されながら、原子力発電の安全神話にもたれるかのごとく保全改修は遅々として進んでいない。その現状のまま、今夏、この国はオリンピックをむかえる。

■世界に目を転じれば、貧富の格差はますます拡がり、フランスの経済学者トマ・ピケティが二〇一三年に刊行した『21世紀の資本論』で指摘した資本主義の危機はかんたんには是正されないどころか、富裕層による富の独占は不均衡の域をこえ、社会的弱者へのしわ寄せはさらに厳しさを増す。日本ももちろんこの一翼にあって、鬱積された不満はいずれ顕在化されるのだろう。このような状況下、皇位継承にともなう儀式が行われ、28億円の国費がつかわれたという。そのなかで、つぎの皇位継承者自身が「宗教的意味合いが濃い」といわれた大嘗祭の一環である大嘗宮設営に14億円を要したとされ、これはいずれ撤去される。

■本号では、恩田統夫さんが「三人の「後」付き天皇の奮闘」と題して、後白河、後鳥羽、後醍醐の三人の天皇が生きた時代状況と即位の背景、それぞれの性格の違いなどを明らかにする。この視点は新鮮で、三人が生きた一一〇〇年代から一三〇〇年代は平家の隆盛と没落、源家の勃興をはさんで、天皇たちが躍動した歴史的にもまれな時代であり、その間の動乱争乱のダイナミックさ、それにともなう数々の悲劇はいまでも「平家物語」や「保元物語」などの軍記物語が読みつがれる所以であろうが、時代を経ても、私たちは常に「戦争と文学」の問題に立たされる。

■昨年八月、突然亡くなられたドイツ文学者の池内紀さんは多くの著書を残されたが、イマヌエル・カント『永遠平和のために』の新訳でも知られているように、池内さんのお仕事には、常に「戦争」と「平和」の問題が横たわっていたのではないだろうか。それを大上段にかざすことなく、「もっと静かに生きようよ」とそっとつぶやきながら粛々と原稿用紙にむかっていた……。そんな気がしてならない。

■本号整理中に、森美樹さんの訃報に接した。「わが少年挽歌」を4回にわたって連載。森少年が東京世田谷で過ごした戦時下の様子を、少年の目をとおし、その不条理さを克明に描いた本編は、すぐれた戦争文学といえるのではあるまいか。

（N・H）

あとらす41号

2020年１月25日初版第１刷発行

編　　集　あとらす編集室

発 行 人　日高徳迪

（編集顧問）熊谷文雄・川本卓史

発行所　株式会社 西田書店

〒101-0051東京都千代田区神田神保町2-34　山本ビル

Tel 03-3261-4509　Fax 03-3262-4643

e-mail : nishi-da@f6.dion.ne.jp

印刷・製本　神戸軽印刷社